Mut für morgen

Johannes Pflaum

Mut für morgen

Johannes Pflaum

Mut für morgen
Johannes Pflaum

Copyright by:
Verlag Mitternachtsruf
Ringwiesenstrasse 12a
CH-8600 Dübendorf

2. Auflage 2022 (Koproduktion)

Verlag Mitternachtsruf, CH-8600 Dübendorf
www.mitternachtsruf.ch
Bestell-Nr. 180197
ISBN 978-3-85810-550-9

Christliche Verlagsgesellschaft mbH, DE-35683 Dillenburg
www.cv-dillenburg.de
Bestell-Nr. 271 758
ISBN 978-3-86353-758-6

EBTC Europäisches Bibel Trainings Centrum e. V., DE-10243 Berlin
www.ebtc.org
ISBN 978-3-96957-059-3

Umschlag, Satz und Layout: Verlag Mitternachtsruf
Herstellung: ARKA Druck, PL-43-400 Cieszyn

Bibelverse werden überwiegend nach der
Rev. Elberfelder Bibelübersetzung (© 1985/1991 R. Brockhaus Verlag)
und der Schlachter 2000 (© 2000 Genfer Bibelgesellschaft) zitiert.

«Gedenkt an eure Führer,
die euch das Wort Gottes gesagt haben;
schaut das Ende ihres Wandels an,
und ahmt ihren Glauben nach!»

Hebräer 13,7

In dankbarer Erinnerung an meine Eltern
Lienhard (13.01.1927 – 04.03.2018) und
Renate (10.07.1930 – 11.01.2017) Pflaum.
Sie haben uns Kindern die Bibel lieb
gemacht, darin unterwiesen und uns ein
Leben in der Nachfolge Jesu vorgelebt.
Meine Eltern lehrten uns, dass ein Leben mit
Jesus und nach dem Wort Gottes untrennbar
mit der Bereitschaft verbunden ist, gegen
den Strom zu schwimmen und auch für
Christus und die göttliche Wahrheit
zu leiden.

Inhaltsverzeichnis

Prolog

Der 31. Oktober 2005 war ein sonniger Herbsttag. Hinter mir lag eine dienstintensive Zeit. Ich machte mich mit meinem Fahrrad auf den Weg, um den körperlichen Ausgleich zu pflegen. Zurück von meiner Tour fuhr ich auf einer Nebenstrasse talwärts. Trotz Sonnenschein war in einer Haarnadelkurve die Strasse feucht. Das Hinterrad kam ins Rutschen und ich befürchtete einen Sturz. Deshalb bremste ich stark, um die Geschwindigkeit vor dem Sturz zu verringern. Das war ein folgenschwerer Fehler. Alles ging sehr schnell. Das Rennrad überschlug sich und wie in Zeitlupe kam mir der Asphalt entgegen. Vor dem Aufschlag durchzuckte mich noch der Gedanke: «Jetzt tut's gleich richtig weh.» Genauso kam es auch. Ich musste mit zwei Knochenbrüchen ins Krankenhaus.

«Jetzt tut's gleich richtig weh.» Das gilt nicht nur im Zusammenhang mit einem Unfall. Nachfolge Jesu kann auch manchmal richtig wehtun.

Damit meine ich nicht nur schwere Lebensführungen wie Krankheiten oder den Verlust von Angehörigen. All das hinterlässt auch Spuren im Leben mit Jesus. «Ja, Christen haben Trost! Und doch – der Schmerz bleibt»,[1] schrieb Pfarrer Wilhelm Busch, der selbst durch schwere Lebensführungen ging. Nachfolge kann auch richtig wehtun, wenn es um Jesus und das Bekenntnis zu Ihm geht. Eine Tatsache, von der das Neue

---

[1] Wilhelm Busch, *Plaudereien in meinem Studierzimmer*, Schriftenmissions-Verlag Gladbeck 1965, S. 180.

Testament viel spricht, die wir aber nach Jahrzehnten der Glaubensfreiheit und des Wohlstands in Westeuropa meist vergessen oder verdrängt haben.

Es gibt auch in unseren Breitengraden Spott, Anfeindungen und Benachteiligungen um Christi willen. In einem gesellschaftlichen Klima der schwindenden Meinungs- und Glaubensfreiheit werden bibeltreue Christen zunehmend an den Rand gedrängt. Auch im «freiheitlichen Westen» (man verzeihe mir den terminologischen Rückgriff auf die Epoche des Kalten Krieges) haben in den letzten Jahren einige Christen ihre Arbeitsstelle um ihres Glaubens willen verloren. Bis jetzt kommt das selten vor. Aber wir können daran erkennen, wie sich das gesellschaftliche und ideologische Klima gewandelt hat. Im Vergleich mit den bibeltreuen Christen in Nordkorea, dem Iran oder anderen Staaten geht es uns noch sehr gut.

«Jetzt tut's gleich richtig weh.» Wer die Entwicklungen mit offenen Augen sieht, stellt fest, dass die bekennende Gemeinde Jesu in Europa anderen Zeiten entgegengeht. Wir helfen uns nicht, wenn wir den zunehmenden Druck und die sich abzeichnende schwindende Glaubensfreiheit kleinreden. Oder wenn wir durch ein schwärmerisches, angepasstes Christsein den Tatsachen aus dem Weg gehen wollen. Es geht darum, der Realität ins Auge zu sehen, so wie ich damals die Strasse auf mich zukommen sah. Aber was noch wichtiger ist: intensiv in die Bibel zu schauen und uns mit dem zu beschäftigen, was darin über Leid, Spott und Verfolgung um Christi willen geschrieben steht. Es geht noch einen Schritt weiter. Die Bibel lässt uns mit solchen unangenehmen Realitäten nicht allein. Vielmehr gibt sie uns Kraft; und in Christus erhalten wir Trost und echte Freude, um mit Seiner Hilfe durchzuhalten.

Das ist noch nicht alles: In der Bibel finden wir grosse Verheissungen, die uns für das Leid und die Schmach um Christi willen gegeben sind. Dieses Buch soll ein Anstoss und eine Hilfe sein, damit wir nicht unvorbereitet in eine Zeit hineinstolpern, in der Nachfolge richtig wehtun kann.

TEIL I

WAS JETZT WICHTIG IST

Die Bewährung unseres Glaubens in Versuchung

«Gelobt sei der Gott und Vater unseres Herrn Jesus Christus, der uns aufgrund seiner grossen Barmherzigkeit wiedergeboren hat zu einer lebendigen Hoffnung durch die Auferstehung Jesu Christi aus den Toten, zu einem unvergänglichen und unbefleckten und unverwelklichen Erbe, das im Himmel aufbewahrt wird für uns, die wir in der Kraft Gottes bewahrt werden durch den Glauben zu dem Heil, das bereit ist, geoffenbart zu werden in der letzten Zeit. Dann werdet ihr euch jubelnd freuen, die ihr jetzt eine kurze Zeit, wenn es sein muss, traurig seid in mancherlei Anfechtungen, damit die Bewährung eures Glaubens (der viel kostbarer ist als das vergängliche Gold, das doch durchs Feuer erprobt wird) Lob, Ehre und Herrlichkeit zur Folge habe bei der Offenbarung Jesu Christi. Ihn liebt ihr, obgleich ihr ihn nicht gesehen habt; an ihn glaubt ihr, obgleich ihr ihn jetzt nicht seht, und über ihn werdet ihr euch jubelnd freuen mit unaussprechlicher und herrlicher Freude, wenn ihr das Endziel eures Glaubens davontragt, die Errettung der Seelen!» (1Petr 1,3-9).

Der regelmässige Tagesablauf mit all unseren Pflichten, Aufgaben und Arbeiten gehört zur Normalität des Lebens. Eine Ausnahme dagegen ist, wenn wir unsere Ferien antreten. In dieser Ausnahmezeit sind wir ein Stück weit von der Normalität der täglichen Pflichten ausgenommen. Für solche erholsamen Tage und Wochen dürfen wir sehr dankbar sein. Mir ist es manchmal schon nicht ganz leichtgefallen, nach einer so schönen Ausnahmezeit wieder zur Normalität des Alltags zurückzufinden. Und trotzdem ist der Alltag die Regel für unser Leben. Würden wir nur im Ausnahmezustand, den Ferien, leben, hätte das keine gute Auswirkung auf uns. Unser Charakter und unsere Einstellung zu den alltäglichen Pflichten würden darunter leiden.

Auch als Gemeinde Jesu müssen wir zwischen Normalzustand und Ausnahmezustand unterscheiden. So ist es ein Ausnahmezustand, wenn wir als Nachfolger Jesu Zeiten ohne Verfolgung und ohne besondere Verführung erleben. Wenn wir in die Bibel schauen, stellen wir fest, dass sowohl Verfolgung als auch Verführung der Normalzustand der Gemeinde Jesu waren und sind. So erlebte auch die Jerusalemer Gemeinde, nachdem sie stark gewachsen war, sehr schnell eine schwere Verfolgungswelle (Apg 8,1-3). Die Berichte über die Missionsreisen des Apostels Paulus zeigen uns auf, wie schnell Verfolgung und auch Verführung über die jungen Gemeinden hereinbrachen. In den sieben Sendschreiben der Offenbarung finden wir beides. Die Gemeinden wurden durch massive Verfolgung wie auch durch raffinierte Verführung bedroht.

In Westeuropa blicken wir auf eine lange Zeit mit grosser Glaubensfreiheit zurück. Obwohl es in der Vergangenheit auch die Gefahr durch falsche Lehren und Schwärmerei gab, war die Zeit nach dem Zweiten Weltkrieg doch zunächst eine relativ ruhige Zeit. Einerseits hat in den letzten Jahren die Verführung stark zugenommen, andererseits gibt es auch Anzeichen, dass unsere Glaubensfreiheit beschnitten werden könnte. Doch halten wir fest: Nach der Bibel ist die Glaubensfreiheit und die doch relativ ruhige Zeit für einige Jahrzehnte der Ausnahmezustand.

Der Normalzustand der Gemeinde Jesu sind Verfolgung und Bedrängnis. Deshalb sollten wir von Herzen dankbar sein für alle Freiheit, die wir noch haben. Sind wir das nicht viel zu wenig? Verführung und Bedrückung herbeizuwünschen, wäre nicht angebracht. Aber wenn es so aussieht, dass beides zunimmt, sollte uns das nicht wundern. Vielmehr entspricht es dem Normalzustand der Gemeinde Jesu. In diese Situation hinein schrieb der Apostel Petrus seinen ersten Brief. Zur Zeit Kaiser Neros war es zum verheerenden Brand in Rom gekommen. Nero schob die Schuld dafür den Christen in die Schuhe. Damit breitete sich zum ersten Mal eine flächendeckende Christenverfolgung über das Römische Reich aus. Sie drang bis nördlich des Taurusgebirges nach Pontus, Galatien, Kappadozien, Asia und Bithynien vor (heutige Türkei). An die dorthin versprengten und unter grossem Druck stehenden Nachfolger Jesu schreibt Petrus diesen Brief, um ihnen Mut zu machen und aufzuzeigen, dass sie sich nicht in einem Ausnahme-, sondern im Normalzustand befinden, der ganz Gottes Absichten und Plänen mit Seinen Kindern entspricht.

Unsere Stellung als Glaubende in dieser Welt

Petrus beginnt seinen Brief an die Fremdlinge in der Zerstreuung:

«Petrus, Apostel Jesu Christi, an die Fremdlinge in der Zerstreuung in Pontus, Galatien, Kappadozien, Asia und Bithynien, die auserwählt sind gemäss der Vorsehung Gottes, des Vaters, in der Heiligung des Geistes, zum Gehorsam und zur Besprengung mit dem Blut Jesu Christi: Gnade und Friede werde euch mehr und mehr zuteil!» (1Petr 1,1-2).

Über diese Brieferöffnung lesen wir so leicht hinweg. Aber schon dieser Satz sagt uns viel über die Stellung der Jesusleute in dieser Welt. Das Wort Fremdling hat für uns im grenzenlosen Multi-kulti-Europa an Bedeutung verloren. Fremdling klingt in einer globalen Welt zunehmend fremder. Was meint Petrus damit?

Paulus zum Beispiel schreibt in Philipper 3,20, dass unser Bürgerrecht im Himmel ist. Statt Bürgerrecht kann man auch «politische Verankerung» übersetzen. Ein Christ darf seine Rechte im Staat in Anspruch nehmen. Das Wahrnehmen einer gesellschaftlichen Verantwortung ist nicht verwehrt. Aber wir haben auf dieser Erde nicht unsere eigentliche und letzte Heimat. George Waught umschreibt «Fremdling» mit: «Ein auf Zeit Ortsansässiger, der nicht zu der Gegend gehört».[2] Eine Verstärkung erfährt die Aussage, indem die Fremdlinge «in der Zerstreuung» leben. Dieser Ausdruck bezeichnete eigentlich Juden, die ausserhalb ihrer Heimat Israels lebten. Genauso leben wir als Nachfolger Jesu zerstreut und ausserhalb unserer himmlischen Heimat in dieser Welt. So beschreibt das Wort Gottes unsere Stellung als Glaubende in dieser Welt. Das ist, biblisch gesehen, unser Normalzustand. Wenn wir ehrlich sind, empfinden wir uns mehr oder weniger weit weg von dieser Wirklichkeit. Wir leben in einer Zeit, in der man viel von Integration und Einheit spricht. Es ist normal, sich als festen Bestandteil der Gesellschaft zu sehen. Und deshalb ist uns auch als Nachfolger Jesu so wichtig geworden, dass wir anerkannt und akzeptiert

---

2   Boyd Nicholson, *Was die Bibel lehrt*, Bd 15 – *1. u. 2. Petrusbrief*, CV Dillenburg 1991, S. 48.

sind, dass wir einfach dazugehören und nicht ausgegrenzt werden. Aber Petrus spricht hier die Jesusgläubigen als Nichtbürger an, als solche, die von ihrem geistlichen Stand her, neben dem allgemeinen Volk stehen.

Unser Leben als Nachfolger Jesu soll ein Kontrastprogramm zur übrigen Gesellschaft sein. Das macht die Bergpredigt ganz deutlich, wo unser Herr uns mit der erleuchteten Stadt auf dem Berg oder dem Licht im Haus vergleicht (Mt 5,14-16). Je gottloser und dunkler die Gesellschaft wird, umso heller müsste dieses Alternativprogramm eigentlich leuchten. Aber stattdessen beginnen wir umso mehr, darum zu kämpfen, anerkannt zu sein und um jeden Preis in der Gesellschaft als angepasst zu gelten. Die Bibel nennt uns dagegen Fremdlinge. Gäste, die auf der Durchreise in ihre eigentliche Heimat sind. Anfeindung und Bedrängnis sind deshalb nichts Aussergewöhnliches, sondern sie gehören zur Fremdlingschaft und weisen sie geradezu aus.

Wir sind dankbar für alle Glaubensfreiheit, die wir heute noch haben. Wir dürfen auch darum beten, dass der Herr uns diese noch erhält, damit wir weiter ungehindert für Ihn wirken können. Paulus ermahnt uns auch, Flehen, Gebete, Fürbitten, Danksagungen für alle Menschen zu tun und «für Könige und alle, die in hoher Stellung sind, damit wir ein ruhiges und stilles Leben führen können in aller Gottesfurcht und Ehrbarkeit ...» (1Tim 2,1-4). Doch wofür sollen wir dieses ruhige und stille Leben führen? Damit wir möglichst viele ungestörte Stunden im Liegestuhl verbringen können? Nichts gegen Erholung zur rechten Zeit und am rechten Ort. An dieser Stelle geht es aber um etwas anderes. Die Antwort kommt in den folgenden Versen: «... denn dies ist gut und angenehm vor Gott, unserem Retter, welcher will, dass alle Menschen gerettet werden und zur

Erkenntnis der Wahrheit kommen.» Das ruhige und stille Leben ist nicht dazu da, damit wir es in eigennützigem Wohlbehagen geniessen sollen, sondern damit das Evangelium verbreitet wird und Menschen errettet werden. Für Weltmission sind Friedenszeiten ohne Verfolgung förderlich. Darum sollen wir um ein ruhiges Leben beten.

Die Bibel nennt uns Fremdlinge in der Zerstreuung. Es ist die Frage, ob wir dazu ein Ja haben, auch wenn die Zeiten sich bei uns ändern und die Luft der Glaubensfreiheit dünner wird. Oder sind wir in dieser Wohlfühlgesellschaft schon so heimisch geworden, dass wir den Gedanken an Fremdlingschaft wegschieben? Ich habe den Verdacht (zumindest wenn ich an mein eigenes Herz denke), dass der Kampf um unsere Freiheiten in Westeuropa im tiefsten Grund oft andere Motive hat. Wenn wir ehrlich sind, geht es doch oft mehr um den Erhalt unseres Wohlstands und unseres bequemen Lebens, als um die Freiheit, das Evangelium zu verkündigen.

Und noch etwas. Petrus nennt uns hier Fremdlinge und nicht Sonderlinge. Deutlicher gefragt: Sind wir in unserer Umgebung Aussenseiter wegen unserer menschlichen Unarten, weil wir uns anderen gegenüber wie eine Drahtbürste verhalten? Weil wir als selbstgerechte Nasenrümpfer bekannt sind? Dann sind wir Sonderlinge, aber nicht Fremdlinge im biblischen Sinn. Fremdlinge sind wir durch die Andersartigkeit eines von Christus veränderten und geprägten Lebens, an dem in Versuchung und Bedrängnis die Kraft des Evangeliums verbunden mit der Frucht des Geistes sichtbar wird.

Unser Reichtum als Glaubende in dieser Welt

Petrus schreibt an die Fremdlinge in der Zerstreuung. Damit macht er auf unsere Stellung in dieser Welt aufmerksam. Wenn wir aber nur rechtlose, heimatlose und schutzlose Kreaturen wären, dann wäre das eine traurige Sache. Er führt uns den unermesslichen Reichtum, den wir in Christus haben, vor Augen. Dieser Reichtum ist uns Ausrüstung in den Versuchungen und Bedrängnissen, die wir durchleben. Das Wissen um diesen Reichtum ist uns Kraft zum Widerstehen und Überwinden.

Als bekennende Christen sind wir wesensmässig nicht von der Welt, obschon wir in ihr leben und den unerretteten Menschen in Liebe begegnen, völlig unabhängig von ihrem Zustand und ihren Orientierungen. Aber dafür besitzen wir einen viel grösseren Reichtum. Wir sind nach der Vorkenntnis Gottes auserwählt. Er hat uns gesucht und gefunden. Er hat uns durch unsere Errettung für sich bestimmt und abgesondert, so wie es Pfarrer Wilhelm Busch in einer seiner letzten Predigten darlegte:

«Aber dass Gott mich erwählt hat vor Grundlegung der Welt und mich zu seinem Sohn gezogen hat, dass der Heiland für mich gestorben ist und dass ich es fassen darf durch den Heiligen Geist, er hat mich erkauft, dazu konnte ich nichts tun. Das ist mir geschenkt worden.»[3]

Das meint hier Heiligung des Geistes. Und die Heiligung durch den Geist zeigt sich darin, dass der errettete Mensch Gott gehorcht. Wir sind errettet, um Ihm zu dienen.

In diesem Zusammenhang spricht Petrus von der «Besprengung mit dem Blut Jesu Christi» (1Petr 1,2). Die Blutbesprengung

---

3   Wilhelm Busch, *Gottes Auserwählte*, Verlag der Liebenzeller Mission 1967, S. 39.

erinnert an den Alten Bund mit dem Dienst der Priester in der Stiftshütte. George Waught weist darauf hin, dass das Blutvergiessen das Opfer für unsere Sünden war. Die Besprengung mit dem Blut ist die Anwendung des Wertes und der Wirksamkeit des Opfers. Wir finden die Blutbesprengung auch in 2. Mose 24, als Mose den Alten Bund mit Israel besiegelt hatte.[4] Dass wir mit dem Blut Christi besprengt sind, bedeutet, dass Sein Opfer ein für alle Mal für uns gültig ist. Und nur durch Sein vollbrachtes Werk, nicht durch unsere Leistung oder Hingabe, können wir Ihm auch gehorsam sein. Dadurch sind wir vor Gott heilig und vollkommen dargestellt. Unter den unerretteten Menschen sind wir Fremdlinge, solche, die geistlich gesehen nicht dazugehören, die nicht «integrierbar» sind in ein gottloses Leben. Deshalb werden wir angefeindet und bedrängt. Aber der lebendige Gott hat uns für sich erkauft, abgesondert, in Beschlag genommen, mit dem höchsten und besten Preis, der bezahlt werden konnte, dem kostbaren Blut Seines Sohnes.

Dieses einzigartige Vorrecht vor Augen stellt Petrus zunächst den Umstand der Fremdlingschaft hintenan und bricht in einen Lobpreis aus über den Reichtum, der uns in Christus geschenkt ist: «Gelobt sei der Gott und Vater unseres Herrn Jesus Christus, der uns aufgrund seiner grossen Barmherzigkeit wiedergeboren hat zu einer lebendigen Hoffnung durch die Auferstehung Jesu Christi aus den Toten ...» (1Petr 1,3). Der geistliche Reichtum, den Petrus hier nennt, ist ausschliesslich auf das Wirken Gottes zurückzuführen, ohne die geringste Beteiligung unsererseits. Das gibt uns eine Sicht, wie wir uns in Versuchung und

---

4　Vgl. George Waught, *Was die Bibel lehrt*, Bd 15 – *1. u. 2. Petrusbrief*, CV Dillenburg 1991, S. 51.

Bedrängnis bewähren können. Nicht, indem wir Geistlichkeit und Standfestigkeit in uns suchen, sondern indem wir das Werk unseres Herrn und den Reichtum, der uns in Ihm geschenkt ist, in Anspruch nehmen.

Gott der Vater hat uns nach Seiner grossen Barmherzigkeit wiedergeboren zu einer lebendigen Hoffnung durch die Auferstehung unseres Herrn Jesus Christus. Nicht wir haben uns das neue Leben erarbeitet oder verdient, es ist allein Seine Gabe. Und dieses neue Leben hat Er uns einzig und allein aufgrund Seiner grossen Barmherzigkeit geschenkt. Das schliesst jeden Verdienst auf unserer Seite aus.

Einst, als Petrus bei der Gefangennahme seines Herrn noch von seiner eigenen Entschiedenheit und Standfestigkeit überzeugt war, führte dies in die Katastrophe. Aber durch seine dreimalige Verleugnung hatte er erkannt, dass es einzig und allein die Barmherzigkeit unseres Herrn ist, durch die wir das neue Leben bekommen haben. Gott ist nicht auf uns, sondern wir sind auf Ihn angewiesen. Deshalb konnte Petrus nichts anderes tun, als sich mit seinem ganzen Leben auf den einen unerschütterlichen Felsen zu werfen, der Christus heisst. Und so wurde aus dem Mann, der in sich selbst eine haltlose Sanddüne war, der Felsenmann Petrus, der andere Christen ermutigte und stärkte. Es ist Jesu grosse Barmherzigkeit, das neue Leben, das Er uns geschenkt hat, und die lebendige Hoffnung Seiner Auferstehung, die uns trotz aller Anfechtung und drohender Verführung fest werden lassen. Deshalb lasst uns in dieser Zeit nicht mit Jammern und Klagen beschäftigt sein, sondern wie Petrus voller Dankbarkeit auf das sehen, was uns in Christus geschenkt ist, und lernen, dies in Anspruch zu nehmen und daraus zu leben.

Unser Ziel als Glaubende in dieser Welt

Es fällt nicht leicht, uns als Fremdlinge in der Zerstreuung zu sehen. Wenn man von einer sogenannten Toleranzgesellschaft ausgegrenzt wird, ist das vielleicht noch bedrückender, als wenn das durch ein totalitäres System geschieht. Aus diesem Grund weist Petrus auf das Ziel unseres Glaubens hin. In Vers 3 spricht er von der lebendigen Hoffnung durch die Auferstehung Jesu Christi. In den Versen 4 bis 5 entfaltet er diese lebendige Hoffnung. Es geht um das unvergängliche, unbefleckte und unverwelkliche Erbe, das im Himmel aufbewahrt ist.

In Christus ist uns heute schon die ganze göttliche Fülle geschenkt. Aber trotzdem liegt das eigentliche Ziel unseres Glaubens noch vor uns. Die Wohlstandsgesellschaft, vermischt mit einem oberflächlichen Wohlfühlevangelium, täuscht uns vor, dass wir in diesem Leben schon alles haben müssten und könnten. Das führt dazu, Leiden um Christi willen aus dem Weg gehen zu wollen sowie Versuchungen und Bedrängnisse als etwas Lästiges anzusehen, die uns nur unsere Lebensqualität vermiesen. Aber das eigentliche Ziel unserer Nachfolge liegt in der Zukunft. Deshalb schreibt Paulus: «Wenn wir nur in diesem Leben auf Christus hoffen, so sind wir die elendesten unter allen Menschen!» (1Kor 15,19). Wir wollen für alles Gute, was unser Herr uns heute schenkt, von Herzen dankbar sein. Aber vergessen wir nicht: Unser Ziel ist nicht ein möglichst unbeschwertes und entspanntes Leben heute, sondern das Eigentliche liegt in der Zukunft. Dorthin sind wir als Fremdlinge unterwegs. Der Blick auf dieses Ziel gibt uns Kraft und Mut, heute in all den Versuchungen und Bedrängnissen durchzuhalten.

Es ist ein unvergängliches, unbeflecktes und unverwelkliches Erbe, das im Himmel, unserer wahren Heimat, auf uns wartet.

Zu diesem Erbe gehört das ewige Leben. Wir werden an der Herrlichkeit Christi teilhaben, Ihn sehen, wie Er ist, mit Ihm regieren. Wir werden einmal denselben Herrlichkeitsleib haben, mit dem Jesus auferstand, frei von aller Vergänglichkeit, nicht mehr anfechtbar für die Sünde. Und Sein geistliches Wesen, Sein Charakter, wird an jedem Seiner Nachfolger ausgeprägt sein, frei von all unseren sündigen Eigenarten. Wir werden Ihm dienen, Ihn anbeten, ohne Versagen, ohne Rückschläge. Wenn wir Jesus von Angesicht zu Angesicht sehen, werden wir eine Freude erleben, von der wir heute noch nichts ahnen. Und dann sind wir sichtbar und für immer untrennbar mit Ihm vereinigt. Das alles wartet auf uns, nicht weil wir so tapfer oder so gut waren und uns das verdient hätten, sondern weil Er das würdige Lamm ist und den höchsten Preis bezahlt hat. Dieses Erbe ist für uns im Himmel aufbewahrt; man kann auch übersetzen: Es wird für uns bewacht. Niemand kann es den Kindern Gottes entreissen, auch nicht die grösste Verfolgung: Es ist unvergänglich. John MacArthur weist in der Studienbibel darauf hin, dass dieses Wort im nichtbiblischen Griechisch etwas bezeichnet, was durch eine einfallende Armee nicht verwüstet werden konnte.[5] Verführung und Verfolgung können uns sehr zu schaffen machen, ja hart bedrängen. Aber sie können dieses Erbe nicht antasten, das im Himmel auf uns wartet.

Es ist unbefleckt, vollkommen göttlich und rein, abgesondert von allem Bösen. So ungerecht es in dieser Welt auch zugehen mag und so sehr wir um des Glaubens willen Nachteile und Leiden zu tragen haben: Dies kann nichts daran ändern, dass ein unbeflecktes Erbe auf uns wartet.

---

5 Vgl. *John MacArthur Studienbibel*, Christliche Literatur-Verbreitung 2002, S. 1861.

Und schliesslich ist dieses Erbe unverwelklich. Vor einigen Jahren besuchte ich öfters einen Missionar, der mit Alzheimer im Endstadium darniederlag. Auf der einen Seite ist es für uns erschreckend, wie wir Menschen geistig und körperlich abbauen und zerfallen können. Auf der anderen Seite wurde mir gerade an diesem Bett so gross, was für ein Vorrecht es ist, ein unverwelkliches Erbe zu haben, den Schatz des neuen Lebens, dem alle Symptome und Auswirkungen der Alzheimererkrankung nichts anhaben konnten.

Doch wer kann mir sagen, dass Anfechtung, Bedrängnis, Verführung, was ja in der letzten Zeit zunehmen wird, uns nicht von Christus wegreissen? Wenn wir auf uns selbst gestellt wären, auf unsere Kraft, unsere Frömmigkeit und unsere Hingabe, dann wäre dies nicht nur eine unsichere, sondern eine völlig hoffnungslose Sache. Dann wäre unser Scheitern garantiert. Aber Petrus sagt uns hier etwas Einzigartiges. Nicht nur das Erbe wird im Himmel bewahrt oder bewacht, sondern auch die Glaubenden werden in der Kraft Gottes durch den Glauben bewahrt werden zur Rettung. Es ist einzig und allein unser Herr, der uns bewahren kann und um Seines Namens willen ans Ziel bringt.

Alle Anfechtungen, zunehmender Druck, sei es durch Verfolgung oder Verführung, sollen uns nicht zu dem Trugschluss bringen, dass wir so eine Art fromme Elite-Antiterroreinheit wären, der das alles nichts anhaben kann. Nein, es soll uns dazu bringen, allein auf die bewahrende Kraft unseres Herrn zu schauen. Luther übersetzte Jesaja 28,19b sehr frei mit: «Denn allein die Anfechtung lehrt aufs Wort merken» (LUT 1912). Es geht darum, alles allein von unserem Herrn zu erwarten und von Ihm abhängig zu sein. Es gibt keine Sicherheit in uns selbst.

Aber in Christus sind wir sicher. Diese feste Gewissheit, die ausschliesslich auf die bewahrende Kraft unseres Herrn baut, finden wir bei Paulus, als er den Märtyrertod vor Augen hatte:

«Der Herr wird mich auch von jedem boshaften Werk erlösen und mich in sein himmlisches Reich retten. Ihm sei die Ehre von Ewigkeit zu Ewigkeit! Amen» (2Tim 4,18).

Unsere Bewährung als Glaubende in dieser Welt

Weil uns dieses Ziel und dieses Erbe vor Augen stehen, haben wir trotz aller Versuchungen und Bedrängnisse Grund zum Jubeln. Petrus meint damit nicht, dass uns dies alles nichts mehr ausmacht und wir nur noch Halleluja singend über alle Probleme hinwegschweben. Er schreibt, dass wir in mancherlei Versuchungen betrübt werden (1Petr 1,6). Das tut weh, kostet Kraft und geht an die Substanz. Aber in allen Bedrängnissen, über allen vergossenen Tränen, die damit verbunden sind, haben wir dennoch Grund, uns über dieses unantastbare Erbe zu freuen, das uns in Christus geschenkt ist. Versuchungen, Anfechtungen und Bedrängnisse sind aber nicht ein notwendiges Übel, das uns hier begegnet, oder ein sinnloser Spiessrutenlauf, den man halt durchqueren muss, sondern das alles gebraucht unser Herr, um Seine vollkommenen Absichten mit uns zu erreichen, damit wir noch mehr staunen und Ihm die Ehre geben werden.

Wenn ich wissen möchte, ob die neue Regenjacke etwas taugt, nützt es nichts, wenn ich die Jacke bei schönem Wetter anziehe. Die Qualität wird auch nicht ersichtlich, wenn es nur ein bisschen tröpfelt oder ich bei einem Regenschauer einmal kurz die Strasse überquere, um gleich wieder ins Trockene zu gehen. Die Undurchlässigkeit dieser Jacke kann ich nur testen, wenn ich für längere Zeit im strömenden Regen unterwegs bin oder mich damit ausdauernd unter die Dusche stelle. Vergleichbar kann unser Glaube seine Echtheit nur angesichts von Bedrängnissen und Versuchungen erweisen. Wir sehen das übrigens auch im Gleichnis vom vierfachen Ackerfeld (Mt 13,3-9). Erst unter der Hitze der Sonne entpuppte sich das auf das Felsige Gesäte als schnell vergänglich. Und der Herr Jesus redet in diesem Bild von Bedrängnissen und Verfolgung um des Wortes willen (Mt 13,20-21).

Nun wirkt manches für uns heute bedrohlich, wenn wir sehen, wie viel Verführung auch im frommen Gewand um sich greift und wie es den Anschein hat, dass unsere Glaubensfreiheit zunehmend beschnitten wird. Aber sehen wir es doch einmal anders. All das ist eine grosse Gelegenheit und Chance, dass unser Glaube sich als echt erweist und eben nicht nur als Seifenblase eines oberflächlichen Schönwetterchristentums platzt. Um es nochmals zu betonen: Unser Glaube bewährt sich nicht, weil wir in uns selbst so sattelfest sind oder aufrecht stehen, sondern weil wir angesichts der Versuchungen und Bedrängnisse gar nichts anderes tun können, als uns der bewahrenden Kraft unseres Herrn anzuvertrauen. Weil allein unser Herr uns bewahren kann, soll uns dies ein Ansporn sein, umso tiefer in Christus und Seinem Wort verwurzelt zu werden.

Unser Glaube soll durch alles hindurch für kostbarer befunden werden als das vergängliche Gold, das durchs Feuer erprobt wurde. Gold kann grosser Hitze ausgesetzt werden, ohne seinen Wert zu verlieren. Es wird sogar noch kostbarer und wertvoller, weil dadurch alle Verunreinigungen ausgeschmolzen werden.

So möchte der Herr durch Versuchungen, Leid und Bedrängnisse, durch die Er uns führt, nicht unseren Glauben zerstören, sondern festigen, noch wertvoller und erprobter machen als alles vergängliche Gold. William MacDonald erinnert in diesem Zusammenhang an Hiob und die drei Freunde Daniels im Feuerofen.[6] Obwohl es unser Herr selbst ist, der uns durch Seine Kraft durch den Glauben bewahrt, belohnt Er die Seinen einmal, deren Glaube aller Versuchung und Anfechtung standgehalten hat. Und das Lob, die Herrlichkeit und Ehre, die der Herr uns dafür bereithält, steht in keinem Verhältnis zu den Anfechtungen und Bedrängnissen, die es heute zu überwinden gilt. «Denn ich bin überzeugt, dass die Leiden der jetzigen Zeit nicht ins Gewicht fallen gegenüber der Herrlichkeit, die an uns geoffenbart werden soll» (Röm 8,18).

Nicht nur durch Verfolgung und Bedrängnis können Nachfolger Jesu durch grosses Leid gehen und die Trübsalshitze spüren. Vielleicht wurde völlig überraschend der Ehepartner oder ein anderer Familienangehöriger aus dem Leben gerissen. Es kann auch sein, dass Gott eigene Pläne durchkreuzt hat und dich, obwohl du dein ganzes Vertrauen auf Ihn setzt, in grosse Schwierigkeiten führt. Eine schwere Krankheit ist da und unser Herr greift trotz Gebet nicht ein. Oder es geht durch tiefe familiäre Nöte. Auch das können Anfechtungen sein, durch die Gott unseren Glauben prüfen und sich verherrlichen möchte. Selbst dann, wenn sich nichts verändert, wenn wir keine Antwort bekommen auf die Frage: «Warum?», wenn wir betrübt werden, wie Petrus hier schreibt, und Tränen vergiessen.

Petrus spricht auch vom Offenbarwerden unseres Herrn Jesus, wenn Er einmal Seine Gemeinde ruft und vollendet. Dann werden wir jubeln, staunen und Ihm die Ehre dafür geben, wie Er

---

6 Vgl. William MacDonald, *Kommentar zum Neuen Testament*, Band 2, Christliche Literatur-Verbreitung Bielefeld 1994, S. 637.

alles wohlgemacht hat. Wie Er unseren Glauben bewahrt und zu Seiner Ehre durch alles hindurch gefestigt hat. Das ist nicht ein billiger Trost oder frommer Spruch, sondern ein fester Teil dieses unvergänglichen, unbefleckten und unverwelklichen Erbes, das auf uns wartet: das Ziel unseres Glaubens. Und was dann kommt, steht in überhaupt keinem Verhältnis zu dem, was uns hier so betrübt hat.

«Nun aufwärts froh den Blick gewandt
und vorwärts fest den Schritt,
wir gehn an unsers Meisters Hand
und unser Herr geht mit.»

August Hermann Franke

Der grösste Reichtum: die Schmach des Christus

«Glückselig seid ihr, wenn ihr geschmäht werdet um des Namens des Christus willen! Denn der Geist der Herrlichkeit, [der Geist] Gottes ruht auf euch; bei ihnen ist er verlästert, bei euch aber verherrlicht» (1Petr 4,14).

Aus meinem früheren Dienst sind mir einige Ereignisse unvergesslich geblieben. Dazu gehört auch der Start eines evangelistischen Gottesdienstes in Bretten. Wir luden am Samstag auf dem Marktplatz und in der Fussgängerzone mit einem kleinen Bücherstand und Einladungszetteln ein. Jeder, der schon evangelistische Einladungen oder Schriften weitergegeben hat, weiss, wie das ist. Da schlägt einem überwiegend Gleichgültigkeit entgegen, aber manchmal kommt es auch zu erfreulichen Begegnungen. Und immer wieder gibt es auch kräftig eins «auf die Mütze». Das geschieht ja in der Regel verbal. Wenn man persönlich abgefertigt wird, stellt sich nicht automatisch Glücklichsein ein. Und kommt dann noch eine entsprechende Lautstärke hinzu, sodass andere stehen bleiben oder den Kopf schütteln, kann das schon beklemmend werden. Es war bei einer solchen Begegnung in der Fussgängerzone, als mir das obenstehende Bibelwort in den Sinn kam und neuen Mut und Freude gab.

Neunmal lesen wir im ersten Petrusbrief von Herrlichkeit. In
1. Petrus 1,7 ist von der Bewährung unseres Glaubens im Feuer der
Anfechtung die Rede. Unser Herr gebraucht diesen schmerzhaften Prozess, damit unser Glaube für wertvoller als vergängliches
Gold erfunden wird, zum Lob und zur Herrlichkeit Jesu Christi.

In 1. Petrus 1,21 geht es um die Herrlichkeit, die unser Herr
Jesus nach Seiner Auferstehung empfangen hat, Seine Erhö-
hung über alle Mächte und Gewalten. Nur drei Verse weiter
(V. 24) ist dagegen von der menschlichen, vergänglichen Herr-
lichkeit die Rede. Sie verblüht wie eine Blume und verwelkt wie
Gras.

In 1. Petrus 4,11 betont der Apostel, dass unserem Herrn Jesus
«die Herrlichkeit und die Macht von Ewigkeit zu Ewigkeit» gehören. In Vers 13 haben wir die Verheissung, uns einmal jubelnd
über die Offenbarung der Herrlichkeit Jesu zu freuen, wenn
wir heute Seiner Leiden teilhaftig werden. Unmittelbar danach
kommt der Vers: «Glückselig seid ihr, wenn ihr geschmäht werdet um des Namens des Christus willen! Denn der Geist der
Herrlichkeit, der Geist Gottes ruht auf euch; bei ihnen ist er verlästert, bei euch aber verherrlicht.»

In Kapitel 5,1 bezeichnet sich Petrus als Zeuge der Leiden und
Teilhaber der Herrlichkeit Jesu. Er gehörte zu den drei Jüngern,
die auf dem Berg der Verklärung (als eine Vorwegnahme) den
Messias in Seiner Herrlichkeit, die Er bei Seiner Wiederkunft
haben wird, sehen konnten (Mk 9,2-8). In 1. Petrus 5,4 ist die
Rede von dem «unverwelklichen Siegeskranz der Herrlichkeit»
(ELB). Schliesslich stellt der Apostel den Jesusnachfolgern, die
damals in der Hitze der Verfolgung standen, noch einmal vor
Augen, dass Gott sie zur «ewigen Herrlichkeit in Christus» beru-
fen hat (V. 10).

«Wenn ihr geschmäht werdet»: Das ist der Fall, wenn es um Christi willen so richtig eins auf die Mütze gibt und wir anderen als lächerlich erscheinen. Denken Sie nochmals an die soeben geschilderte Einlade-Aktion. Oder wir werden um Christi willen ausgeschimpft, getadelt und zurechtgewiesen, wie Boyd Nicholson übersetzt.[7] Das sind keine erhebenden Gefühle, kein emotionaler Höhenrausch. Das kann auch richtig wehtun. Zwei Verse vor dieser Verheissung (1Petr 4,12) spricht der Apostel Petrus von dem Feuer der Verfolgung und Prüfung. In 1. Petrus 5,9 lesen wir von den Leiden. Auch die Leiden des Paulus um des Evangeliums willen waren mit Nöten und Ängsten verbunden (2Kor 6,4; 12,10). Aber trotzdem ruht in diesen Situationen der Geist Gottes der Herrlichkeit auf uns. Er steht nicht da, Er zappelt oder flattert, sondern Er ruht auf uns, so wie die Herrlichkeit Gottes über der Stiftshütte ruhte und sie erfüllte. Es geht um diesen tiefen Frieden Gottes, die Freude an Ihm und mit Ihm, die uns der Herr entgegen aller äusseren Umstände geben kann. Wenn uns niemand und nichts stört, andere uns anerkennend auf die Schulter klopfen und mit Komplimenten aufwarten, stellt sich ein erhebendes Lebensgefühl ein, es geht uns gut. Aber der Geist Gottes ruht eben besonders auf den Kindern Gottes, wenn sie um Jesu willen geschmäht und beschimpft werden.

Es kommt nicht darauf an, was für eine gute Figur wir beim Zeugnis für Christus abgeben, ob wir die besseren Argumente oder das letzte Wort haben oder als missionarische Cool-Men und unerschütterliche Strahlemänner auftreten. Denke daran, wenn dir beim Zeugnis für Christus die Lippen zucken, beim Weitergeben einer Schrift die Hand zittern möchte oder du ange-

---

7   Boyd Nicholson, *Was die Bibel lehrt*, Bd 15 – *1. u. 2. Petrusbrief*, CV Dillenburg 1991, S. 130.

sichts der Gegenreaktion weiche Knie bekommst: Der Geist der Herrlichkeit ruht auf dir. Und das bleibt nicht ohne Auswirkung, weil es nicht um uns, sondern um den Herrn selbst geht.

Schmach leiden – warum?

Wenn wir von Schmach und Leiden sprechen, passt das ganz und gar nicht zum heute gängigen Lebensgefühl. Ständig wird uns der Puderzucker von Wohlfühlen, Anerkanntsein, Spasshaben und möglichst angenehmen Erlebnissen aufgestreut. Dazu kommen unser beträchtlicher Wohlstand und die vielen Möglichkeiten, das Leben zu geniessen, die wir trotz Einschränkungen immer noch haben. Ob wir es wahrhaben wollen oder nicht: Das beeinflusst und prägt uns alle.

Überall bekommen wir so etwas wie ein schmerzfreies Leben vorgegaukelt. Sei es in Zeitschriften oder Werbespots, gegen jedes Leiden gibt es scheinbar ein Mittelchen, das uns nach der Einnahme fröhlich beschwingt durchs Leben ziehen lässt. Dieses Lebensgefühl suggerierte vor einigen Jahren auch der bekannte Werbespot: «Gegen allen Schmerz dieser Welt – Aspirin!»

Damit stehen wir aber vor einem grossen Dilemma. Warum? Was uns die Bibel über Nachfolge Jesu sagt, steht im krassen Gegensatz zum Zeitgeist. Zur Jesusbejahung gehört Selbstverleugnung. Geistliches Wachstum ist mit Wachstumsschmerzen verbunden. Am Bild der Rebe, die der Weingärtner zur Reinigung beschneidet (Joh 15), damit sie mehr Frucht bringt, veranschaulicht Jesus schmerzhaftes Eingreifen ins Leben. Gott nimmt Massnahmen der Erziehung und Züchtigung an Seinen Kindern vor, damit sie Anteil an Seiner Heiligkeit haben (Hebr 12,4-11).

Dies tut unser Herr nicht, weil Er Freude daran hätte, uns zu quälen. Schmerz entsteht, wenn Gottes erziehendes Handeln unser sündiges Wesen im Fleisch, das gegen Ihn gepolt ist, trifft. Das tut Gott, damit Er Sein grosses Ziel mit uns erreicht und Er sich durch uns und in uns verherrlichen kann.

Durch unseren satten Wohlstand und die Betonung der Selbstverwirklichung neigen auch wir Christen immer mehr zu geistlicher Traumtänzerei. Wir meinen, durch Anpassung die Gesellschaft verändern zu können, in einem multireligiösen Umfeld doch auch als wertvoller Bestandteil anerkannt und gewürdigt sein zu müssen. Wir wollen nicht mehr wahrhaben, dass die Botschaft vom Kreuz und von Jesus in einer Gesellschaft, die sich längst von Gott verabschiedet hat, zunehmend als Skandal und Idiotie angesehen wird (1Kor 1,23). Doch was schrieb Petrus einige Zeilen vor 1. Petrus 4,14? «Wenn ihr wirklich mit dem Herrn lebt, werden alle über euch staunen, und sie werden euer soziales Engagement und eure Mitmenschlichkeit anerkennen und euch für eine religiöse, kulturelle Bereicherung halten»? Nein, in Kapitel 4,4 steht etwas anderes: «Das befremdet sie (es erstaunt sie, es stösst sie ab, es schockiert oder verärgert sie), dass ihr nicht mitlauft in demselben heillosen Schlamm, und darum lästern sie ...»

Für alles Gute, das uns der Herr schenkt, dürfen wir von Herzen dankbar sein. Aber das Neue Testament spricht sehr viel vom Leiden um Christi willen. In seinem geistlichen Vermächtnis, dem letzten Brief vor seiner Hinrichtung, dem zweiten Timotheusbrief, ruft der Apostel Paulus seinen geistlichen Ziehsohn mehrfach zur Leidensbereitschaft auf. Eine grundsätzliche Voraussetzung für die Nachfolge und für den Dienst, aber ganz besonders auch für das Evangelium: Leidensbereitschaft – was für uns heute durch unsere Lebensumstände immer mehr zu einem Fremdwort geworden ist.

Ob es im Griechentum war oder in der multireligiösen Welt Roms, die auch stark vom Griechentum geprägt war: Man konnte dort scheinbar alles glauben und praktizieren. Aber der Absolutheitsanspruch Jesu und die Wahrheit des Evangeliums und der Bibel musste abgelehnt werden. Es ist schon erschreckend, wie sich in der Ablehnung des Sohnes Gottes auf einmal ganz entgegengesetzte politische und religiöse Interessen trafen. Herodes wurde durch die Ablehnung Jesu mit seinem persönlichen Feind Pilatus befreundet. Und als es um die Kreuzigung ging, spielten auch die unterschiedlichen religiösen Auffassungen zwischen den Schriftgelehrten und dem römischen Statthalter plötzlich keine Rolle mehr.

Schmach leiden – warum? Es ist die Einzigartigkeit und Absolutheit Jesu Christi, die in einer gottfeindlichen und grenzenlosen Gesellschaft Ablehnung hervorruft. Es ist das Wort Gottes, das unseren ganzen Dreck und unsere Verlorenheit ans Licht zerrt, was die verlorenen Menschen so ärgert. Und es ist die Botschaft vom Kreuz – sie richtet und vernichtet unseren menschlichen Stolz und ruft deshalb so viel Hass hervor. Und schliesslich die Andersartigkeit des neuen Lebens aus Christus, die andere zum Schmähen und Spotten veranlasst. Paulus blies am Ende seines Lebens keine rosigen Seifenblasen, um Timotheus weiterhin den Dienst und die Nachfolge schmackhaft zu machen. Er ermutigte ihn immer wieder, Christus zu sehen und den Reichtum in Ihm, für den es sich zu leiden lohnt. Und dann schrieb er: «Alle aber, die in Nordkorea oder im Irak leben ...» – nein, sondern: «alle, die gottesfürchtig leben wollen in Christus Jesus, werden Verfolgung erleiden» (2Tim 3,12). Das ist kein sinnloses

Leiden. Und welch eine Verheissung ist uns darauf auch in den Seligpreisungen der Bergpredigt gegeben:

«Glückselig sind, die um der Gerechtigkeit willen verfolgt werden, denn ihrer ist das Reich der Himmel! Glückselig seid ihr, wenn sie euch schmähen und verfolgen und lügnerisch jegliches böse Wort gegen euch reden um meinetwillen! Freut euch und jubelt, denn euer Lohn ist gross im Himmel; denn ebenso haben sie die Propheten verfolgt, die vor euch gewesen sind» (Mt 5,10-12).

Schmach leiden – wofür?

Der Textzusammenhang von 1. Petrus 4,14 macht deutlich, dass es um die Schmach um Jesu und des Evangeliums willen geht. Es ist zu beachten, wofür wir leiden.

Wenn dein Chef dich abmahnt, weil du öfters zu spät zur Arbeit kommst, kannst du nicht in der Gebetsstunde erzählen, wie du als Christ gemobbt wirst. Wenn du deine Arbeitszeit durch evangelistische Reden verkürzt, brauchst du dich nicht zu wundern, dass deine Kollegen dich nicht ernst nehmen. Und wenn du dich deinem Nachbarn gegenüber wie ein knurrender und bellender Dobermann verhältst, hat sein Spott nichts mit der Schmach um Christi willen zu tun.

Es geht hier um die Schmach, die wir für Christus und für das Evangelium leiden. Wie das neue Leben aussieht, sagt uns Paulus in Galater 5,22. Dort spricht er von der Frucht des Geistes. Es ist die Andersartigkeit eines durch Christus veränderten Lebens, die befremdet und Ablehnung hervorruft, nicht die stromlinienförmige Anpassung. Diese Ablehnung trifft uns nicht nur dann, wenn wir von Jesus reden oder vielleicht ein Büchlein weitergeben. Manche Menschen spielen einem böse mit, weil es einfach unsere Andersartigkeit ist, die sie ärgert. Aber wir müssen uns immer fragen, warum wir leiden: um Christi und des Evangeliums willen oder wegen unseres oberflächlichen Lebens? Sollte Letzteres der Fall sein, geht es darum, Busse zu tun, sich vor dem Herrn zu beugen und die verändernde Kraft der Gnade Gottes neu in Anspruch zu nehmen. Wenn wir bereit sind, uns vor Gott und Menschen zu beugen, kann unser Herr in Seiner Gnade sogar noch unseren Scherbenhaufen zu Seiner Ehre gebrauchen.

Es geht um die Schmach, die wir für den Herrn und Sein Wort leiden. Er ist es wert. Er ist einzigartig in Seiner Liebe, in Seiner Gnade, in Seiner erhabenen Herrlichkeit. Deshalb spricht Petrus in diesem Brief an die bedrängten und verfolgten Christen immer wieder von der Herrlichkeit Jesu. Aber es geht nicht nur um Seine Herrlichkeit. Was uns Gott in Christus geschenkt hat, übersteigt alles. Dafür lohnt es sich, Schmach zu leiden. Und wenn du das vergessen hast, dann lies Epheser 1 und 2. Gegen den Reichtum, der dort beschrieben ist, kannst du dein Häusle, dein neues Auto und die Fussballmeisterschaft deines Lieblingsvereins vergessen.

Oft verherrlicht sich Gott gerade in der scheinbaren Ohnmacht Seiner Kinder. Dort kommt dann trotz Leid und Schmerz Seine Kraft zum Tragen. Wir müssen das nicht allein aushalten. Und nicht nur das. Durch die Bewährung in der Anfechtung und Bedrängnis läutert Gott den Glauben Seiner Kinder (vgl. 1Petr 1,7). Er richtet ihn dadurch ganz auf Jesus aus. Das ist etwas vom Schönsten, wenn Jesus für uns noch mehr an Bedeutung gewinnt, wir Ihn noch mehr erkennen. Im Philipperbrief spricht Paulus von der alles überragenden Erkenntnis Christi.

Dazu schreibt er: «... um ihn zu erkennen und die Kraft seiner Auferstehung und die Gemeinschaft seiner Leiden, indem ich seinem Tod gleichförmig werde, damit ich zur Auferstehung aus den Toten gelange» (Phil 3,10-11). Durch das Leiden für Christus und um des Evangeliums willen erkannte Paulus seinen Herrn immer mehr. Die Kraft der Auferstehung, die zukünftige Hoffnung, wurde ihm dadurch immer grösser.

Der Herr segnet Seine Kinder, besonders wenn sie Schmach für Ihn tragen, dort, wo wir es menschlich gesehen am wenigsten erwarten. Der Geist der Herrlichkeit und Gottes ruht auf den Geschmähten. Paulus erinnert Timotheus daran, dass uns «Gott ... nicht einen Geist der Furchtsamkeit (oder des Zusammenzuckens), sondern der Kraft und der Liebe und der Zucht» gegeben hat (2Tim 1,7). Womöglich erleben wir das Wirken des Evangeliums nicht mehr so, weil wir nicht bereit sind, dafür zu leiden und Schmach zu tragen, sondern damit beschäftigt sind, es dem Geschmack unserer Umgebung anzupassen, zu vermarkten und Anstösse zu vermeiden. Es ist Christus selbst, der Seine Herrlichkeit auf den Kindern Gottes ruhen lässt, wenn sie um Seinetwillen geschmäht und als Fremdkörper abgestossen werden.

Schmach leiden – bis wann?

In früheren Zeiten, als neben der Schmach um Christi willen auch die äusseren Lebensumstände nicht so angenehm waren wie heute, war es den Glaubenden klar, dass Nachfolge mit Leid zusammenhängt. So dichtete beispielsweise der lutherische Theologe David Nerreter (1649–1726):

«Ein Christ kann ohne Kreuz nicht sein; drum lass dich's nicht betrüben, wenn Gott versucht mit Kreuz und Pein die Kinder, die ihn lieben. Je lieber Kind, je ernster sind des frommen Vaters Schläge; schau das sind Gottes Wege.»

Der Herrlichkeitsgemeinschaft mit unserem Herrn geht die Leidensgemeinschaft voraus. Wir können auf der einen Seite auf alle möglichen Gefahren und Verirrungen in der Christenheit aufmerksam machen und auf der anderen Seite trotzdem hinter frommer Fassade als höchste Errungenschaft ein bürgerliches und möglichst bequemes Sofachristentum pflegen. Sehen wir die Entwicklungen in der Gesellschaft mit Sorge, weil es uns um Christus und um die Rettung von Menschen geht, oder kämpfen wir für unsere Freiheit, damit unser Schaukelstuhl nicht aus dem Takt gerät? Es geht um unsere Motive und Prioritäten. Um des Evangeliums willen zu leiden, bedeutet aber nicht, dass wir auf rechtliche Mittel verzichten müssen, wo uns offensichtlich Unrecht geschieht. Am Beispiel des Apostels Paulus sehen wir, wie er in unterschiedlichen Situationen auch die Rechte beanspruchte, die einem römischen Bürger zustanden.[8]

Es ist das eine, überall auf die rechte Lehre zu pochen. Aber es ist etwas anderes, auch Schmach und Feindschaft um des Evangeliums willen zu erdulden, den Verzicht, die Widrigkeiten auf sich zu nehmen, um Christus und das Evangelium zu bezeugen, ein Herz für verlorene Menschen und nicht nur für das wohlige Ofenbänkle zu haben. Was den Dienst für den Herrn und das Zeugnis nach aussen anbelangt, müssen wir heute manchmal

---

8   Vgl. dazu «Paulus und das römische Bürgerrecht», S. 231.

auch für uns, die wir bibeltreu sein wollen, eingestehen, dass es nach dem Motto geht: «Lieber Feste feiern, als feste arbeiten.»

Das ganze Neue Testament handelt an so vielen Stellen von der Schmach um Christi willen, von Feindschaft, Druck und Verfolgung. Das muss uns vor jeder Illusion bewahren, dass wir heute schon das sichtbare Reich Gottes auf dieser Erde aufrichten, die Gesellschaft und Weltbevölkerung mehr und mehr verändern und transformieren könnten. Das bleibt unserem wiederkommenden Herrn vorbehalten. In diesem Zusammenhang kann auch innerhalb der Gemeinde Jesu sehr hitzig über die Frage diskutiert werden, ob die Entrückung vor oder aus der Trübsalszeit geschieht. Zumindest wir im wohlstandstrunkenen Westen verbinden damit manchmal die Frage, ob wir noch Bedrängnis oder Verfolgung erleiden müssen oder nicht. Diese Denkweise ist verkehrt. Während wir heute noch Glaubensfreiheit haben, blutet der Leib Christi in anderen Regionen der Welt aus vielen Wunden. Für unsere Glaubensgeschwister in Nordkorea klingt eine solche Frage geradezu absurd. Es geht nicht um die Alternative «Entrückung vor der Trübsal ohne Schmach Christi» oder «Entrückung aus der Trübsal mit Schmach Christi». Auch wenn die Entrückung vor der Trübsal ist,[9] können wir schon morgen in Westeuropa als Christusgläubige völlig an den Rand gedrückt und verfolgt werden. Wenn ich die heilsgeschichtlichen Linienführungen in der Bibel betrachte, wird die Luft für die bekennende Gemeinde prinzipiell dünner werden und die Schmach Christi zunehmen.

---

9   An die Entrückung vor der Trübsal zu glauben, bedeutet aber nicht, dass deshalb die Gemeinde das Auftreten des Antichristen nicht mehr erleben müsste.

Schmach leiden – bis wann? Petrus spricht an verschiedenen Stellen seines ersten Briefes davon: bis zur Offenbarung Jesu Christi, bis dann, wenn der Herr uns durch den Tod zu sich holt oder Seine Gemeinde entrückt. Das ist der Augenblick, wenn die Schmach um Christi willen und das Leiden für das Evangelium vorüber sind. Wenn Seine Herrlichkeit offenbart wird, werden wir uns jubelnd freuen (1Petr 4,13). Wir sind heute oft so bequem und leidensscheu geworden, wollen ein ungestörtes Leben führen, dass wir uns nicht mehr bewusst sind, was für einem grossen Ziel wir entgegengehen. Die Herrlichkeit Gottes, die Einzigartigkeit Jesu, das himmlische Erbe sprengen alle unsere Erwartungen und Vorstellungen bei Weitem. Angesichts dieser Realität werden wir uns vielleicht einmal schämen, wie leidensscheu wir waren und wie gering wir vom Segen aus Leiden gedacht haben.

Wie sehr sich unsere Sichtweise und unser Lebensgefühl gegenüber den früheren Generationen verändert haben, können wir an einer Begebenheit während der Reformation erkennen. Luther war ein Mann, der oft mit Anfechtungen und Ängsten zu tun hatte. An die um des Evangeliums willen Verfolgten schrieb er immer wieder Trostbriefe. Als er im Sommer 1523 die Nachricht erhielt, dass die beiden Augustiner Johann van Esch und Hinrich Voes um des Evangeliums willen in Brüssel verbrannt worden waren, berührte es ihn zutiefst. Luther sagte damals: «Ich vermeint, ich sollte ja der Erste sein, der um dieses heiligen Evangeliums willen sollte gemartert werden; aber ich bin dessen nicht würdig gewesen.»[10]

---

10 Martin Brecht, *Martin Luther*, Bd. 2, *Ordnung und Abgrenzung der Reformation*, Calwer Verlag Stuttgart 1986, S. 106.

Natürlich war es der Herr selbst, der Luther immer wieder bewahrte, weil Er andere Pläne mit ihm hatte. Obwohl Luther trotz aller Kämpfe und Anfechtungen auch ein sehr lebensfroher Mensch war, spricht aus diesen Worten eine völlig andere Sichtweise, als wir sie heute haben: gewürdigt zu sein, für Christus zu leiden, wie es auch Paulus an die Thessalonicher schrieb. Bei all den Einflüssen, denen wir heute ausgesetzt sind, und dem ganzen Lebensgefühl, das uns umspült, ist es so wichtig, neu auf das zu hören, was uns die Bibel sagt: *Wenn ihr im Namen Christi geschmäht werdet, wenn ihr Schimpf und Schande erduldet, um Christi willen diffamiert werdet, glückselig seid ihr, ihr habt völlige Zufriedenheit, seid gesegnet, weil euch der Herr auch in Seine ewige Gemeinschaft aufgenommen hat. Einen Reichtum habt ihr, der völlig unabhängig ist von dem Zustand in dieser Welt.*[11]

«Denn der Geist der Herrlichkeit, [der Geist] Gottes ruht auf euch ...»

---

11 Nach einer unbekannten Quelle.

Mut für morgen

«Dies habe ich zu euch geredet, damit ihr in mir Frieden
habt. In der Welt habt ihr Bedrängnis; aber seid getrost,
ich habe die Welt überwunden!» (Joh 16,33).

Der Untergang der Titanic erhitzt bis heute die Gemüter. Das
grausame Schifffahrtsunglück traf diesen schwimmenden Ver-
gnügungstempel völlig unvorbereitet. Das Schiff wurde als ein
Wunderwerk der Technik angesehen und man raunte, dass es
angeblich unsinkbar wäre. Im Nachhinein ist bekannt, dass die
Titanic in der verhängnisvollen Nacht trotz zahlreicher War-
nungen mit unverminderter Geschwindigkeit weiterfuhr. Schon
Stunden vor dem Unglück hatte das Schiff Eiswarnungen erhalten. Auch die deutlich absinkende Lufttemperatur liess auf die
Nähe von Packeis und Eisbergen schliessen. Ungeachtet all dessen gingen der Tanz und das Vergnügen an Bord weiter, bis es
zur Katastrophe kam. Der Untergang der Titanic ist ein Beispiel,
was passieren kann, wenn man warnende Vorzeichen einfach
ignoriert, weil es einem gut geht, weil man sich wohlfühlt oder
einfach alles rosig sehen will.

Nun möchte ich dieses Beispiel nicht nur auf die Gesellschaft
oder die Vorgänge in dieser Welt an und für sich beziehen.
Natürlich hat es da auch seine Berechtigung. Es geht mir aber
vielmehr um die Gemeinde Jesu in Westeuropa. Noch haben
wir Glaubensfreiheit. Noch geht es uns äusserlich gesehen gut.

In dem zitierten Bibelvers aus Johannes 16 steht, was der Herr Jesus Seinen Jüngern als ein Grundprinzip für die Nachfolge vorausgesagt hat. Und so ist unsere Glaubensfreiheit nicht der Normalzustand der Gemeinde Jesu, sondern eine Ausnahme, auch wenn sie schon lange Zeit anhält. Aber die Zeichen verdichten sich, dass die Glaubensfreiheit abnimmt und wir uns auf einen scharfen Gegenwind, bis hin zu starkem Druck und Bedrängnis, einstellen müssen. Meine Sorge ist es, dass es uns ganz ähnlich geht wie damals den Menschen auf der Titanic. Wir versuchen, das sich Ankündigende lieber zu verdrängen und uns einzureden, dass doch immer alles irgendwie gut geht, anstatt der Realität ins Gesicht zu sehen.

Die Überschrift dieses Kapitels und auch der erste Teil des Buchtitels stammen von einem Buch, das vor gut vierzig Jahren veröffentlicht wurde und längst vergriffen ist. Werner Stoy schrieb damals das Buch: *Mut für morgen – Christen im Westen vor der Verfolgung.*[12] Obwohl sich durch den Zusammenbruch der Sowjetunion manche Konstellationen im Vergleich zu damals verändert haben, ist die Botschaft von Stoys Buch inhaltlich hochaktuell. Um es vorwegzunehmen: Es geht weder um Spekulation noch um Schwarzmalerei, auch nicht um eine Glorifizierung des Märtyrertums oder der Verfolgung. Das lehnt auch Stoy ab. Sondern es geht darum, was uns die Bibel über Nachfolge und die damit verbundenen Leiden sagt. Stoy macht darauf aufmerksam, wie viel die Bibel davon spricht und wie dieses Thema in der Dogmatik (Glaubenslehre), in der Ekklesiologie (Lehre von der Gemeinde) und in der Ethik (Lehre von der

---

12 W. Stoy, *Mut für morgen – Christen im Westen vor der Verfolgung*, Brunnen Verlag Giessen und Basel 1979.

praktischen Lebensführung als Christ) weitgehend ausgeblendet wird.

Wir leben in einer Gesellschaft, die die früher allgemeingültigen christlichen Werte verwirft. Das ist mit einer zunehmenden Feindschaft gegen die Bibel und das Evangelium verbunden. Aber das ist uns nicht Anlass, den Glauben umso deutlicher und unverblümter zu bekennen und unser Profil in der Nachfolge schärfen zu lassen. Stattdessen passen wir uns mehr und mehr dem Lauf dieser Welt an und werden zu Leisetretern. Ich weiss wohl, dass es immer noch sehr missionarische Personen und Nachfolger gibt. Aber die sind in der Minderzahl. Einige Beispiele zu meinem Eindruck der Weltanpassung:

Vor dreissig Jahren wurde für Evangelisationen kräftig geworben. Plakate wurden geklebt, die schon eine eindeutige Botschaft enthielten. Es gab Einladungen von Haus zu Haus, auch wenn einem damals schon öfters mal die Tür vor der Nase zugeknallt wurde. In den Siebzigerjahren trug man vermehrt auch Anstecker mit einem klaren Bekenntnis. Ob dies der stilvoll kleine, rotgoldene Anstecker mit der Botschaft «Jesus lebt» war oder auch grössere Plaketten, auf denen beispielsweise zu lesen war: «Jesus gibt neues Leben». Viele Autos von bibelgläubigen Christen waren nicht nur mit stummen Fischen verziert, sondern hatten auch Aufkleber mit einer klaren Aussage z.B. «Wenn dein Gott tot ist, nimm doch meinen! Jesus lebt!» Es gab Strasseneinsätze, Krankenhauseinsätze und andere Aktionen, durch die der Glaube öffentlich bekannt wurde. Es stimmt, dass der Gegenwind zugenommen hat und manches auch nicht mehr möglich ist, was vor einigen Jahren praktiziert wurde. Und trotzdem bewegt mich die Sorge, dass wir uns mehr und mehr dem Gegenwind anpassen, anstatt uns mutig den Entwicklungen entgegenzustellen. Apropos schwindende Krankenhausein-sätze: Wir haben das Schwinden dieser Möglichkeiten zwar mit einem Bedauern zur Kenntnis genommen. Zugleich kann damit aber auch eine Gleichgültigkeit verbunden sein, welche die Ent-wicklungen widerspruchslos hinnimmt. Auch das Verbannen von ausgelegten Bibeln aus Krankenhäusern oder das zuneh-mende Bekenntnisverbot für bibelgläubige Pflegekräfte fällt kaum jemandem auf.

Werner Stoy verdeutlicht in seinem Buch, dass Verfolger stets versuchen, die öffentliche Mission und Evangelisation zu unter-binden. Er nennt das Beispiel der damaligen Sowjetunion, wo die Verfolgung immer zunahm, wenn öffentlich missioniert und evangelisiert wurde. Glauben in den eigenen vier Wänden oder innerhalb der Gemeinde kann unter Umständen noch gewährt werden. Meine Befürchtung ist, dass wir möglichen kommen-den Entwicklungen durch unseren Rückzug und die Anpassung heute schon Vorschub leisten.

In diesem Zusammenhang waren mir meine eigenen Eltern ein Vorbild, die eben nicht den Rückzug antraten oder einfach auf «piano» umstellten. Wenn es in der Schule um Veranstaltun-gen und ethische Fragen ging, die im Gegensatz zu biblischen Überzeugungen standen oder in die Glaubensfreiheit eingrif-fen, äusserten sie sich deutlich. Sie suchten das Gespräch nicht nur mit den einzelnen Lehrkräften, sondern scheuten auch den Gang vor die Schulleitung nicht. Auch auf anderen Gebieten hat die bekennende Gemeinde Jesu damals ihre Stimme noch viel deutlicher erhoben. Als es Anfang der Siebzigerjahre um die Legalisierung der Abtreibung in Deutschland ging, wurde das zu einem Thema mit öffentlichen Stellungnahmen. Obwohl ich damals noch ein Kind war, haben sich mir die Aufkleber und

Plakate tief eingeprägt, auf denen zu lesen war: «Abtreibung ist Mord!» Ehrlicherweise muss ich gestehen, dass ich damals zuerst durch ein oberflächliches Lesen aufgenommen hatte: «Arbeiten ist Mord!». Da ich nicht so gerne zur Schule ging, hätte diese Aussage zwar meine Neigung gestärkt, aber nichts mit den ernsten und grundlegenden Auseinandersetzungen zu tun gehabt. Das Thema Abtreibung wurde in Predigten angesprochen und war auch mit Initiativen verbunden. Ebenfalls nahm man zur gesellschaftlichen Unterwanderung durch die Ideologie des Neomarxismus und der damit verbundenen Auflösung christlich-ethischer Grundsätze klar Stellung. Anfang der Achtzigerjahre erschien beispielsweise im Hänssler Verlag eine Buchreihe unter der Rubrik «Tagesfragen». In dieser Reihe gab es in der Auseinandersetzung mit den Strömungen der Zeit Titel wie «Strategien für eine bessere Welt», «Faszinierender Marxismus heute» oder auch «Angst als Waffe». Damals war die Stimme bibelgläubiger Christen in der Gesellschaft noch deutlich hörbarer als heute. Auch diesbezüglich fördert unser Rückzug auf vielen Gebieten nur noch mehr eine antichristliche Stimmung.

Es geht um zwei Dinge, die nicht im Widerspruch zueinander stehen. Zum einen müssen wir neu lernen, auch als Gemeinde Jesu, unsere gesellschaftliche Verantwortung wahrzunehmen. Wir müssen den Mut haben, unsere Stimme klar zu erheben, wo dies angesagt ist. Zum anderen tun wir gut daran, uns mit dem Thema «Leiden um Christi willen» zu befassen. Nicht dass es uns geistlich, im übertragenen Sinn, so geht, wie den Passagieren auf der Titanic. Sie wurden überraschend und völlig unvorbereitet, im wahrsten Sinn des Wortes «eiskalt», von dem dramatischen Unglück erwischt.

Was uns das Neue Testament über Leiden um Christi willen lehrt

Das Johannesevangelium

Von den Evangelien greife ich das Johannesevangelium heraus, wo der Begriff «Welt» am häufigsten vorkommt – auch als die gut erschaffene Welt, aber hauptsächlich im Sinn der gottfeindlichen Menschheit. Schon ganz am Anfang lesen wir, dass die Finsternis das Licht zu ergreifen oder ersticken versuchte (Joh 1,5) und die Welt Ihn nicht erkannte (V. 10). Johannes 7,7 spricht davon, dass die Welt Jesus hasst, weil Er bezeugt, dass ihre Werke böse sind (vgl. Joh 3,19-20). In Johannes 15,18-21 klärt der Herr auf, dass dieser Hass genauso Seine Jünger betrifft:

«Wenn euch die Welt hasst, so wisst, dass sie mich vor euch gehasst hat. Wenn ihr von der Welt wärt, so hätte die Welt das Ihre lieb; weil ihr aber nicht von der Welt seid, sondern ich euch aus der Welt heraus erwählt habe, darum hasst euch die Welt. Gedenkt an das Wort, das ich zu euch gesagt habe: Der Knecht ist nicht grösser als sein Herr. Haben sie mich verfolgt, so werden sie auch euch verfolgen; haben sie auf mein Wort [argwöhnisch] achtgehabt, so werden sie auch auf das eure [argwöhnisch] achthaben. Aber das alles werden sie euch antun um meines Namens willen; denn sie kennen den nicht, der mich gesandt hat.»

Unser egoistisches Wesen und unseren darauf gerichteten Hass, der bis zum Äussersten gehen kann, hat unser Herr in dem Grundsatz für die Nachfolge in Beziehung gesetzt:

«Wer sein Leben liebt, der wird es verlieren; wer aber sein Leben in dieser Welt hasst, wird es zum ewigen Leben bewahren» (Joh 12,25).

Die Apostelgeschichte

Sehr gerne lesen wir in Apostelgeschichte 2,47, dass die Urgemeinde in Jerusalem Gunst beim ganzen Volk hatte. Diese Gunst verhinderte aber nicht die Verfolgung, die schon kurze Zeit später losbrach. In diesem Zusammenhang lesen wir etwas in Apostelgeschichte 5,41, was nicht nur unserem menschlichen Wesen, sondern auch unserem heutigen Lebensgefühl völlig entgegensteht: «Sie nun gingen voll Freude vom Hohen Rat hinweg, weil sie gewürdigt worden waren, Schmach zu leiden um Seines Namens willen ...»

Die losbrechende Verfolgung zerfetzte äusserlich das Leben der Urgemeinde. Durch diesen eisigen Gegenwind wurde aber das Zeugnis für Jesus umso stärker. In Kapitel 8,4 lesen wir, dass die durch die Verfolgung Zerstreuten das Wort Gottes verkündigten. Interessant ist auch, was die Gemeinde betete, als die Apostel schon vor der grossen Verfolgung unter Druck gekommen waren. Sie beteten nicht um Wegnahme des Drucks, sondern um Freimütigkeit für das Reden des Wortes Gottes (Apg 4,29-31).

Während Jakobus das Leben für seinen Herrn liess, wurde Petrus befreit (Apg 12). Dafür hatte die Gemeinde gebetet. Trotzdem war der Druck damit nicht verschwunden. Ab Kapitel 9 beginnt die Geschichte mit Paulus. Nach seiner Bekehrung bekommt er als Erstes gesagt, wie viel er um Jesu willen leiden wird (9,16). Und damit sind nicht allgemeine Leiden gemeint, die auch schwer sein können, sondern Druck, Trübsal, Angst und Verfolgung um Jesu willen. – Das durchzieht die ganze Apostelgeschichte in unterschiedlicher Intensität bis Kapitel 28.

In Apostelgeschichte 14,22 lesen wir, dass Paulus und Barnabas auf dem Rückweg der ersten Missionsreise die jungen Gemeinden stärkten:

> «... dabei stärkten sie die Seelen der Jünger und ermahnten sie, unbeirrt im Glauben zu bleiben, und [sagten ihnen,] dass wir durch viele Bedrängnisse in das Reich Gottes eingehen müssen.»

Die Briefe des Paulus
Der Römerbrief. Das Thema Verfolgung und Bedrängnis finden wir praktisch in allen Briefen des Paulus, direkt oder indirekt. Römer 8 ist uns ja dadurch gut bekannt, dass nichts «uns zu scheiden vermag von der Liebe Gottes, die in Christus Jesus ist, unserem Herrn» – das «Hohelied der Heilsgewissheit», wie manche sagen. Und wir übersehen leicht, dass der ganze Abschnitt im Zusammenhang mit der Trübsal um Christi willen steht. In Vers 36 vergleicht Paulus sich und uns sogar mit Schlachtschafen. Als Schaf vom guten Hirten auf die Weide geführt zu werden, wäre ja ein angenehmer Aspekt. Aber sich als Schlachtschaf zu sehen, ist noch mal etwas anderes.

Der 2. Korintherbrief. In Kapitel 11, ab Vers 16, öffnet Paulus einen Türspalt und gibt uns einen Einblick in seine vielen Leiden um Christi willen. Dabei dürfen wir nicht vergessen, dass Paulus diesen Brief *nicht* am Ende seines Lebens schrieb, sondern rund drei Jahre vor seiner ersten Gefangenschaft und neun bis zehn Jahre vor seinem Lebensende.

Der Galaterbrief. Am Ende des Galaterbriefs kann Paulus sagen, dass er die Malzeichen Christi an sich trägt (Gal 6,17). Das meint er nicht im katholisch-mystischen Sinn. Um des Evangeliums willen erlitt er vielfältige Folterungen. Das hat an seinem Körper Spuren hinterlassen.

Die Gefangenschaftsbriefe. Zu den Gefangenschaftsbriefen werden der Epheser-, der Philipper- und der Kolosserbrief gezählt. Diese drei Briefe schrieb Paulus zusammen mit dem Philemonbrief aus seiner ersten Gefangenschaft. Auch sie kommen direkt oder indirekt auf das Thema zu sprechen. Dabei möchte ich nur eine Stelle aus dem Philipperbrief herausgreifen. In Philipper 3 schreibt Paulus über die alles überragende Erkenntnis Christi, um derentwillen er alles, was ihm einmal wichtig war, für Dreck achtet (V. 7). Es geht ihm nur noch darum, Christus zu gewinnen und in Ihm erfunden zu werden. Er schreibt:

«… um Ihn zu erkennen und die Kraft seiner Auferstehung und die Gemeinschaft seiner Leiden, indem ich seinem Tod gleichförmig werde, damit ich zur Auferstehung aus den Toten gelange. Nicht dass ich es schon erlangt hätte oder schon vollendet wäre; ich jage aber danach, dass ich das auch ergreife, wofür ich von Christus Jesus ergriffen worden bin» (V. 10-12).

Könnten wir das auch sagen, nicht irgendwie «vergeistlichend», sondern ganz praktisch in Bezug auf unsere Leidensbereitschaft? Eine Anmerkung dazu: Die Taufe ist ein Bekenntnis. Jeder, der sich taufen lässt, wird in den Tod Christi hineingetauft und hat zugleich Anteil an der Auferstehung Christi, damit er in Neuheit des Lebens wandelt. Dieser Tod bezieht sich nicht nur auf das sündige, frühere Leben, sondern auch auf ein Ja zum Leiden um Christi willen. In unserem Taufunterricht wird das heute wohl zum Grossteil ausgeblendet. In islamischen Ländern beispielsweise ist jedem Täufling klar, was die Taufe für ihn bedeutet und was für einen Preis sie kosten kann.

Die Thessalonicherbriefe. Beide Thessalonicherbriefe sind an eine junge Gemeinde in der Verfolgung geschrieben. Deshalb behandeln sie dieses Thema. Im Übrigen können wir an diesen Briefen auch erkennen, dass eine Gemeinde in der Verfolgung nicht automatisch gegen Verführung gewappnet ist, sondern dass beides Hand in Hand gehen kann.

Der letzte Brief des Paulus. Wie wir bereits gesehen haben, ist der 2. Timotheusbrief das geistliche Vermächtnis des Paulus, der letzte Brief, den er vor seiner Hinrichtung schrieb, in dem er noch einmal an verschiedenen Stellen die Leidensbereitschaft als wichtige Voraussetzung für die Nachfolge und den Dienst betont.

Der Hebräerbrief

Auch im Hebräerbrief spielt die Verfolgung eine Rolle. Die Hebräer haben sogar freudig ihre Zwangsenteignung um des Glaubens willen hingenommen und als Gefangene gelitten (Hebr 10,34). Wir werden aufgefordert, die verfolgten Glaubensgeschwister nicht zu vergessen:

> «Gedenkt an die Gefangenen, als wärt ihr Mitgefangene, und derer, die misshandelt werden, als solche, die selbst auch noch im Leib leben» (Hebr 13,3).

Vernachlässigen wir das nicht sträflich? Es sollte eigentlich keinen Gottesdienst und keine Gebetsstunde geben, ohne dass wir für die verfolgte Gemeinde beten. Werner Stoy macht deutlich, wie diese Fürbitte im Rahmen der bekennenden Kirche im Dritten Reich ein fester Bestandteil der Gottesdienste war. – Und wir sind oft nur mit unseren Problemen beschäftigt.

Die beiden Petrusbriefe
Der Apostel Petrus schreibt an die zerstreute und verfolgte Gemeinde. Besonders der zweite Petrusbrief zeigt uns, dass Verfolgung nicht automatisch vor Verführung bewahrt. Petrus ermutigt die Nachfolger Jesu, auszuhalten, unter Druck von aussen standhaft zu sein. Er zeigt auf, welche Verheissungen damit verbunden sind und wie Gott Leiden und Druck gebraucht, um Seine Kinder zu reinigen und zu verändern. Das sind ja die zwei Aspekte, die Schwerpunkte dieses Buches sind, die wir heute jedoch weitgehend aus dem Fokus verloren haben.

Die Offenbarung
Unabhängig von der Entrückungsfrage lehrt uns die Offenbarung, dass das Zeugnis für Christus mit Leiden verbunden ist. Sie war schon immer ein Trostbuch für die verfolgte Gemeinde. Auch in den sieben Sendschreiben sind die Leiden verschiedener Gemeinden Thema, bis hin zum Märtyrertod. Trotz der Schilderung aller Leiden und Anfechtung lenkt die Offenbarung den Blick immer wieder auf die Grösse Gottes. Auch wenn wir an die Entrückung vor der grossen Trübsal glauben, darf uns dies nicht den Blick für die Bedrängnisse um Christi willen verschliessen.

Was es heute zu tun gilt

Wenn wir sehen, wie der Gegenwind zunimmt, stellt sich die Frage, was es heute zu tun gilt. Auf der einen Seite hat unser Herr verheissen, dass wir vor Verhören keine Angst zu haben brauchen und Er uns eingibt, was wir dann reden sollen (Mk 13,11). Auf der anderen Seite spricht Er im selben Kontext von Bedrängnissen, Verführung und Verfolgung: «Seht ihr euch aber vor! Ich habe euch alles vorhergesagt» (Mk 13,23, Menge).

Der Herr sagt uns dies, damit wir nicht unvorbereitet getroffen werden. Im Zeitalter der digitalen Medien beispielsweise machen wir uns womöglich viel zu wenig Gedanken einerseits darüber, wie wir den technologischen Fortschritt gebrauchen können, und andererseits, ob er nicht in unnötiger Weise einer möglichen Verfolgung in die Hände spielt. Dass diese Sache nicht wichtig wäre, lässt sich leicht sagen, solange wir noch Glaubensfreiheit haben.

Wir sollen heute das tun, was in der Verfolgung nicht mehr möglich ist

Diesen Anstoss gibt Werner Stoy in seinem Buch. Freie Evangelisation, ob persönlich oder als Gemeinde, sollten wir noch viel mehr praktizieren. Die Glaubensfreiheit hätte die Durchführung dieses Anliegens beschleunigen sollen. Aber leider ist das Gegenteil eingetreten. Wir sind träge und bequem geworden. Es kann gut sein, dass wir das im Rückblick bitter bereuen werden.

Dasselbe gilt für das Anliegen der Weltmission. Die Gemeinde in der Verfolgung kann keine Missionare aussenden und unterstützen und ist auch in ihren finanziellen Ressourcen sehr begrenzt. Wir in unserer heutigen Freiheit haben dazu alle Möglichkeiten und drehen uns so oft um unsere eigenen Anliegen und eigene Geistlichkeit, sodass Gottes weltweiter Auftrag in den Hintergrund gerät.

Heute können wir als Gemeinde Jesu völlig unbedrängt Gottes Wort hören und Gemeinschaft pflegen. Und oft ist das für uns kein erstrangiges Anliegen mehr, sondern muss unseren anderen Interessen und Aktivitäten angepasst bzw. untergeordnet werden. Wir sind diesbezüglich auch sehr stark vom Individualismus und den Freizeitmöglichkeiten bestimmt. In der Verfolgung wird es für fromme Einzelgänger sehr schwierig. Dort sehnen sich die Geschwister nach der Gemeinschaft unter Gottes Wort und miteinander. Aus diesem Grund haben die Sowjets versucht, Gemeindezusammenkünfte zu stören und zu verbieten. Auch in dieser Beziehung werden wir möglicherweise einmal traurig zurückblicken auf unsere falschen Prioritäten in einer freien Gesellschaft.

Was in der Verfolgung immer verboten wird, ist die Bibel, weil Gottes Wort ein göttliches Kraftwort ist. Heute haben wir alle Freiheiten zum persönlichen Umgang mit Gottes Wort, und wir gebrauchen auch dies viel zu wenig, weil uns anderes wichtiger ist. Jeder kann sich überall mit der Bibel beschäftigen, ohne dass dies Konsequenzen hätte, höchstens ein paar verächtliche Blicke und Bemerkungen. Wir können die Bibel zu Hause, im Zug, auf einer Parkbank, im Liegestuhl am Strand, einfach überall lesen. Ich sage nicht, dass wir überall nur noch die Bibel lesen müssen. Aber es kann die Zeit kommen, in der wir für das Bibellesen bestraft werden und einen sehr hohen Preis bezahlen. Und wir könnten noch wehmütig an unseren oberflächlichen Umgang mit der Bibel zurückdenken.

Wir dürfen die verfolgte Gemeinde nicht vergessen

«Gedenkt an die Gefangenen, als wärt ihr Mitgefangene, und derer, die misshandelt werden, als solche, die selbst auch noch im Leib leben» (Hebr 13,3; vgl. 10,34).

In seinen Gefangenschaftsbriefen bat Paulus immer wieder um Gebetsunterstützung, sowohl im Sinn von Bewahrung als auch für den Lauf des Evangeliums. Wie bereits gesagt, eigentlich darf es keinen Gottesdienst, keine Gebetsstunde geben, ohne dass wir an unsere verfolgten Glaubensgeschwister denken. Sie leiden mit an unserer Stelle für das Evangelium (vgl. Kol 1,24). Und wir drehen uns oft nur um uns selbst, statt den Blick auf die Verfolgten zu richten. Wir wollen keiner unnüchternen Märtyrerverherrlichung oder -glorifizierung das Wort reden. Uns muss klar sein, dass unsere leidenden Glaubensgeschwister in ihrer inneren Festigkeit oft stark angefochten und erschüttert sein können, dass sie mit Verzweiflung und dunklen Stunden zu tun haben. Aus diesem Grund haben sie unsere Fürbitte so nötig. Uns sollte auch beschäftigen, wie wir sie praktisch unterstützen können, was wir für sie und ihren Dienst tun können.

Wir müssen uns auf andere Zeiten vorbereiten
Eine Vorbereitung auf andere Zeiten ist von Bedeutung.
Treue in der Nachfolge heute. Während meiner Bibelschulzeit berichteten Brüder von ihren Erfahrungen in der Sowjetunion und den Straflagern. Damals war die Verfolgung in diesem Land noch aktuell. Es kam die Frage auf, wie wir uns auf solche Verhältnisse vorbereiten können. Die Antwort werde ich nie vergessen. Sie war sinngemäss so: «Lebe heute treu und im Gehorsam

gegenüber dem Herrn, dann wird Er dich auch durchtragen, wenn alles anders kommt.»

Es geht darum, dass wir *heute* treu sind in dem Bereich, in den uns der Herr gestellt hat. Dass wir *heute* Seinem Wort gehorsam sind und in der Abhängigkeit von Ihm leben. Wer meint, dass er heute Kompromisse machen und alles locker nehmen kann, der wird nicht bestehen, wenn der Druck zunimmt. Im Gleichnis vom vierfachen Ackerfeld lesen wir von dem, das auf das Felsige gesät war und dann verdorrte (Mt 13,21): Es sind die Menschen des Augenblicks, die Begeisterung, aber keine tiefe Wurzel haben. Deshalb fallen sie ab, wenn der Druck kommt.

Zu dieser Treue gehört auch der Bekennermut, heute schon klar zu Christus und dem Evangelium zu stehen, auch wenn es unerwünscht ist und wir dadurch Ausgrenzung oder Ablehnung erfahren. Wie wollen wir einmal Mut in belastenden Zeiten haben, wenn wir ihn heute schon nicht aufbringen?

Zur Treue in der Nachfolge gehört auch unsere praktische Lebensgestaltung, die Art und Weise, wie wir mit anderen Menschen umgehen und ihnen dienen und speziell das gegenseitige Dienen in der Gemeinde.

Wachstum in der Gottes- und Selbsterkenntnis. Es soll uns ein beständiges Anliegen sein, in der Erkenntnis unseres Herrn zu wachsen. Paulus und Petrus war dies ein grosses Anliegen für die Gemeinden (vgl. Eph 1,15-23; Kol 1,10; 2Petr 3,18 u. a.). Das Wachstum in der Gotteserkenntnis geht mit dem Wachstum unseres Vertrauens zu Ihm überein. Das ist weit mehr als theoretisches Wissen. Die biblischen Wahrheiten entfalten ihre Kraft, wenn sie unser praktisches Leben bestimmen, wenn wir dem Herrn um Seinetwillen auch dann vertrauen, wenn manches anders kommt, als wir es uns vorgestellt haben. Wie wichtig die Gotteserkenntnis angesichts von Druck und Verfolgung ist, macht Paulus am Ende seines Lebens deutlich. In einem feuchten, stinkenden und kalten Kerkerverliess als Staatsverbrecher festgehalten und die Hinrichtung vor Augen kann er schreiben:

> «Denn ich weiss, an wen ich glaube, und ich bin überzeugt, dass er mächtig ist, das mir anvertraute Gut zu bewahren bis zu jenem Tag» (2Tim 1,12).

Fritz Grünzweig hat diesen Vers so umschrieben:

> «Ich weiss, mit wem ich's da zu tun habe, wer der ist, dem ich täglich mein Leben anvertraue und dem ich durch dick und dünn folge.»[13]

Andererseits geht es um die Selbsterkenntnis nach dem Massstab der Bibel. Petrus verleugnete seinen Herrn. Dem voraus ging die Überschätzung seines geistlichen Standes. Er setzte sein Vertrauen auf die eigene Frömmigkeit und Kraft, anstatt in der Anfechtungssituation allein mit der Hilfe Gottes zu rechnen. Unter Druck halten nicht diejenigen stand, die meinen, dass sie alles im Griff haben und geistlich stark sind. Vielmehr stehen die fest, die ihre völlige Abhängigkeit von Christus erkannt haben und um ihre eigene Schwachheit wissen. Das wirft sie ganz auf den Herrn.

Ein verwurzeltes Leben in der Bibel. Heute können wir Gottes Wort gründlich studieren und auch auswendig lernen. Im digi-

---

13 Fritz Grünzweig, *2. Timotheusbrief, Titus und Philemon-Brief – Edition C Bibelkommentar,* Band 19, Hänssler Verlag Neuhausen-Stuttgart 1990, S. 32.

talen Zeitalter scheint das nicht mehr erforderlich. Aber was ist, wenn wir keine Bibel mehr haben und das Smartphone vor der Gefängniszelle abgenommen wurde? In Johannes 16,13 lesen wir, dass der Geist Gottes uns in die ganze Wahrheit leiten wird. In Vers 14 sagt der Herr Jesus, dass der Geist es von dem Seinen nehmen wird. Und in Johannes 14,26 lesen wir, dass Er die Jünger an alles erinnern wird, was der Herr ihnen gesagt hat. Es wird nicht versprochen, dass der Heilige Geist plötzlich neue Offenbarungen schenkt. Er erinnert an das, was Jesus gesagt hat. Das setzt voraus, dass wir Gottes Wort kennen. Übrigens können wir das auch als ermutigende Verheissung für alle auffassen, die sich mit dem Auswendiglernen schwertun und es trotzdem praktizieren.

In Johannes 2,22 lesen wir von den Jüngern, dass sie nach der Auferstehung der Schrift und dem Wort glaubten, das Jesus zu ihnen gesagt hat. Auch das setzt eine gute Kenntnis voraus. Wir sollten heute die Zeit nutzen, um Bibelverse auswendig zu lernen und uns fest einzuprägen. Was für eine Hilfe, wenn wir Bibelverse oder sogar ganze Kapitel auswendig kennen. Die Kraft von Gottes Wort kann sich auch dann entfalten, wenn wir es nicht mehr lesen können. Schon in der Kinderstunde und mit Kindern können wir das Auswendiglernen einüben.

Das gilt übrigens auch für gute Glaubenslieder. Betend Liedverse aufzusagen, kann ebenfalls eine grosse Hilfe sein, nicht erst in der Verfolgung, sondern auch schon in dunklen Nachtstunden, Krankenhauszimmern oder im Strassengraben nach einem Verkehrsunfall. Während meines Praktikums leitete ich mehrmals Andachten in einem Altersheim. Genau genommen waren es immer zwei oder drei Andachten. Sie waren angepasst an den Grad der Verfassung der Zuhörer. Bei einer Andacht hatte ich völlig demente Personen vor mir. So, wie man den Kleinsten in der Kinderstunde biblische Geschichten erzählt, tat ich es dort auch, immer in der Hoffnung, dass irgendetwas hängen bleiben möge. Wann immer wir alte, bekannte Glaubenslieder anstimmten, sangen die dementen Personen mit. Da kam zum Vorschein, was sie in ihrer Kindheit gelernt hatten. Besonders blieb mir dieses Lied und der Refrain in Erinnerung: «Gott ist die Liebe, lässt mich erlösen.»

Zu einem verwurzelten Leben in der Bibel kann auch eine entsprechende Schulung beitragen, um die Zusammenhänge der Heilsgeschichte und der Lehre zu erfassen. Interessanterweise schützt Verfolgung nicht automatisch vor Verführung. Wir finden beides in den Weissagungen von Markus 13, unabhängig davon, wann sich dies erfüllt. Werner Stoy zeigt in diesem Zusammenhang auch anhand der Geschichte auf, dass zusätzlich zur Verfolgung oft noch die Verführung von innen kam. Eine ausgewogene Kenntnis der grundsätzlichen Linien der Schrift wappnet uns gegen die Verführung. Das Schärfen dieser Wappnung wird heute oft vernachlässigt, weil wir die Zeit lieber für weniger Wichtiges gebrauchen.

Leidensbereitschaft heute. In der Bibel finden wir beides. Einerseits möchte der Herr unsere Leiden lindern und wir dürfen auch darum beten. Andererseits verfolgt Er aber auch durch Leiden Seine Absichten und Ziele. Heute tendieren wir dazu, als höchstem Ziel nach einer schmerz- und leidensfreien Nachfolge zu streben. Sobald es schwierige Phasen im Gemeindeleben gibt, sieht man von manchen nur noch den Kondensstreifen. Und dann suchen sie woanders die fromme Wellness-Zone. Doch gegenüber Timotheus hat Paulus Leidensbereitschaft als geistlichen Grundzug für den Dienst und die Nachfolge vorausgesetzt. In diesem Zusammenhang möchte ich zwei Verse aus einem neunstrophigen alten Glaubenslied zitieren:

«Endlich bricht der heisse Tiegel,
und der Glaub empfängt sein Siegel
als im Feur bewährtes Gold,
da der Herr durch tiefe Leiden
uns hier zu den hohen Freuden
jener Welt bereiten wollt.

Leiden macht das Wort verständlich,
Leiden macht in allem gründlich;
Leiden, wer ist deiner wert?
Hier heisst man dich eine Bürde,
droben bist du eine Würde,
die nicht jedem widerfährt.»[14]

Das steht im völligen Kontrast zu unserer heutigen Lebensphilosophie und dem Wohlstandsevangelium, das wir uns nach eigenem Geschmack ausgestalten.

Ein dankbarer und genügsamer Lebensstil. Die Bibel ruft nicht zur Askese auf, aber zu einem dankbaren und genügsamen Lebensstil. Paulus konnte sagen:

«Denn ich verstehe mich aufs Armsein, ich verstehe mich aber auch aufs Reichsein; ich bin mit allem und jedem vertraut, sowohl satt zu sein als auch zu hungern, sowohl Überfluss zu haben als auch Mangel zu leiden» (Phil 4,12).

---

14 Nach dem alten württembergischen Gesangbuch (40. Aufl. 1990 [1953], EKG 305).

Ehrlicherweise müssen wir eingestehen, dass es uns in der Regel leichter fällt, Überfluss zu haben als Mangel zu leiden. Alles Gute, das uns der Herr gibt, dürfen wir dankbar aus Seiner Hand nehmen, ob das ein gutes Essen ist, schöne Ferien, ein Eigenheim oder ein Auto. Die Frage ist, was uns am wichtigsten ist und wo unser Herz gebunden wird, ob wir dem Ego-Konsumdenken verfallen oder es uns auch genügen kann, nicht alles haben zu müssen, was man haben könnte. Dazu gehört die Überlegung, wie wir die Missionsarbeit und den Lauf des Evangeliums unterstützen können. Die Gemeinde in der Verfolgung ist materiell knapper dran als wir.

Unser westliches Konsumsystem ist ja darauf ausgerichtet, ständig neue Wünsche zu wecken. Ein genügsamer Lebensstil ehrt schon heute den Herrn und ist zugleich eine Hilfe, wenn wir künftig auf manches verzichten müssen, was wir heute besitzen. Vorhin erwähnte ich, dass die Empfänger des Hebräerbriefes ihre Zwangsenteignung um des Evangeliums willen mit Freuden erduldet haben. Das Wort, das dort steht, kann auch mit «annehmen» oder «hinnehmen» übersetzt werden. Ein gesundes Verhältnis zu allen Gütern heute hilft uns auch dann, wenn einmal wirklich schwere materielle Nachteile mit der Nachfolge verbunden sind.

Schulen und Heranbilden von anderen Nachfolgern. Werner Stoy zeigt auf, wie die verfolgte Gemeinde immer auch Wert auf die Ausbildung und Zurüstung neuer Verkündiger gelegt hat, obwohl das in der Bedrängnis schwierig ist. Verfolgung trifft in erster Linie meist die Brüder, die geistliche Verantwortung tragen und das Wort verkündigen. Auch aus diesem Grund soll der Zurüstung von Mitarbeitern eine hohe Bedeutung zugemessen werden. Wenn die erste Reihe «einkassiert wird», stehen schon die zweite und die dritte Reihe bereit.

Leiden um Jesu willen sind keine sinnlosen Leiden. Es geht nicht darum, dass wir das Leid an und für sich verherrlichen wollen. Druck, Bedrängnis, Trübsal tun immer weh. Doch der Herr gebraucht oft das, was gegen Ihn gerichtet ist, um sich in besonderer Weise zu verherrlichen. Denken wir nur an die Vervielfachung der Christen in China während der harten Verfolgung. Zugleich ist mit diesem Thema für uns eine ungeheure Herausforderung verbunden. Wir müssen den Entwicklungen in Europa klar ins Gesicht sehen und nicht in einer geistlichen Traumwelt verharren, sondern uns anspornen lassen, heute das zu tun, was wir künftig nicht mehr tun können, und uns intensiv vorzubereiten, da es auch ganz schnell anders kommen kann.

Ich möchte mit einem bekannten Missionslied schliessen. Es hat sich mir als Kind besonders eingeprägt, wenn am Pfingstmissionsfest in Bad Liebenzell abends in der grossen Membranzelthalle noch Missionsberichte mit Lichtbildern oder Filmen abgehalten wurden. Das war vor der Sommerzeit. Für diese Vorträge war Dunkelheit erforderlich, damit es im Zelt für die Bildprojektion nicht zu hell war. Am Anfang oder am Ende haben wir dann oft gesungen:

«Auf, denn die Nacht wird kommen, auf mit dem jungen Tag! Wirket am frühen Morgen, eh's zu spät sein mag! Wirket im Licht der Sonnen, fanget beizeiten an! Auf, denn die Nacht wird kommen, da man nicht mehr kann.

Auf, denn die Nacht wird kommen, auf, wenn es Mittag ist! Weihet die besten Kräfte dem Herrn Jesus Christ! Wirket mit Ernst, ihr Frommen, gebt alles andre dran! Auf, denn die Nacht wird kommen, da man nicht mehr kann.

Auf, denn die Nacht wird kommen, auf, wenn die Sonne weicht! Auf, wenn der Abend mahnet, wenn der Tag entfleucht! Auf, bis zum letzten Zuge, wendet nur Fleiss daran! Auf, denn die Nacht wird kommen, da man nicht mehr kann.»

Die Frage nach der Entrückung und unserer Leidensbereitschaft

«In der Welt habt ihr Bedrängnis; aber seid getrost, ich habe die Welt überwunden!» (Joh 16,33).

«Das sind die, welche aus der grossen Drangsal kommen; und sie haben ihre Kleider gewaschen und sie haben ihre Kleider weiss gemacht in dem Blut des Lammes» (Offb 7,14).

«Denn dann wird eine grosse Drangsal sein, wie von Anfang der Welt an bis jetzt keine gewesen ist und auch keine mehr kommen wird» (Mt 24,21).

Wenn es uns äusserlich gut geht und alles so läuft, wie wir uns das vorstellen, ist unsere Sehnsucht nach der Wiederkunft Jesu und der himmlischen Heimat meist gering. Manchmal fehlt sie sogar ganz. Aber wenn wir durch schmerzhafte Lebensabschnitte gehen, ob das Schwierigkeiten sind, die sich über längere Zeit nicht auflösen, gar noch zuspitzen, oder scheinbar alles gegen uns steht, dann wünschen wir uns, dass der Herr doch jetzt gerade kommen soll. Aber ist dann das Ihn-Herbeisehnen nicht eine Flucht vor den Nöten, die uns umgeben?

Mit einem Mal haben wir Heimweh nach droben. Unser Herr gebraucht auch notvolle Umstände, um uns neu auf sein Kommen und die kommende Herrlichkeit auszurichten. So lenkt der Apostel Paulus in Römer 8,18 den Blick angesichts der heutigen Leiden auf die alles übersteigende zukünftige Herrlichkeit. Der «Schmelzofen» Ägyptens trug im Alten Testament zweifelsohne dazu bei, dass sich die Kinder Israels nach Befreiung und dem verheissenen Land sehnten. Aber es ist bedenklich, wenn wir unsere Theologie danach ausrichten, um uns Leid zu ersparen oder aus den Lebensumständen zu flüchten, in die uns der Herr gestellt hat.

Unter bibeltreuen Auslegern gibt es verschiedene Ansichten über den Zeitpunkt der Entrückung. Oft finden Diskussionen darüber statt, ob die Entrückung vor der grossen Trübsal, aus der grossen Trübsal heraus oder an ihrem Ende sein wird. Und damit werden auch verschiedene andere Ideen kombiniert. Manche meinen, dass, wenn die Entrückung vor der grossen Trübsal sein sollte, uns Leid und Verfolgung um Christi willen erspart bleiben. In diesem Fall kombiniert man die Entrückung vor der Trübsal mit unserer Leidensscheue. Andere wiederum beharren darauf, dass die Gemeinde in die Trübsal muss und die richtigen Leiden damit erst noch kommen. Dabei übersieht man leicht, durch welch unsägliche Leiden heute schon unsere Glaubensgeschwister in Nordkorea und den islamischen Staaten gehen. Aus diesem Grund wollen wir uns auch mit der Frage nach der Entrückung und der Leidensbereitschaft in der Nachfolge beschäftigen. Dabei ist mir wichtig, dass wir unsere persönlichen Motive zu dieser Sache überprüfen und keine Fluchtweg-Theologie betreiben. Was meine ich damit? Es wäre falsch, wenn unsere Theologie, auch die Frage nach der Entrückung, von unserer Leidensscheue bestimmt würde. Deshalb möchte ich einige Dinge deutlich machen, die uns vor falschen Rückschlüssen bewahren sollen.

Die grosse Trübsal

Wenn wir von der grossen Trübsal reden, geht es um den letzten Zeitabschnitt vor der sichtbaren Wiederkunft Jesu und der damit verbundenen Errettung Israels. Direkt erwähnt findet sich diese Trübsal oder Drangsal im Neuen Testament in Matthäus 24,21 und Offenbarung 7,14.

Die grosse Trübsal im Zusammenhang des Alten und Neuen Testaments

Wenn wir das Alte Testament hinzuziehen, finden wir an vielen Stellen einen Hinweis auf die grosse Trübsal. In Jeremia 30,7 ist von der Zeit der «Trübsal», «Bedrängnis» oder «Drangsal ... für Jakob» die Rede. Und in Daniel 12,1 lesen wir:

> «Zu jener Zeit wird sich der grosse Fürst Michael erheben, der für die Kinder deines Volkes einsteht; denn es wird eine Zeit der Drangsal sein, wie es noch keine gab, seitdem es Völker gibt, bis zu dieser Zeit. Aber zu jener Zeit wird dein Volk gerettet werden, jeder, der sich in dem Buch eingeschrieben findet.»

In Matthäus 24,21 nimmt der Herr Jesus direkt Bezug auf diese Danielstelle. Am Ende, direkt vor der Wiederkunft Jesu, wird Israel eine Zeit der Trübsal und Bedrängnis erleben wie noch nie zuvor in der gesamten Weltgeschichte. Aber nicht nur Israel. Diese Zeit ist (im Zusammenhang von Daniel 12 mit Matthäus 24 gesehen) weltumfassend und betrifft ebenso die Nationen. In Matthäus 24,22 lesen wir, dass am Ende diese Zeit verkürzt wird, weil sonst kein Fleisch gerettet würde.

Es geht also um eine Zeitperiode vor der sichtbaren Wiederkunft Jesu, die Israel und alle Nationen betrifft. Diese sichtbare Wiederkunft Jesu müssen wir zeitlich von der Entrückung der Gemeinde unterscheiden.

Die grosse Trübsal und die siebzigste Jahrwoche

Nun stellt sich die Frage, ob uns die Bibel eine Angabe über die Länge dieser Zeit der Trübsal macht. Hier finden wir ebenfalls im Buch Daniel eine Schlüsselstelle. In Daniel 9,24 ist die Rede davon, dass siebzig Wochen oder Jahrwochen über das Volk Israel und die Stadt Jerusalem verhängt sind, bis die Sünde Israels zum Ende kommt und der Herr eine ewige Gerechtigkeit aufrichtet. Es sind damit bis zur Errettung Israels 70 Jahrwochen zu je sieben Jahren. Diese siebzig Jahrwochen werden in drei Perioden eingeteilt. Zunächst geht es in Vers 25 um sieben Jahrwochen und dann 62 Jahrwochen. Das macht insgesamt 69 Jahrwochen. Nach diesen 69 Jahrwochen findet in Vers 26 mit dem Tod des Gesalbten bzw. Tod des Messias eine Unterbrechung statt. Jerusalem wird der Zerstörung bis ans Ende preisgegeben, bis in Vers 27 die siebzigste Jahrwoche beginnt. Und diese siebzigste Jahrwoche, die letzten sieben Jahre vor der sichtbaren Wiederkunft Jesu, steht in einem engen Zusammenhang mit der grossen Trübsalszeit.

In der Mitte dieser letzten sieben Jahre, nach dreieinhalb Jahren, werden die Schlachtopfer und Speisopfer aufhören. Damit sind drei Dinge Voraussetzung für diese siebzigste Jahrwoche:

1. Das Volk Israel muss wieder in seinem Land sein.
2. Jerusalem muss in der Hand Israels sein.
3. Ein dritter Tempel muss stehen, da nur im Tempel Schlacht- und Speisopfer dargebracht werden können.

Die ersten beiden Punkte haben sich in den letzten siebzig Jahren erfüllt, auch wenn Jerusalem noch weltweit umstritten ist. Und die Erfüllung der dritten Voraussetzung könnte möglicherweise näher sein, als wir meinen. Daniel 9,27 spricht von der Hälfte der siebzigsten Jahrwoche, also von dreieinhalb Jahren. Dieselbe Zeitangabe, etwas anders ausgedrückt, finden wir ausserdem in Daniel 7,25:

«Und er wird [freche] Reden gegen den Höchsten führen und die Heiligen des Allerhöchsten aufreiben, und er wird danach trachten, Zeiten und Gesetz zu ändern; und sie werden in seine Gewalt gegeben für eine Zeit, zwei Zeiten und eine halbe Zeit.»

In Daniel 12,7 werden diese dreieinhalb Jahre als Zeiten ausgedrückt. In Offenbarung 11,2 ist von zweiundvierzig Monaten die Rede, in welchen Jerusalem und der Vorhof des Tempels zertreten werden. Schliesslich lesen wir in Offenbarung 13,5, dass dem Tier aus dem Abgrund, dem Antichrist, 42 Monate lang Macht gegeben wird zu wirken. Wir finden also eine Zeitperiode von sieben Jahren am Ende. In der Mitte dieser sieben Jahre kommt es zur Abschaffung der Opfer in einem dritten Tempel. Und dann ist in der Offenbarung von den letzten 42 Monaten bzw. dreieinhalb Jahren die Rede, genauso wie im Buch Daniel. Unter bibeltreuen Auslegern gibt es zwei verschiedene Ansichten über die grosse Trübsal: Für die einen umfasst die grosse Trübsal die ganze siebzigste Jahrwoche, die letzten sieben Jahre vor der Wiederkunft Jesu, für die anderen nur die zweite Hälfte der letzten sieben Jahre, also die letzten dreieinhalb Jahre.

Die grosse Trübsal, der Antichrist und die Gerichte
Wie schon kurz angeklungen, stehen diese letzten sieben Jahre in einem untrennbaren Zusammenhang mit dem Auftreten des Antichrists, dem letzten grossen Weltdiktator. In Offenbarung 13,5 steht, dass er zweiundvierzig Monate, das sind dreieinhalb Jahre, Macht haben wird. In den ersten dreieinhalb Jahren wird wohl sein Aufstieg stattfinden. Daniel 7,20-26 handelt von dem Antichrist als dem kleinen Horn. Wenn wir nun Daniel 9,27 lesen, liegt es nahe, dass der Antichrist am Anfang dieser sieben Jahre einen Bund mit Israel schliesst, vermutlich ein Schutzbündnis. Und zur Hälfte der Woche wird er diesen Bund brechen, den Opferdienst im Tempel abschaffen und sich selbst in den Tempel setzen und als Gott ausgeben. Darauf nimmt auch unser Herr in Matthäus 24,15-22 Bezug, als er von dem Gräuel der Verwüstung spricht. Und Paulus schreibt in 2. Thessalonicher 2,2-4 davon.

In die letzten dreieinhalb Jahre gehören auch die Gerichte ab Offenbarung 14, die Posaunen- und Schalengerichte. Alle an Jesus gläubigen Juden in dieser Zeit werden unter Druck kommen und verfolgt werden. Auch alle Menschen, die das Bild des Tieres nicht anbeten. Die Welt wird von Gottes Gericht und Zorn erschüttert wie nie zuvor.

Weitere Begriffe für die Zeit der grossen Trübsal

Die grosse Trübsal ist eine Zeit, in der Israel durch Gerichte geläutert wird und seiner Errettung entgegengeht. Zugleich beginnt sich Gottes Zorn über die Menschheit zu entladen. Das Ereignis der grossen Trübsal wird im Alten Testament mit verschiedenen Begriffen bezeichnet.[15]

- Tag des Herrn (Jes 2,12; 13,6.9; Hes 13,5; 30,3; Joe 1,15; 2,1.11; 3,4; Am 5,18.20; Ob 1,15; Zef 1,7.14; Sach 14,1)
- Grosser und furchtbarer Tag des Herrn (Mal 3,23)
- Leid, Drangsal (5Mo 4,20; Zef 1,15)
- Zeit der Drangsal (Jer 30,7; Dan 12,1)
- Tag des Zorns (Zef 1,15.18; 2,2-3)
- Geburtswehen (Jes 21,3; 26,17-18; 66,7; Jer 4,31; Mi 4,10; vgl. Jer 30,6)
- Tag des Verderbens/der Drangsal (5Mo 32,35; Ob 1,12-14)
- Zorn (Jes 26,20; Dan 11,36)
- Das fremdartige Werk des Herrn (Jes 28,21)
- Überschwemmende Flut (Jes 28,15.18)
- Tag der Rache (Jes 34,8; 35,4; 61,2; 63,4)
- Tag der Angst und der Bedrängnis (Zef 1,15)
- Tag der Zerstörung (Zef 1,15)
- Tag des Dunkels und der Finsternis (Joe 2,2; Am 5,18.20; Zef 1,15)
- Tag des Gewölks und des Wolkendunkels (Zef 1,15)
- Tag des Schopharschalls und des Alarmblasens (Zef 1,16)
- Verwüstung vom Allmächtigen (Joe 1,15)
- Das Feuer Seines Eifers (Zef 1,18)

---

15 Vgl. Thomas Ice u. Timothy Demy (Hrsg.), *Wenn die Posaune erschallt*, Verlag Mitternachtsruf 2000, S. 66–67.

Die Gemeinde Jesu und die grosse Trübsal

Die grosse Trübsal steht in einem untrennbaren Zusammenhang mit dem Volk Israel. Aus diesem Grund spricht Jeremia von der Trübsal Jakobs (Jer 30,7). Was bedeutet das für die Gemeinde? Dazu möchte ich drei Positionen anführen. Die einen sagen, dass die Gemeinde vor der Trübsalszeit und damit vor den letzten sieben Jahren hinweggenommen wird. Die anderen vertreten die Meinung, dass die Gemeinde aus der grossen Trübsal heraus entrückt wird; das heisst, sie wird vor den letzten dreieinhalb Jahren, also den Posaunen- und Schalengerichten, weggenommen. Die dritte Gruppe sieht die Entrückung am Ende der Trübsal, in einem direkten Zusammenhang mit der sichtbaren Wiederkunft Jesu.

Diese unterschiedlichen Auffassungen sollten unter bibeltreuen Geschwistern nicht zu Trennungen und Spaltungen führen. Findet die Entrückung der Gemeinde vor der Trübsalszeit statt, dann kann sie trotzdem auch noch den Anfang des Auftretens des Antichrists erleben. Wohlgemerkt: *den Anfang*.

Kommen wir diesbezüglich zu dem Punkt, der von grösserer Tragweite für unser Thema ist als die unterschiedlichen Sichtweisen. In Westeuropa haben wir seit Jahrzehnten Glaubensfreiheit. Und so verbinden manche ihre Erwartung der Entrückung vor der Trübsal mit der Annahme, dass bis zur Entrückung diese Glaubensfreiheit erhalten bleibt. Vertreter der Entrückung aus der Trübsal heraus können sogar den Vorwurf machen, dass der Gedanke einer Entrückung vor der Trübsal mit Leidensscheue verbunden sei. Doch auch wenn man von der Entrückung vor der grossen Trübsal ausgeht, kann morgen in Westeuropa eine flächendeckende Christenverfolgung eintreten. Wir müssen uns davor hüten, aus einer biblisch berechtigten Annahme weitere Schlüsse zu ziehen, die biblisch nicht mehr gedeckt sind. Es könnte sogar noch eine weltweite Christenverfolgung kommen und die Entrückung kann trotzdem vor der Trübsal sein. Ich sage nicht, dass dies so kommen wird, sondern ich möchte davor warnen, unberechtigte Vorstellungen zu entwickeln.

Die Trübsale um Jesu willen und die grosse Trübsal

Eine aufschlussreiche Botschaft gibt uns das Wort aus Johannes 16,33:

«Dies habe ich zu euch geredet, damit ihr in mir Frieden habt. In der Welt habt ihr Bedrängnis; aber seid getrost, ich habe die Welt überwunden!»

Statt «Bedrängnis» kann man auch «Trübsal, Not, Angst» oder «unter Druck stehen» übersetzen. Mit «Welt» ist ja nicht ein stimmungsvoller Sonnenuntergang auf den Bahamas oder der traumhaft verschneite Säntis gemeint. «Welt» steht für die Menschheit in ihrer Auflehnung und Rebellion gegen Gott. Satan ist der Weltherrscher der gefallenen Schöpfung. Der Herr Jesus sagt den Jüngern nicht: «In der Welt könnt ihr möglicherweise Bedrängnis haben», oder: «Ab und zu kann es zu Bedrängnis kommen.» Vielmehr sagt Er klipp und klar voraus: In der von Gott losgelösten Menschheit werdet ihr «Not leiden» oder «unter Druck stehen». Eine Sache, die unausweichlich mit der Nachfolge verbunden ist.

Hier steht genau derselbe Begriff, der in Offenbarung 7 und Matthäus 24 für die grosse Trübsal verwendet wird. Nur, dass hier das Eigenschaftswort «gross» fehlt. Mit anderen Worten: Auch wenn die Entrückung vor der grossen Trübsal sein sollte, haben die Jesusjünger in dieser Welt Trübsal, Angst, Not, Bedrängnis um Christi willen zu erwarten. Das sollte vor aller Blauäugigkeit oder Schönmalerei bewahren. Und gleichzeitig sollte es dazu führen, dass wir den Entwicklungen um uns herum ins Auge sehen und nicht meinen, dass es mit der Glaubensfreiheit immer so weiterginge wie bisher.

Ein Bericht aus zuverlässiger Quelle über die damalige Situation in China:

«Die Erweckung im China der 30er-Jahre und darüber hinaus des vergangenen Jahrhunderts hatte ihren Ursprung bzw. wesentliche Impulse durch drei bedeutende Männer Gottes empfangen: Wang Min Dao, Dr. John Sung und Watchman Nee. Alle drei waren stark geprägt von der Brüderbewegung.

Durch diesen lehrmässigen Einfluss wurde u.a. auch die Entrückung vor der grossen Trübsal verkündet. Als 1966 die grosse proletarische Kulturrevolution begann, – und diese war das schlimmste apokalyptische Ereignis bis zu diesem Zeitpunkt – fielen etliche von ihrem Glauben ab. Sie konnten sich nicht vorstellen, dass es noch schlimmer kommen könnte, und dies, so hatten sie gemeint, würde ihnen erspart bleiben. Dadurch erlitten leider nicht wenige in ihrem Glauben Schiffbruch.»

Dieser Bericht lehrt uns aufzupassen, dass wir nicht unbegründete Erwartungen hegen oder den Glauben an die Entrückung vor der Trübsal von unserer Leidensscheue bestimmen lassen.

Wir sollten uns nicht von frommem, leidensscheuem Wunschdenken leiten lassen und dem Irrtum verfallen, dass die Glaubensfreiheit bei uns erhalten bleiben müsste, weil die Entrückung ja vor der Trübsal stattfindet. Vielmehr tun wir gut daran, uns auf die Trübsale und Bedrängnisse in der Nachfolge, von denen unser Herr gesprochen hat, einzustellen.

Ein Beispiel aus dem islamischen Bereich: Vor einigen Jahren sprach ich mit einem Bruder, der einen guten Einblick in islamische Länder hat, über die Frage der Entrückung. Dann sagte er mir sinngemäss, dass die damit verbundene Diskussion (ob die Entrückung vor oder aus der grossen Trübsal stattfinde) typisch westeuropäisch sei. Er meinte, dass die Verfolgten in den islamischen Ländern darüber nicht diskutierten. Sie riefen nur noch: «Herr, komme bald!» Und dann fügte er an, welchen Sinn das haben würde, der schwer leidenden Gemeinde zu sagen, dass ihr Leiden ja noch gar nicht so schlimm wäre, weil die grosse Trübsal erst noch komme. Unsere Glaubensgeschwister in Nordkorea oder den islamischen Staaten wissen, wie real das Wort unseres Herrn aus Johannes 16,33 ist. Und wir dürfen im freiheitlichen Westen einfach nicht diesem fromm verbrämten Aberglauben verfallen, dass wir die Garantie der Glaubensfreiheit gepachtet hätten.

Wer mit offenen Augen durch die Welt geht, dem entgeht nicht, wie die Feindschaft und gesellschaftliche Ablehnung gegenüber dem Evangelium zunimmt und die Luft im Zeichen der totalitären Toleranzdiktatur immer dünner wird. Totalitäre Toleranzdiktatur, ist das nicht ein Widerspruch? Nein. Das heutige Toleranzdenken gibt genau vor, was zu tolerieren ist und was nicht. Deshalb ist dieses Denken totalitär. Beispielsweise wird jede Religion geduldet, aber der Absolutheitsanspruch unseres Herrn wird abgelehnt. Früher bedeutete Toleranz, dass man eine feste Meinung hat und auch sagt, was man für richtig und gut ansieht und was schlecht und falsch ist. Aber wenn jemand eine andere Sicht hat, lässt man ihn mit seiner Auffassung trotzdem stehen. Die neue Toleranz ist anders, wie Josh McDowell und Bob Hostetler schon vor Jahren in ihrem Buch «Die neue Toleranz»[16] deutlich machten. Die neue Toleranz darf nicht mehr sagen, dass sie etwas schlecht oder böse findet. Vielmehr muss man jegliches, was der andere tut, für gut halten oder darf es zumindest nicht generell bewerten.

Anstatt uns gegenseitig wegen der Frage zu zerstreiten, wann die Entrückung sein wird, geht es darum, dass wir ein Ja zu den Trübsalen finden, die heute mit der Nachfolge Jesu verbunden sind oder möglicherweise noch kommen. – Auch wenn wir von Natur aus alle denselben Reflex haben, dass wir unangenehmen Dingen am liebsten ausweichen oder sie verdrängen.

Nikolaus Graf von Zinzendorf nahm damals in Herrenhut die verfolgten böhmischen Brüder auf. Bei aller äusseren Freiheit, die sie nun hatten, war er sich aber im Klaren darüber, dass es weiterhin Bedrängnisse um Jesu willen geben würde. In seinem bekannten Lied «Jesu geh voran» (EG 391) hat er deshalb dem Sinne nach Johannes 16,33 in der zweiten Strophe aufgenommen:

«Soll's uns hart ergehn,
lass uns feste stehn
und auch in den schwersten Tagen
niemals über Lasten klagen;
denn durch Trübsal hier
geht der Weg zu dir.»

---

16 Josh McDowell u. Bob Hostetler, *Die neue Toleranz*, CLV Bielefeld 1999.

Das ist eine völlig andere Sicht, als sie in einem Teil der neuen Worship-Lieder anklingt, die suggerieren, dass man schon heute vor dem Thron Gottes steht und sich an der Herrlichkeit Gottes berauschen kann. In diesem Zusammenhang möchte ich Theo Lehmann zitieren. Im September 2004 schrieb er folgenden Text:

«Das Land ist still

Gegen ein immer seichteres Christentum in Deutschland
Noch nie gab es – weltweit betrachtet – so viele christliche Märtyrer wie heute. Noch nie haben so viele Christen für ihren Glauben mit ihrem Leben bezahlt. Noch nie gab es so eine weltweite, zunehmende Christenverfolgung. In dieser Hinsicht leben wir in Deutschland wie auf einer Insel der Seligen.

Noch wird bei uns keiner, der sich als Christ bekennt, an die Wand gestellt. Noch praktizieren wir ungestört unsere christliche Aufkleberkultur. Noch ist der Fisch am Autoheck unser geheimes Erkennungszeichen und nicht der staatlich verordnete Aufnäher zur Kennzeichnung ausgegrenzter Christen wie seinerzeit der gelbe Davidsstern für die Juden. Noch ist alles still.

Die Situation kommt mir bekannt vor. Zur DDR-Zeit, als es unterirdisch überall brodelte, sang Wolf Biermann ein Lied, in dem er den äusseren Anblick der DDR beschrieb. Und dann, plötzlich, schrie er unter Aufbietung aller stimmlichen Kräfte mit ohrenbetäubender, schriller Lautstärke den Satz: ‹Das Land ist STILL!›

Ja Freunde, noch tanzen wir auf unseren christlichen House-Parties, während der Leib Christi in anderen Ländern aus tausend Wunden blutet. Noch verkaufen wir das Christentum unter dem billigen Slogan ‹Christsein ist cool›. Aber was machen wir, wenn eines Tages Christsein nicht mehr cool ist, sondern eine heisse Angelegenheit wird? Ich frage mich, wie lange wir uns dieses läppische Jesus-Getändel und dieses traumtänzerische Christentum noch leisten können, leisten wollen.

Während in anderen Ländern christliche Frauen versklavt und vergewaltigt werden, spreizen bei uns die Mädels auf der Bühne ihre Beine und präsentieren uns ihren gepiercten Bauchnabel, alles ‹für den Herrn›, ich weiss schon. Ich weiss aber auch, was die Herren in den ersten Reihen von diesem Anblick halten. Während woanders Christen unter der Folter schreien, leiern wir im Dreivierteltakt bis zum Umfallen (im wahrsten Sinne des Wortes) diese nichts sagenden Chorusse, in denen wir uns, sicher im Gemeindesaal sitzend, auffordern, auf den Strassen zu tanzen. Wer kann von dieser seichten Kost leben, wenn er nicht mehr im Gemeindesaal, sondern in einer gemeinen Gefängniszelle sitzt? Wenn nicht mehr fröhlich getanzt, sondern fies gefoltert wird? Wie sollen die jungen Christen, die wir mit coolen Kurzpredigten unterfordern und unterernähren, sich einmal bewähren, wenn es hart auf hart kommt?

Oder denken wir etwa, die weltweite Christenverfolgungswelle wird ausgerechnet um das liebe ‹old Germany›, die Insel der Seligen, einen Bogen machen? Wir haben wohl vergessen, was Paulus (aus dem Gefängnis!) geschrieben hat: ‹Alle, die gottesfürchtig leben wollen in Jesus Christus, müssen Verfolgung leiden› (2. Timotheus 3,12). Ich geniesse es voll Dankbarkeit, dass ich nach den DDR-Jahren in einem freien, demokratischen Land leben darf, in dem ich wegen meines Glaubens an Jesus weder diskriminiert noch verfolgt werde. Aber ich sehe das als eine Atempause an, die Gott uns gönnt, zum Luftholen. Denn dass das alles immer so friedlich bleiben wird, wird mir angesichts der Entwicklung in der Welt immer unwahrscheinlicher. Wir sollten die Atempause benutzen, um uns auf die Zeiten vorzubereiten, in denen Christsein nicht mehr ‹geil›, sondern gefährlich ist. Was wir brauchen, sind bibelfeste und notfalls auch feuerfeste, KZ-fähige Christen.»[17]

Unser Herr hat uns Bedrängnis, Not, Druck, Angst in dieser Welt vorausgesagt. Und es sollte uns auch ein Gebetsanliegen sein, dass der Herr uns innerlich auf die Zeit vorbereitet, wenn es darum geht, um des Glaubens willen zu leiden. Dass Er uns fest macht und wir auch ein Ja dazu finden. Leiden und Bedrängnisse sind keine Selbstläufer. Das können wir auch nicht einfach aus eigener Kraft oder mit einem starken Willen durchstehen. In Johannes 16,33 sagt unser Herr, dass wir in dieser von Gott losgelösten Welt Bedrängnis haben werden. Wie schon gesagt, wünscht sich das niemand von uns. Deshalb ist es umso erstaunlicher, wie dieser Vers weitergeht: Wir sollen trotzdem guten Mutes sein! Nicht aufgrund des Kleinredens der Bedrängnis, wie das unverbesserliche Optimisten versuchen. Nicht wegen der Freude am Schmerz. Das wäre eine masochistische

---

17 Theo Lehmann in *ideaSpektrum* 22/2004; mit freundlicher Abdruckgenehmigung von ideaSpektrum Deutschland

Theologie. Auch nicht, weil die Bedrängnis aufhört, sobald wir das gerne hätten oder wir uns entsprechend stark fühlen. Es hat einen anderen Grund.

Wir sollen guten Mutes sein, weil Christus die Welt überwunden, den Sieg schon errungen hat. Fritz Rienecker macht in seinem *Sprachlichen Schlüssel zum Griechischen Neuen Testament* darauf aufmerksam, dass der Sieg schon als gewonnen verkündigt wird, obwohl das Leiden für die Jünger erst noch kommt: «So wie ein Mensch auf einer Segeljacht. Im wilden Sturm ist er durch die Sicherungsleinen an Deck fest verankert. Nun sieht er einen Brecher auf sich zukommen. Er weiss, dass dies ganz unangenehm wird und er unter Wasser geht und hin und her gewirbelt wird. Aber er weiss auch, dass dieser Brecher ihm letztendlich nichts anhaben kann, weil seine Sicherung stark genug ist.»[18]

Am Anfang dieses Verses spricht unser Herr davon, dass Er Seinen Jüngern Seinen Frieden gibt, am Ende, dass sie guten Mutes sein sollen. Durch unseren Wohlstand sind wir ja geneigt zu denken, dass wir den Jesusfrieden und den guten Mut nur dann haben können, wenn es uns weiterhin gut geht und wir Glaubensfreiheit haben. Wem es gut geht, der soll Gott loben und Psalmen singen. Das lesen wir im Jakobusbrief. Aber in Johannes 16,33 stehen der Friede unseres Herrn und der gute Mut, im Hinblick auf Seinen Sieg, in einem untrennbaren Zusammenhang mit dem Druck und der Bedrängnis in einer von Gott losgelösten Welt. Deshalb brauchen wir nicht zu verzagen, wenn die äussere Freiheit sich verändern sollte. In Johannes 16,33 haben

---

18 Vgl. Fritz Rienecker, *Sprachlicher Schlüssel zum Griechischen Neuen Testament*, Brunnenverlag Giessen/Basel, 17. Auflage 1984, S. 240.

wir eine grosse Verheissung und Ermutigung, die ihre Kraft mitten in der Bedrängnis entfaltet. Es ist Christus selbst, der den Sieg vollbracht hat und den Seinen mitten in der Bedrängnis an diesem Sieg Anteil gibt.

Auch wenn mit der Entrückung vor der Trübsal zu rechnen ist, kann es für uns als Gemeinde Jesu in Westeuropa noch durch Verfolgung und Bedrängnis gehen. Alles hat den Anschein, dass wir diesbezüglich auch vor einer Zeitenwende stehen, wonach der jahrzehntelange Ausnahmezustand der völligen Glaubensfreiheit wieder dem Normalzustand, der bedrückten Gemeinde Jesu, weicht. Aber über allem steht diese grosse Verheissung, dass der Herr gerade in der Bedrängnis Seinen Frieden verheissen hat und wir guten Mutes sein dürfen, dass Er die Welt besiegt und überwunden hat.

Toleranz und Leiden

Neben dem Verlangen nach einem schmerzfreien Leben und anhaltendem Wohlfühlen gibt es ein weiteres Merkmal unserer Wohlstandsgesellschaft. Alles lechzt geradezu danach, anerkannt zu sein, als ein wichtiger und wertvoller Bestandteil unserer Gesellschaft angesehen zu werden, vor anderen etwas darzustellen, aber um keinen Preis an den Rand gedrückt zu werden oder gar als Aussenseiter zu gelten. Durch die Philosophie der neuen Toleranz wird dieser Wunsch noch verstärkt. Für alles ist in unserer Gesellschaft Platz. Nichts darf als schlecht eingestuft werden, sofern es nicht als absolute Wahrheit, als grundsätzlich gut oder böse, angesehen wird, nach dem Motto: «Hauptsache, es stimmt für dich.» Und wenn für alle Religionen und für alle esoterischen Praktiken Platz ist, dann folgern wir, dass demnach für das Evangelium auch Platz sein müsste. Oder wir stehen in der Gefahr, uns derart präsentieren zu wollen, dass wir in diesen pluralistischen Gemüseeintopf auch noch reinpassen und von der Gesellschaft als genauso gleichwertig wie alle anderen anerkannt werden.

Ob wir es wahrhaben wollen oder nicht: Wir sind von Natur aus leidensscheu. Auch als Nachfolger Jesu sind wir vom Verlangen nach einem schmerzfreien Leben bestimmt. Der ungeheure Wohlstand der letzten Jahrzehnte hat auch in uns das Verlangen nach ständigem Wohlergehen und Wohlfühlen geweckt. Und das Bedürfnis nach gesellschaftlicher Anerkennung, «die Ehre der Menschen», um das Wort aus Johannes 12,43 aufzugreifen, steckt durch unser sündiges Wesen in uns allen. Das sind Faktoren, die unser geistliches Immunsystem zusätzlich geschwächt haben. So erliegen wir eher der Versuchung durch die neue Toleranz. John MacArthur schrieb in seinem Buch «Der Kampf um die Wahrheit» folgende Sätze:

«Der Gedanke, dass die christliche Botschaft biegsam und verschwommen sei, scheint insbesondere auf junge Leute anziehend zu wirken, die auf einer Wellenlänge mit der Kultur und in den Zeitgeist verliebt sind. Sie können es nicht ertragen, dass man massgebliche biblische Lehre präzise als Korrektiv auf einen weltlichen Lebensstil und unheiliges Denken und gottloses Verhalten anwendet. Und das Gift dieser Anschauung wird in evangelikalen Gemeinden mehr und mehr eingeimpft. ... Zu jeder Generation hat es in der gesamten Kirchengeschichte zahllose Märtyrer gegeben, die auf gleiche Weise lieber starben, als die Wahrheit zu verleugnen. Waren sie nur Narren, die zu viel von ihren Überzeugungen hielten? War ihre unbedingte Zuversicht auf das, was sie glaubten, tatsächlich fehlgeleiteter Eifer? War ihr Tod vergeblich? Viele denken heutzutage erwiesenermassen so – einschliesslich mancher, die sich zum Glauben an Christus bekennen. Da sie in einer Kultur leben, in der gewaltsame Verfolgung nahezu unbekannt ist, scheinen ganze Massen solcher, die sich Christen nennen, vergessen zu haben, was die Treue zur Wahrheit oft kostet. Sagte ich ‹oft›? Es ist eine Tatsache, dass die Treue zur Wahrheit immer auf die eine oder andere Weise ihren Preis hat. ... Es scheint nicht an Leuten zu fehlen, die heutzutage bereit sind, für eine Lüge zu morden. Doch nur wenige

scheinen bereit zu sein, für die Wahrheit den Mund aufzu-
machen, geschweige denn dafür zu sterben.»[19]

John Piper macht mit folgenden Worten auf unseren gefährlichen Zustand aufmerksam:

«In unserer westlichen Wohlstandsgesellschaft hat sich
zunehmend die Mentalität durchgesetzt, dass wir eine
schmerz- und sorgenfreie Existenz verdienen ... Diese Denkweise gibt dem Leben einen nahezu universell vorherr-
schenden Lauf – weg vom Stress und hin zu Bequemlichkeit, Sicherheit und Entlastung. Einige Menschen mit einer
solchen Gesinnung fangen an, über den christlichen Dienst
und darüber nachzudenken, wie sie Gott innerhalb der
Grenzen dienen können, die ihnen der angestrebte Selbstschutz vorgibt. Dann entstehen Gemeinden mit dieser Mentalität, und niemand in einer solchen Glaubensgemein-
schaft kommt jemals in den Sinn, dass es recht – ja, sogar
normal und biblisch – ist, Unannehmlichkeiten, Belastungen und Gefahren auf sich zu nehmen. Ich habe mit Christen gesprochen, für die es einfach selbstverständlich ist,
dass man sich oder seine Familie keinem Risiko aussetzen
darf. Das Streben nach Sicherheit und Bequemlichkeit ist
ein Gut, das nicht hinterfragt wird. Die Anforderungen an
Christen im 21. Jahrhundert werden diesen Leuten wahrscheinlich ein böses Erwachen bescheren.»[20]

---

19 John MacArthur, *Der Kampf um die Wahrheit*, Verlag Mitternachtsruf 2010, S. 10–13.
20 John Piper, *Beharrlich in Geduld*, CLV-Bielefeld 2010, S. 18–19.

Mit der neuen Toleranz ist auch die Frage nach unserer Leidensbereitschaft für Christus und Sein Wort verknüpft. Wir müssen
keine Leiden herbeiwünschen und dürfen für alle Freiheiten,
die wir noch geniessen, dankbar sein. Doch je mehr sich das
Denken der neuen Toleranz durchsetzt, umso mehr wird der
Weg für die, die die Bibel und Christus als die absolute Wahrheit ansehen, automatisch in das Leiden führen.

Die doppelte Gefahr der neuen Toleranz

Da wir, wie erwähnt, von Natur aus leidensscheu sind, birgt die
neue Toleranz eine doppelte Gefahr in sich.

Die Bibel im Licht der neuen Toleranz lesen und verstehen
Wir selbst können von diesem Denken infiziert werden und als
Folge die göttliche Wahrheit nicht mehr als absolut sehen. Wir
relativieren die Bibel und ihre Aussagen nach dem modernen
Motto: «Hauptsache, es stimmt für dich.»

Als ein Beispiel für den Einfluss der Toleranzgesellschaft
möchte ich die Stellung der Frau in der Gemeinde anführen.
Nach der Bibel sind Mann und Frau völlig gleichwertig vor Gott.
Sie stehen auf derselben Ebene vor Ihm. Wer dies bestreiten
möchte, kann sich nicht auf die Bibel berufen. Aber Mann und
Frau sind nicht gleichartig. Gott hat ihnen nach Seiner guten
Schöpfungsordnung auch unterschiedliche Wirkungskreise
und eine unterschiedliche Platzanweisung zugedacht. Diese
Wahrheit bezeugen die Lehrbriefe des Neuen Testaments. Aber
selbst innerhalb der evangelikalen Bewegung hat man in den
letzten Jahren begonnen, die diesbezüglichen biblischen Aussagen als kulturell oder nur für die damalige Zeit gültig zu erklären. Ist das nicht ein Beispiel dafür, dass man durch die Brille

der neuen Toleranz die Bibel umzudeuten beginnt, um zu vermeiden, als die «Mittelalterlichen» oder «Unverbesserlichen» an den gesellschaftlichen Rand gedrängt zu werden?

Das Pastorenehepaar Jens und Elisabeth Motschmann stand viele Jahre für gute Positionen. Und dann überraschte Jens Motschmann vor einigen Jahren mit seiner Unterstützung des interreligiösen Projekts in Bremen «House of One». Sein Nachfolger, Olaf Latzel, bezog zu diesem Schwenk seines Vorgängers klar Stellung in seiner bekannt gewordenen Predigt vom Januar 2015. Elisabeth Motschmann, die damals als Spitzenkandidatin der Bremer CDU antrat, kritisierte Pastor Latzel wegen seiner Linienziehungen gegenüber anderen Religionen und der katholischen Kirche.

Frau Motschmann war viele Jahre öffentlich für das nichtberufstätige Muttersein eingetreten. Mutig stellte sie sich gegen den Feminismus und den Zeitgeist. Im August 2019 sprach sie in einem *Spiegel*-Interview davon, ihre Position gewechselt zu haben und nun in vielen Hinsichten selbst «Feministin» zu sein.[21] Für das Lebensrecht der Ungeborenen tritt sie nach wie vor ein und lehnt auch eine gendergerechte Sprache ab. Was aber das Frau-, Muttersein und die Karriere betreffen, sieht sie die Dinge nun ganz anders. Können die Ursachen für solche Kurswechsel nicht auch an dem Paradigma der «neuen Toleranz» und dem damit verbunden ausgeübten Druck liegen?

Auch in Fragen, die die Sexualethik der Schöpfungsordnung Ehe betreffen, lässt sich bis in die Gemeinde Jesu hinein die zerstörende Auswirkung der neuen Toleranz erkennen.

---

21 *Der Spiegel* Nr. 34/17.08.2019.

Joshua Harris war durch seine klaren biblischen Linienziehungen in sexualethischen Fragen bekanntgeworden. Seine beiden ins Deutsche übersetzten Bücher, *Ungeküsst und doch kein Frosch* und *Frosch trifft Prinzessin*, wurden vielen jungen Leuten zu einer Hilfe und Ermutigung. Dazu kamen noch weitere gute Bücher mit geistlichem Inhalt. Auch in seinem Dienst als Pastor einer Gemeinde wirkte er viele Jahre im Segen. Und dann gaben er und seine Frau 2019 ihre Trennung bekannt. Wenige Zeit später teilte er mit, kein Christ mehr zu sein. Harris widerrief den Inhalt seiner früheren Bücher und entschuldigte sich bei der LGBTQ*-Gemeinschaft (Abkürzung für Lesben, Schwule, Bisexuelle, Transgender und quere Bevölkerungsgruppen) für das, was er zum Thema Sexualität geschrieben hatte.

Der ärztliche Direktor der christlichen Klinik Hohe Mark (D-Oberursel), Dr. Martin Grabe, hat sich in seinem im Juli 2020 erschienenen Buch *Homosexualität und christlicher Glaube: Ein Beziehungsdrama* (Francke-Verlag) für die Anerkennung der gleichgeschlechtlichen Ehe ausgesprochen. Diese Ehe soll genauso, wie die heterosexuelle Ehe, unter dem Segen Gottes stehen. *IdeaSpektrum* schrieb zu der Reaktion von Pfarrer Ulrich Parzany (Netzwerk «Bibel und Bekenntnis»):

«Grabe erkläre, so Parzany, die fünf Bibelstellen, die Homosexualität betreffen, und stelle als Ergebnis fest, dass die Bibel nichts über homosexuelle Liebesbeziehungen sage: ‹Das geht bei ihm so glatt, wie ich es nur selten in der historisch-kritischen Auslegungsliteratur gelesen habe.› Er habe gedacht, so Parzany, ‹es hätte sich inzwischen herumgesprochen, dass es gar nicht nur um die fünf Bibelstellen geht, die Homosexualität ausdrücklich erwähnen. Es geht um die biblische Offenbarung im Zusammenhang. [...] Der Messias Jesus radikalisiert die Gebote in der Bergpredigt dem ursprünglichen Willen des Schöpfers entsprechend. Er bestätigt die Ehe zwischen einem Mann und einer Frau als Gottes ursprünglichen Willen von der Schöpfung an (Matthäus 19,4-6). Damit ist jede Umdeutung der Ehe in gleichgeschlechtliche Lebenspartnerschaft verwehrt.›»[22]

Diese angeführten Beispiele verfolgen nicht die Absicht, dass wir uns selbstgerecht über die genannten Personen erheben. Die Beispiele sollen deutlich machen, wie verführerisch schleichend das Denken der neuen Toleranz um sich greift. Der Apostel Paulus warnt uns vor jeder falschen Selbstsicherheit (1Kor 10,12). Keiner von uns kann sagen, dass er von sich aus standhaft genug wäre, um dem gefährlichen Sog des Zeitgeists zu widerstehen. Alles scheint so harmlos und leicht in unserer Zeit der totalen Toleranz und Akzeptanz. Dieser Sog kann uns unbemerkt von grundlegenden biblischen Überzeugungen wegziehen. Es geht darum, neu und betend den alten Liedvers zu verinnerlichen: «Herr, habe acht auf mich!»

Die schweigende Anpassung an die neue Toleranz
Vermutlich ist schweigende Anpassung für die, die das Anliegen haben, dem Wort Gottes treu zu sein, die noch grössere Gefahr. Aus Furcht vor dem Zunehmen des Drucks der Toleranzgesellschaft und deren Stigmatisieren der absoluten Wahrheit, beginnen wir, zu verschiedenen Themen zu schweigen, unsere Überzeugungen nur noch in den eigenen Gemeinderäumlichkeiten oder einem

---

22 *ideaSpektrum* 32/33.2020, S. 9.

gesicherten Umfeld zu vertreten. Deshalb möchte ich nochmals an das Zitat von John Piper erinnern: «Einige Menschen mit einer solchen Gesinnung fangen an, über den christlichen Dienst und darüber nachzudenken, wie sie Gott innerhalb der Grenzen dienen können, die ihnen der angestrebte Selbstschutz vorgibt.» Es entsteht eine Art U-Boot-Christentum, ohne Zeugnis und dem Bekennen der göttlich-biblischen Wahrheit nach aussen.

Was hat Petrus den Gemeinden unter zunehmendem Druck geraten? «Passt auf, dass ihr ja nicht zu viel über das Evangelium und die biblischen Wahrheiten redet»? «Nehmt euch in Acht, wo ihr was sagt, damit sie euch keinen Strick daraus drehen können»? Seine Anweisung war anderslautend: «Seid aber allezeit bereit zur Verantwortung gegenüber jedermann, der Rechenschaft fordert über die Hoffnung, die in euch ist, [und zwar] mit Sanftmut und Ehrerbietung ...» (1Petr 3,15).

Es geht nicht darum, dass wir plump oder dumm auftreten, beispielsweise öffentliche Veranstaltungen durch Krawallmachen und ungebührendes Verhalten stören, sondern dass wir den Mut haben, klar zu den biblischen Überzeugungen zu stehen, auch wenn es uns unter Druck bringt und einen Preis von uns fordert. Wenn es um das Festhalten und Bekennen der Wahrheit geht, werden wir durch eine falsche Diplomatie nicht nur unser Zeugnis, sondern auch unser eigenes geistliches Leben beschädigen. Je mehr wir aus Furcht schweigen, umso schneller wird sich für uns die Schlinge der neuen Toleranz zuziehen.

Die Gewissensdiktatur am Beispiel des Nationalsozialismus

Die neue Toleranz offenbart sich mit dem Ausblenden einer absoluten Wahrheit als Gewissensdiktatur, wie dies – in gewisser

Hinsicht vergleichbar – im Nationalsozialismus der Fall war. Es geht hier nicht darum, dass wir die heutige Situation einfach mit den Gräueltaten des Nationalsozialismus gleichsetzen. Dies wäre nicht nur den damaligen Opfern gegenüber respektlos, sondern auch eine unangemessene Verharmlosung des damaligen Systems. Wie viel besser haben wir es dagegen heute noch in vielen Bereichen. Der Vergleichspunkt, auf den es uns hier ankommt, ist das Prinzip einer ideologischen Denkweise, die Druck auf das Gewissen des Einzelnen ausübt und «Andersdenkende» ausgrenzt und diskreditiert. Obwohl die neomarxistische Ideologie der neuen Toleranz und der Nationalsozialismus sich auf den ersten Blick zu widersprechen scheinen, ist ihnen doch vom Prinzip her eine Parallele eigen. Beide Ideologien postulieren sich als absolute Wahrheit und schliessen eine Diskussion und andere Ansichten kategorisch aus. Beide Ideologien greifen in das Gewissen der Menschen ein, um es umzuformen und zu verändern.

In diesem Zusammenhang ist eine Beobachtung wichtig. Während der Protestantismus in Deutschland nach dem Zweiten Weltkrieg den Rechtsextremismus und Nationalsozialismus als antichristliche Ideologie zu Recht brandmarkte und ablehnte, gab und gibt es andere Massstäbe für die linke Seite. «Links» gilt in grossen Bereichen des Protestantismus als besser denn «Rechts» (nicht im rechtsextremen, sondern konservativen Sinn gemeint). Gegenüber dem Linksextremismus und Neomarxismus drückt man gerne ein Auge zu, während manchmal schon ein oberflächlicher Verdacht genügt, um andere als rechts zu brandmarken. Es stimmt eben nicht, dass man mit dem zweiten, linksblinden Auge besser sieht.

Wie Wolfgang Lehmann in seinem Buch aufzeigt, hat diese Entwicklung ihre Ursprünge wohl schon in der ersten Hälfte des zwanzigsten Jahrhunderts und hängt mit dem Einfluss des Schweizer Theologen Karl Barth zusammen.[23] Schon vor dem Ersten Weltkrieg übte der württembergische Pietist Johann Christoph Blumhardt Junior (Sohn des bekannten Pfarrers Johann Christoph Blumhardt) einen gewissen Einfluss auf die Einstellung Barths aus. Einerseits war Blumhardt für Barth eine Hilfe, aus dem «liberalen Teich» seiner Lehrer herauszukommen, wie Lehmann schreibt. Andererseits führten die notvollen Zustände in der Arbeiterschaft damals bei Blumhardt tragischerweise zu einer vorübergehenden Offenheit gegenüber dem Sozialismus und der Sozialdemokratie, die er mit dem Reich-Gottes-Gedanken vermischte.[24] Das hinterliess ebenfalls Spuren in Barths Sichtweise. Blumhardt korrigierte sich aber später und zog sich aus aller politischen Mitgestaltung zurück und betonte die Einsicht, «dass die Herbeiführung des Reiches Gottes menschlicher Verfügbarkeit gänzlich entzogen sei und allein in Gottes Hand liegt».[25]

Eine andere Person, die im Zusammenhang mit Barths pro-sozialistischer Einstellung zu sehen ist, war nach Lehmann der Schweizer Theologe Fritz Lieb. Lieb verfasste 1945 ein pro-sowjetisches Buch (trotz der theologischen Kritik, die er darin am Marxismus übte) mit dem Titel «Russland unterwegs», zu dem sich auch Barth bekannte.

---

23 Vgl. zu diesem Abschnitt: Wolfgang Lehmann, *Hans Asmussen – Ein Leben für die Kirche*, Vandenhoeck & Ruprecht Göttingen 1998, S. 39–61.
24 Das Leben und Wirken von J. C. Blumhardt Junior soll damit nicht in Bausch und Bogen abgelehnt werden. Es handelt sich an dieser Stelle nur um Blumhardts «blinden Fleck» gegenüber dem Sozialismus und damit verbunden den Einfluss auf die Entwicklung von Karl Barth.
25 *Evangelisches Lexikon für Theologie und Gemeinde – Band 1*, R. Brockhaus Verlag Wuppertal und Zürich 1992, S. 285.

Das Ringen um die zukünftige Ausrichtung der evangelischen Kirche fand nach Ende des Zweiten Weltkrieges statt. Karl Barth übte hier einen starken Einfluss auf die Entwicklung der EKD (Evangelische Kirche in Deutschland) und des Protestantismus aus. Wolfgang Lehmann macht in seinem Buch deutlich, dass Barth kein «Antikommunist» sein wollte. Bei aller kritischen Betrachtung des Kommunismus legte er immer eine Sympathie für den Sozialismus und Marxismus an den Tag. Er wollte in der Kirche eine Offenheit für diese Ideologien fördern. Diese verhängnisvolle Schlagseite veranschaulicht ein Barth-Zitat aus dem Jahr 1951:

«Hitler war ein Verbrecher, ein Narr, das wissen wir alle. Das kann man aber von Stalin nicht sagen. Ganz anders steht es mit Stalin! Stalin kann nicht mit Hitler verglichen werden, er ist ernstzunehmen. Seinem Kommunismus geht es ja um die soziale Frage.»[26]

Angesichts der damals schon bekannten Verbrechen Stalins werden die unterschiedlichen Massstäbe für die rechte und die linke politische Seite offensichtlich. Lehmann schreibt zum oben erwähnten Buch Liebs und zu Barths Zustimmung:

«Es erscheint nicht abwegig, hier das Quellgebiet des bitteren Wassers der Linkslastigkeit weiter Kreise im deutschen Protestantismus bis heute zu vermuten.»[27]

---

26 Dokumentiert bei Walther Künneth, *Lebensführungen. Der Wahrheit verpflichtet*, R. Brockhaus Verlag Wuppertal 1979, S. 130.
27 Wolfgang Lehmann, *Hans Asmussen – Ein Leben für die Kirche*, Vandenhoeck & Ruprecht Göttingen 1998, S. 56.

Auch im evangelikalen Bereich befindet sich die Resistenz gegenüber «Links» im Schwinden. Die erwähnte Weichenstellung im Protestantismus könnte mit eine Erklärung für die verhängnisvolle Passivität, zunehmende Naivität und sogar Öffnung gegenüber dem neomarxistischen Zeitgeist heute sein.

Zurück zum Nationalsozialismus und seiner Gewissensdiktatur. Es ist möglicherweise einzigartig, dass die nationalsozialistische Diktatur, die zunächst aus einem demokratischen Staat hervorging, zu einem grossen Teil durch demokratische Wahlen und demokratisch erlassene Verordnungen installiert wurde. Sowohl die neue Toleranz als auch die damalige Ideologie nehmen und nahmen direkten Zugriff auf das Gewissen der Einzelnen. Alles hatte und hat sich der ideologischen Strömung unterzuordnen. Es ist immer ein Alarmzeichen, wenn das Gewissen der Einzelnen in Bezug auf Gut und Böse nicht mehr frei ist in seiner Bindung an Gott und Sein Wort. Diesen ideologischen Zugriff auf das Gewissen damals und die daraus entstehenden Konflikte schilderte Pfarrer Wilhelm Busch:

«Eigentlich gab es keinen Grund für diese Reibungen, aber sie waren da. Woran entstanden sie? Sie entstanden an der Grundfrage der damaligen Zeit: ‹Wer darf eigentlich über unser Gewissen verfügen?› Die jungen Burschen, die in mein Weiglehaus kamen, hatten gelernt, dass unser Gewissen an das Wort Gottes gebunden werden muss. Luther sagte auf dem Reichstag in Worms: ‹Mein Gewissen ist gefangen in Gottes Wort.› Lassen Sie mich das ausführlich erklären. Sehen Sie, wir haben alle ein Gewissen, jeder von uns. Das heisst, wir wissen alle, dass es Gut und Böse gibt. Aber wer bestimmt denn, was gut und was böse ist? Nach welchen

Herren richten Sie sich denn? Wer verfügt denn über Ihr Gewissen – etwa in sexuellen Fragen oder im Umgang mit Geld oder mit Wahrheit und Lüge? Die öffentliche Meinung oder Ihre Arbeitskollegen? Wer hat denn zu sagen, was gut und böse ist? Luther sagte: ‹Mein Gewissen ist gefangen in Gottes Wort.› Meine jungen Leute haben gelernt: Der Herr Jesus muss über mein Gewissen verfügen.

Nun kam der Staat mit der Partei, der Nazipartei, und sagte: ‹Wir sagen, was gut und böse ist.› Gleich von Anfang an fand hier der Griff ins Innerste des Menschen statt. Die Partei bestimmte, was gut war. Das gab ganz praktische Reibungen. Das ging z. B. so: Meine jungen Burschen gingen sonntags morgens in die Kirche, denn es ist Gebot Gottes: ‹Du sollst den Feiertag heiligen.› Ich habe ihnen gesagt: ‹Ihr braucht nicht in meinen Jugendkreis zu kommen. Das ist kein Gebot Gottes. Aber Gottesdienst am Sonntag, das ist Gebot Gottes.› Und dann kamen sie auch.

Nun setzte die Schule etwa sonntags morgens um 8 Uhr einen Marsch mit der Hitlerjugend an. Da standen die jungen Burschen und erklärten: ‹Pardon, wir gehen in die Kirche.› ‹Unsinn, dies ist Dienst für den Führer.› Aber sie blieben dabei: Mein Gewissen ist gebunden an Gottes Wort. Da raufte sich der arme Schuldirektor, ein Oberstudienrat, der ja selber nicht recht wusste, wie die ganze Sache lief, seine spärlichen Haare, weil er nicht wusste, wie er hier entscheiden sollte. Es hat mich damals ungemein gepackt, wie meine jungen Kerle schon an solch kleinen Fragen begriffen: Man muss von Anfang an Gott gehorsam sein.

Ein anderes Beispiel war das Schullandheim. Die höheren Schüler gingen ins Schullandheim. Die Hitlerjugend übernahm sofort die äussere Gestaltung. Da gab es ein Tischgebet, das hiess: ‹Lieber Herr Jesus, bleib uns fern, wir essen ohne dich ganz gern. Amen.› Das war das Tischgebet der Hitlerjugend. Was sollte man jetzt tun? Da standen da und dort Burschen auf und sagten: ‹Entschuldigung, aber wir kommen erst nach diesem Tischgebet. Wir hören uns diese Lästerung nicht an.› ‹Es ist aber Dienst, dass ihr hier seid.› An solchen kleinen Stellen kam es sofort zum Konflikt. Ich könnte Ihnen dafür noch hundert Beispiele sagen, aber es würde zu lange aufhalten. Sind wir eigentlich aus dieser Situation heraus, liebe junge Leute? Oder kommen wir nicht unser ganzes Leben lang permanent in die Situation, dass hier ein Gebot Gottes steht und da die öffentliche Meinung oder der Zeitgeist? Wem wollen Sie Ihr Gewissen anvertrauen?»[28]

Damit stehen wir vor der Frage, wie es dazu kam, dass viele bekennende Christen, Gemeinden, Glaubens- und Missionswerke durch den Nationalsozialismus mitgerissen wurden und nicht klar das Evangelium und die biblischen Wahrheiten bekannten, die eindeutig im Gegensatz zu dieser dämonisierten Ideologie standen. Wenn wir uns mit dieser Frage beschäftigen, soll dies nicht anklagend oder selbstherrlich gegenüber der damaligen Generation geschehen. Wir haben damals nicht gelebt und stehen alle nur durch die Gnade Gottes. Überdies glaube ich, dass wir heute, äusserlich vielleicht unter anderen Vorzeichen, in der Gefahr stehen, genau an denselben Punkten zu versagen, wie ein Teil der bibeltreuen Christenheit damals.

---

28 Wilhelm Busch, *Freiheit aus dem Evangelium*, Aussaat Verlag u. CLV 2006, S. 15–17.

Um dies einordnen zu können, muss auf die fromme Verführung durch Hitler hingewiesen werden. Deutschland stand damals unter einem starken sozialistischen und bolschewistisch-atheistischen Einfluss. Viele Christen hatten diese Gefahr erkannt. Und so trat Hitler auch diesbezüglich als ein vermeintlicher Retter auf. Obwohl er von Anfang an eine durch und durch antichristliche Einstellung hatte, gelang es ihm doch, vielen Christen durch sein frommes Getue Sand in die Augen zu streuen. So vertrat die NSDAP den Standpunkt eines «positiven Christentums» und der neue Reichskanzler trat scheinbar für christliche Werte ein. Nach seiner Ernennung zum Reichskanzler schloss Adolf Hitler seine Rede am 1. Februar 1933 mit den Worten:

«Möge der allmächtige Gott unsere Arbeit in seiner Gnade nehmen, unseren Willen recht gestalten, unsere Einsicht segnen und uns mit dem Vertrauen unseres Volkes beglücken.»[29]

Damit wir die gleissende religiöse Verführung verstehen, sei ein weiteres Beispiel angefügt:

«Im Spätsommer des vergangenen Jahres liess sich Adolf Hitler auf seinem Berghaus Obersalzberg bei Berchtesgaden einen alpinen Garten anlegen. Der erste damit beauftragte Gärtner stellte den Alpengarten nicht zur Zufriedenheit des Kanzlers her. Darauf wurde ihm ein Gartenarchitekt aus Bielefeld empfohlen. Der war ein Neffe des bekannten Pastors Kuhlo, des Vaters der Posaunenchöre. Kuhlo besuchte

---

29 Margaret Schneider, *Paul Schneider – Der Prediger von Buchenwald*, SCM-Hänssler 2014, S. 115.

seinen Neffen bei seiner Arbeit in Obersalzberg, und der Zufall wollte, dass zu gleicher Zeit auch Adolf Hitler einige Tage Erholung in seinem Bergheim suchte. Er besichtigte die Gartenarbeit und fand bei dem Architekten einen alten, weissbärtigen Herrn stehen. Eigentümlich bei Pastor Kuhlo ist, dass ihn sein Horn überallhin begleitet. So hatte er es auch umhängen, als er bei seinem Neffen stand und der Führer zu ihnen stiess. Dieser fragte in seiner gütigen Weise Kuhlo, warum er sein Horn umhängen habe. Ohne jede Antwort setzte Vater Kuhlo das Horn an, und die schönsten Kirchen- und Volkslieder klangen von der hohen Warte des Obersalzberges über Berg und Tal. Da drückte Hitler dem Posaunengeneral bewegt die Hand und sagte: ‹Sie haben mir eine unendlich grosse Freude bereitet!› Der Kanzler hörte voll Staunen, dass Kuhlo schon fast 80 Jahre alt sei, und staunte über dessen Rüstigkeit. Da sagte Kuhlo: ‹Herr Reichskanzler. Ich habe auch nie geraucht!› ‹Ich auch nicht›, erwiderte der Kanzler. ‹Ich habe auch nie Alkohol getrunken!›, sagte Kuhlo weiter. ‹Ich auch nicht›, erwiderte Hitler. ‹Ich esse aber auch fast gar kein Fleisch!› – ‹Tue ich auch nicht!› – Pastor Kuhlo blieb noch einige Wochen in Berchtesgaden. Vor seiner Abreise stieg er mit mehreren Schwestern von Bethel, die in Berchtesgaden ein Heim haben, zum Obersalzberg hinauf. Die Schwester des Führers empfing sie und teilte ihnen mit, dass ihr Bruder am nächsten Tage kommen würde. Aber dann sei er so ermüdet, dass er nichts wie Ruhe haben wolle. Danach aber sei er immer völlig erfrischt.

Die Schwestern verliessen wieder das Berghaus, nach einigen Tagen aber kam der telephonische Anruf von Hitlers

Schwester, sie möchten heraufkommen und ihren Bruder mit einigen Liedern überraschen; der würde sich bestimmt sehr darüber freuen. Gern folgten die Schwestern dem Rufe und sangen im Garten vor dem Haus ihre Lieder. Da kam auch schon der Kanzler, begrüsste sie und lud sie in sein Heim ein. Natürlich war das den Schwestern eine grosse Freude, zumal sie ergriffen waren von der Schlichtheit und Güte des Kanzlers, mit der dieser ihnen begegnete. Sie betraten das Heim und sahen voll Erstaunen an der Wand die Bilder von Friedrich dem Grossen, Luther und Bismarck hängen. Da sagte Adolf Hitler: ‹Das sind die drei grössten Männer, die Gott dem deutschen Volk geschenkt hat. Von Friedrich dem Grossen habe ich die Tapferkeit gelernt und von Bismarck die Staatskunst. Der grösste von den Dreien ist Dr. Martin Luther, denn er hat die Einheit der deutschen Stämme erst dadurch ermöglicht, dass er ihnen durch seine Verdeutschung der Bibel eine gemeinsame Sprache schenkte. Seit ich hörte, dass Bismarck an jedem Morgen die Losungen der Brüdergemeine gelesen habe, tue ich das auch. Ich kann Ihnen versichern, dass mir bei allen wichtigen Entscheidungen, die ich treffen muss, die Tageslosung der Brüdergemeine wertvoll ist.› Eine Schwester konnte es sich nicht versagen, zu fragen: ‹Herr Reichskanzler, woher nehmen Sie den Mut zu den grossen Umgestaltungen im ganzen Reich?› Da zog der Kanzler aus seiner Tasche das Neue Testament Dr. Martin Luthers, dem man ansah, dass es viel benutzt wurde, und sagte ernst: ‹Aus Gottes Wort!›»[30]

---

30 Aus der Beilage zum *Kasseler Sonntagsblatt* vom 03. Dezember 1933, S. 12–13.

In der Ausgabe des *Kasseler Sonntagsblatts* vom 28. Januar 1934 korrigierte Pastor Kuhlo den oben angeführten Bericht in einigen Teilen, um einer Legendenbildung vorzubeugen. Die obige Darstellung entsprach nicht ganz den Tatsachen und vermischte einige Dinge. Auch die Erzählung mit den Bethelern Schwestern war noch unbestätigt und wurde mit einer zweiten unbestätigten Erzählung einer Einzelperson vermischt. Kuhlo wollte diesen Dingen noch auf den Grund gehen. Am Ende seiner Richtigstellung schrieb er dann:

«Wie würde ich mich freuen, wenn die Sache stimmte; denn dann werden Tausende von deutschen Herzen mit noch grösserer Liebe zu unserem Führer erfüllt, und auch in anderen Nationen würden Tausende von Bibelchristen ein unzerstörbares Vertrauen zu ihm gewinnen. Und das wäre doch gut für unser immer noch schlimm isoliertes und mit schändlichen Lügen der Welt-Knoblauch-Presse verleumdetes Vaterland.
Mit herzlichem Segenswunsch zum neuen Jahr! Heil Hitler! (Für den wir Gott nicht genug danken können, denn er ist doch der einzige Diplomat auf Erden, der nicht lügt, und ‹ehrlich währt am längsten›.)
Euer
D. Joh. Kuhlo, Pastor ‹i. U. d. u.›
(= ‹in Unruh, dauernd unterwegs›).»

Dieses Beispiel erwähne ich nicht, um über Pastor Kuhlo den Stab zu brechen. Vielmehr soll es uns die Augen öffnen für die Raffinesse und fromme Verführung, mit der Hitler ans Werk gegangen war. Zugleich ist das ein «Wachrüttler» für uns heute, damit wir nicht christlich-gutklingenden Parolen aufsitzen und dadurch das Gewissen verbiegen bzw. es von der Einfalt in Christus wegziehen lassen.

Ein Teil der bibelgläubigen Christen, die im Lauf der Zeit vom Nationalsozialismus mitgerissen wurden, sahen zwar schon am Anfang, dass hier ideologische Elemente waren, die ihren biblischen Überzeugungen entgegenstanden. Aber dann lenkte man unter dem Druck dieser antichristlichen Ideologie in falscher Weise mit Diplomatie ein. Dabei ging es auch um die Frage, wie man die Versammlungsfreiheit als bekennende Christen aufrechterhalten konnte. Ausserdem wurde die evangelistische Chance als Argument ins Feld geführt. Unter dem Vorwand der evangelistischen Möglichkeit ging man dem Leiden aus dem Weg.

Wenn man bereit war, zu dieser oder jener Frage zu schweigen, konnte man doch weiterhin evangelistisch tätig sein und Menschen für Jesus gewinnen. Oder man konnte sich weiterhin in nicht verbotener Weise versammeln. Und so begann die unselige Abwägung zwischen vermeintlich wichtigen und unwichtigen Überzeugungen, bis sich ein ganzer Teil von Jesusnachfolgern schliesslich von dieser antichristlichen Ideologie mitreissen liess.

Gerhard Jordy hat in einem Band über die Geschichte der Brüderbewegung[31] eine wichtige Aufarbeitung geleistet. Wieder sollen diese Beispiele nicht zu einer leichtfertigen Verurteilung im Rückblick führen. Heute ist es ja geradezu Mode geworden, auf das damalige Versagen zu zeigen, ohne sich der eigenen Anfälligkeit für Verführung bewusst zu sein. Allen, die hier selbst-

---

31 Gerhard Jordy, *Die Brüderbewegung in Deutschland – Teil 3*, R. Brockhaus Verlag Wuppertal 1986.

gerecht meinen, mit dem Finger auf damals zeigen zu können, sei die ernste Warnung aus Sprüche 30,11-13 ins Stammbuch geschrieben (Menge 1967):

«Ein Gräuel für den Herrn ist ein Geschlecht, das seinem Vater flucht und seine Mutter nicht segnet, ein Geschlecht, das sich für rein hält und doch von seiner Unreinheit sich nicht gesäubert hat, ein Geschlecht, das den Kopf wunder wie hoch trägt und auf andere mit stolz erhobenen Augen blickt.»

In diesem Zusammenhang gilt es, eine Anmerkung zu machen. Es gab auch einen Teil von bibelgläubigen Christen, die sich anfangs von Hitler begeistern liessen, aber dann, mit der Zeit, die Dinge zu durchschauen begannen. Manche sogar erst während des Zweiten Weltkrieges. Auch das muss beachtet werden, damit wir nicht in ein oberflächliches Urteilen verfallen. Selbst Personen aus der «Bekennenden Kirche», die sich gegen die nationalsozialistisch ausgerichteten «Deutschen Christen» stellten, sahen die Dinge nicht alle von Anfang an so klar. Es benötigte Zeit, um das System zu durchschauen. Im Rückblick auf diese Zeit hat uns Pfarrer Fritz Grünzweig auch etwas Wichtiges mit auf den Weg gegeben. Er sagte uns damals im Unterricht sinngemäss Folgendes:

«Als die Entwicklungen losgingen, standen plötzlich Personen klar, von denen man dies nicht erwartet hatte. Und andere, die man für feststehend gehalten hatte, liessen sich von der Ideologie mitreissen.»

Das sollte uns vor jeder falschen Selbstsicherheit warnen. Nun aber zurück zu den damaligen Entwicklungen. In grossen Teilen der evangelischen Gemeinschaftskreise und in der Brüderbewegung hatte man einen Blick für die heilsgeschichtliche Bedeutung Israels, auch für die Zukunft. Aber je mehr die antijüdische Stimmung um sich griff und die damit verbundene Gewissensdiktatur Druck ausübte, umso kleinlauter wurde man, um die eigene Sicherheit nicht zu gefährden. Schliesslich zeigte man auch teilweise ein falsches Verständnis für die nationalsozialistische Propaganda mit ihrem Antisemitismus. Und so begann man, die biblische Sicht für Israel zurückzustellen und darüber zu schweigen. Auch die liebevolle, biblisch-christliche Grundhaltung gegenüber allen Menschen kam dabei unter die Räder. Um dies zu verdeutlichen, sei Folgendes zitiert:

«Diese Haltung konnte man allgemein in den evangelischen Gemeinschaftskreisen beobachten. Schon in der *Handreichung zur Allianzgebetswoche* 1933, also noch vor Hitlers Machtübernahme, war von dem ‹anmassenden Wesen der Juden› die Rede, das einen ‹unevangelischen Antisemitismus› provoziere; offensichtlich waren die Verfasser der Meinung, dass ein ‹evangelischer Antisemitismus› berechtigt sei.

Der kam dann auch in den nächsten Jahren im *Evangelischen Allianzblatt* kräftig zum Ausdruck. Da wurde vom Händlergeist der Juden geschrieben, dass ‹Jude und Spitzbube› ... für den Bauern ein und derselbe Begriff sei. Und man kam zu dem Ergebnis:

‹Die Juden berauben das Volk aber nicht nur der materiellen, sondern auch der geistigen und sittlichen Güter.›

Und bibeltreu und selbstgerecht fügte man hinzu: ‹Die Judenverfolgung fördert die Erfüllung der Propheten, und alles wird geschehen, wie es das Wort Gottes verkündigt hat.›

Man muss den Verfassern zugutehalten, dass sie nur ihr theoretisches Bibelwissen vorlegten und von Auschwitz weder Ahnung noch Vorstellung haben konnten.

Schon 1934 versuchte man, die traditionelle Fürbitte für Israel aus dem Programm der Allianzgebetswoche herauszunehmen, dem sich aber für die nächsten Jahre noch mutige Männer widersetzten. Erst nach der ‹Reichskristallnacht› 1938 sollte dann die Fürbitte für Israel wegfallen: Die Christen schwiegen zur Judenverfolgung. Gewiss, die leichtfertigen antisemitischen Äusserungen der Anfangszeit wurden unter dem Eindruck des schrecklichen Terrors gegen die Juden nicht wiederholt, aber mittlerweile hatte man begriffen, wie gewalttätig die braune Diktatur war; man hatte Angst und verhielt sich systemkonform. Zudem waren Landes- wie Freikirchen viel zu sehr mit sich selbst und ihrem eigenen Verhältnis zu dem alles gleichschaltenden totalitären Staat beschäftigt, als dass sie Zeit, Kraft und Märtyrergeist gehabt hätten, sich für die Juden einzusetzen.

Nur so ist zu verstehen, dass man nun auch in der ‹Christlichen Versammlung› tunlichst bemüht war, den Verkündigungsdienst von Brüdern jüdischer Abstammung zu verhindern. Das lieblos und hartherzig diskriminierende ‹Juden unerwünscht› in Parkanlagen, Gaststätten und öffentlichen Gebäuden war bis in die Gemeinde gedrungen.

Man schwieg auch später zum Schicksal der jüdischen Mitbürger allgemein. Kommentarlos berichtete die *Tenne* über die Zahlen der Juden, die Deutschland in Richtung Palästina verliessen. Kein Wort fiel über die schrecklichen Hintergründe der erzwungenen Auswanderung. Bei der Brutalität des ‹SS-Staates› war es nur allzu verständlich, dass die meisten ‹Brüder› vor dem Leid der Juden die Augen verschlossen, zumal sie das ganze Ausmass dessen, was als ‹Endlösung› noch kommen sollte, nicht ahnen konnten. Da erschien es problemloser, die Verfolgung und Austreibung der Juden von der Bibel her mit dem auf Israel lastenden Fluch zu erklären, was sicherlich eine Art Gewissensberuhigung bedeutete. Wenn sich doch alles nach Gottes Ratschluss ereignete, war es für den Gläubigen einfacher, gespannt auf das Geschehen in Palästina zu blicken, von woher die nationalsozialistische Judenpolitik sogar heilsgeschichtliche Dimensionen annahm.

Dennoch konnte dieser Standpunkt nur scheinbar eine Selbstrechtfertigung herbeiführen und letztlich nicht darüber hinwegtäuschen, dass man als Christ an seinen jüdischen Mitbürgern und sogar an seinen jüdischen Brüdern schuldig geworden war. Demgegenüber wog die Verteidigung des Alten Testaments gegen die ‹Deutschen Christen› nicht schwer, zumal sich selbst in der ‹Christlichen Versammlung› zunehmend die Neigung zeigte, das Alte Testament möglichst in der Verkündigung auszusparen, wie noch zu zeigen ist (s. S. 265 f.)

Die Verteidigung der ganzen Bibel, d. h. des Alten Testaments und ihres jüdischen Charakters, liess sich sogar mit einer Rechtfertigung des jüdischen Schicksals seit 1933 trefflich verbinden. So druckte der *Botschafter* einen entsprechenden Aufsatz teilweise ab, in dem es hiess:

‹An Israels Geschick wird erschreckend klar, dass Gott keine Sünde schont, sondern dass Er lieber das auserwählte Volk aufs schwerste straft, wenn es gegen Gott sündigt, als dass Er Sein sittliches Gesetz preisgäbe. So ist in dem allen gerade das Volk Israel in seiner eigenartigen Geschichte und seiner Anstössigkeit ein Beweis dafür, dass es sich in der Geschichte, von der die Bibel berichtet, nicht um menschliche Erfindung und Gedanken handelt.›

Im Ganzen war die in den Kreisen der ‹Brüder› oft geäusserte Versicherung, dass man gegen die Juden keinen Hass hege und als Christ auch nicht hassen dürfe, und die Weigerung, sich an der Hasspropaganda – ‹Juden ’raus! Juda Verrecke!› – zu beteiligen, unter einem Terrorsystem das Äusserste, was man meinte, tun zu können. Helfen konnte es den Betroffenen nicht, den Juden, nicht, wie es eben einem Ertrinkenden nichts nützt, wenn man ihm versichert, dass man nichts gegen ihn habe, aber keinen Finger rührt, um ihn zu retten.»[32]

Wir wollen vorsichtig sein mit vorschnellen Vergleichen von der damaligen Situation zu heute. Trotzdem muss uns der oben zitierte letzte Absatz zum Nachdenken bringen. Wir haben heute kein Terrorsystem, tun aber zum grossen Teil in Bezug auf die Abtreibungspraxis auch nicht mehr. Wir beteiligen uns zwar nicht aktiv daran, nennen die Schuld dieser legalisierten Tötungspraxis jedoch nur ab und zu beim Namen. Wie wird einmal diesbezüglich das Urteil über unsere Generation vor dem Richterstuhl Christi aussehen?

---

32 Ebd. S. 70–72.

Nach dem Zusammenbruch des Nationalsozialismus musste dieses völlige Versagen aufgearbeitet werden. Nicht nur in der «Judenfrage», sondern ganz allgemein, wie man unter dem Druck der Gewissensdiktatur zu falschen Kompromissen bereit war und versagt hatte.

Für bibelgläubige Christen, die standhaft blieben, reichte die Bedrängnis damals von der gesellschaftlichen Ächtung über die Verweigerung beruflicher Aufstiegschancen bis zu Gefängnisaufenthalten und für manche bis ins Konzentrationslager verbunden mit dem Märtyrertod. Nicht alle wurden denselben Weg geführt. Der Herr stellte sich aber trotz aller Bedrängnis und trotz allem Leid zu Seinen Zeugen. Pfarrer Wilhelm Busch gehörte zu denen, die trotz aller Bedrohung klar das Evangelium und das Wort Gottes ohne Kompromisse weiterverkündigten. Er nahm dafür ein enormes Risiko für sich und seine Familie auf sich und landete immer wieder im Untersuchungsgefängnis der Gestapo. Ehrlich berichtete er von den teilweise dunklen und mutlosen Stunden, die er dort erlebte, aber wie ihm sein Herr neu begegnete und ihn aufrichtete. Wenn Busch von seinen Erlebnissen mit der Geheimen Staatspolizei berichtete, wollte er nicht als Held oder grossartiger Widerstandskämpfer gefeiert werden. Im Rückblick sagte er:

«Wenn ich geschrien hätte, wie ich heute weiss, dass ich hätte schreien sollen, stünde ich jetzt nicht hier, sondern wäre in Plötzensee hingerichtet worden. Und wenn Ihnen jemand aus meiner Generation sagt: ‹Ich habe nichts gewusst und bin unschuldig daran›, dann glauben Sie ihm das nicht! Hier liegt die Schuld meiner Generation. [...] Wir waren damals vor allem damit beschäftigt, unsere kleinen Aufgaben zu retten. Wir steckten so sehr im Getümmel des Tages, dass wir

nicht wussten, wie wir es tun sollten. Gewiss, wir haben –
und das hat der Papst auch getan – da und dort Juden ver-
steckt und gerettet. [...] Das war sicherlich schwierig, natürlich haben wir da und dort was gesagt und getan. Aber wir
haben nicht geschrien, wie wir hätten schreien sollen: ‹Hier
geschieht millionenfacher Mord!› Und das ist Schuld, verstehen Sie? Das möchte ich hier ganz klar und offen sagen. [...]
Man ist so viel schuldig geblieben.»[33]

Da war Paul Schneider, «der Prediger von Buchenwald»
genannt. Von Natur aus war der junge Familienvater sehr sensi-
bel und neigte zu schwermütigen Phasen. Auch gesundheitlich
hatte er immer wieder Probleme. Trotzdem verkündigte er klar
das Evangelium, nannte das Unrecht und die Gewissensdiktatur von der Bibel her beim Namen und landete dafür im Konzentrationslager Buchenwald. Auch dort gab er im Bekenntnis für
die Wahrheit nicht nach, obwohl er am Ende durch eine Spritze
ermordet wurde. Als er schon in dem grausamen Arrestbunker
festgehalten wurde, wird Folgendes berichtet:

«Es hat jemand uns erzählt, wie er auf dem Appellplatz
im Lager Buchenwald gestanden hat – grenzenlos allein,
unheimlich gefangen und ohne Glauben –, entschlossen,
in der nächsten Nacht in den elektrischen Draht zu gehen
und Schluss zu machen. Da hörte man an diesem Ort des
Grauens und der Verzweiflung eine laute, klare Stimme
über den Platz der zwanzigtausend Gefangenen schal-
len. Diese Stimmte rief aus dem Fenster einer Bunkerzelle

---

33 Wilhelm Busch, *Freiheit aus dem Evangelium*, Aussaat Verlag u. CLV 2006, S. 11–13.

heraus: ‹Jesus Christus spricht: Ich bin das Licht der Welt. Wer mir nachfolgt, wird nicht wandeln in der Finsternis.› Das war die Stimme des rheinischen Pastors Schneider. Und der uns das erzählte, hat gesagt: ‹Er hat mich durch diesen Ruf gerettet! Denn von da an wusste ich, dass doch Einer bei mir ist!›»[34]

Danach stürzten die Nazischergen wieder in seine Zelle, um ihn zu schlagen. Selbst Kommunisten, die das KZ Buchenwald überlebten, waren tief bewegt und beeindruckt von dem mutigen Zeugnis dieses Pfarrers. Das sind zwei Beispiele von Männern, die in einer mit einem Terrorsystem verbundenen Gewissensdiktatur standhaft blieben.

Die wichtige Lehre für uns heute

Es geht mir nicht darum, uns Angst zu machen oder schwarz zu malen. Uns geht es ja noch gut im Vergleich zu den bekennenden Christen im Dritten Reich. Auch können wir die heutigen Verhältnisse mit dem damaligen Terrorsystem nicht vergleichen. Der durch den Neomarxismus vorangetriebene Demokratieabbau mit der damit verbundenen zunehmenden Einschränkung der Meinungs- und auch Glaubensfreiheit in Westeuropa sind mit damaligen Verhältnissen noch nicht zu vergleichen, obschon der steigende Druck der Gewissensdiktatur im Namen der neuen Toleranz deutlich wird. Was ist es schon im Vergleich mit Paul Schneider und anderen, wenn wir gesellschaftlich unter Druck kommen und geächtet werden? Wenn wir einen

---

34 Margret Schneider, *Paul Schneider – Der Prediger von Buchenwald*, SCM-Hänssler 2014, S. 356.

Preis für biblische Überzeugungen zahlen und auch öffentlich gebrandmarkt werden? Das damit verbundene Leiden soll auf keinen Fall kleingeredet werden. Trotzdem geht es uns im Vergleich zu damals noch gut.

Um nicht in dieselbe Falle zu laufen wie ein grosser Teil der bibeltreuen Christenheit damals, müssen wir die Gefahr der Gewissensdiktatur durch die neue Toleranz erkennen. Wo klare biblische Aussagen verpönt, ja sogar verboten werden, dürfen wir uns nicht auf das Argument der evangelistischen Möglichkeiten oder der Versammlungsfreiheit berufen und schweigen – wir können es auch anders formulieren: die biblische Wahrheit verleugnen. Auch der Verweis darauf, dass wir ja noch die Möglichkeit haben, frei nach unseren Überzeugungen zu leben, kann zu einem gefährlichen Schweigen und Kompromiss führen. Je mehr sich das Denken der neuen Toleranz durchsetzt, desto mehr wird die Frage an uns sein, was uns der Glaube und die göttliche Wahrheit wirklich wert sind.

Der Angriff tritt nicht erst bei den zentralen Fragen nach der Gottheit Jesu, Seiner Auferstehung oder der Errettung in Erscheinung. Die neue Toleranz ist ein Grundangriff auf das biblische Wahrheitsverständnis an sich und berührt ein weites Feld. Das beginnt schon mit der Schöpfungsordnung Gottes. Dazu gehören die Frage nach der Sexualität, das Thema «Gender», die Ehe, Homosexualität, Abtreibung, die biblische Stellung von Mann und Frau und und und ...

Schon heute haben einzelne Menschen in der Schweiz und in Deutschland um ihres Glaubens und der biblischen Überzeugung willen, die sie bekannten, ihre Arbeitsstelle verloren oder ihre Karrierechancen verspielt. Diese Personen hielten sich an das Wort aus 1. Petrus 2,21-23:

«Denn dazu seid ihr berufen, weil auch Christus für uns gelitten und uns ein Vorbild hinterlassen hat, damit ihr seinen Fussstapfen nachfolgt. ‹Er hat keine Sünde getan, es ist auch kein Betrug in seinem Mund gefunden worden›; als er geschmäht wurde, schmähte er nicht wieder, als er litt, drohte er nicht, sondern übergab es dem, der gerecht richtet.»

Es ist erstaunlich, wie unser Herr sich zu dem konsequenten Leben stellte und bei manchen schneller, bei anderen weniger schnell neue Türen auftat, wenn auch nicht mehr auf ihrem bisherigen Betätigungsfeld.

Aber auch die ersten strafrechtlichen Verfolgungen im Namen der neuen Gewissensdiktatur finden in unseren Breitengraden statt. An dieser Stelle sei die Verurteilung des Bremer Jesuszeugen Pastor Olaf Latzel im November 2020 zu einer Geldstrafe wegen angeblicher «Volksverhetzung» erwähnt.[35] Latzel hatte sich für eine missverständliche Äusserung entschuldigt, die aber aus dem Zusammenhang gerissen wurde und von ihm nie so gemeint war, wie dargestellt. Der promovierte Jurist und *idea*-Redakteur David Wengenroth nannte das Urteil gegen Latzel ein glattes Fehlurteil und begründete diese Einschätzung.[36] Im Dezember 2020 wurde Pastor Latzel von der Bremischen Evangelischen Kirche (BEK) auf sehr fragwürdige Weise vom Dienst dispensiert. Im April 2021 wurde die Dienstenthebung von der BEK wieder zurückgenommen, nachdem die Richter der Disziplinarkammer wohl ihre Bedenken gegen dieses Vorgehen der

---

35 Während der Abfassung des Buches waren die gegen das Urteil eingelegten Rechtsmittel noch hängig.

36 *ideaSpektrum* 49.2020, S. 3.

BEK geäussert hatten.[37] Das ursprüngliche Vorgehen der BEK gegen Latzel lässt aber eine Art von Ausgrenzung und Stigmatisierung erkennen, die sich mit dem staatlichen Rechtsapparat verbrämt. Wie gesagt: Das sind noch Einzelfälle, die aber zweifelsohne eine grundsätzliche Änderung der bisherigen Meinungs- und Glaubensfreiheit aufzeigen.

Lassen wir uns durch das Gewissensdiktat der neuen Toleranz nicht entmutigen, auch nicht durch den uns allen angeborenen Reflex der Leidensscheue. Wenn der Gegenwind heftiger wird, wollen wir uns ganz neu an dem orientieren, was in der Bibel über das Leiden um Christi und der Wahrheit willen geschrieben steht, und auf die grossen Verheissungen sehen, die uns der Herr für Zeiten der Bedrängnis gegeben hat. Es ist allein Christus und Seine Gnade, die uns stärken und festhalten. Es braucht aber auch unsere Bereitschaft, Ihm völlig zu vertrauen, Unannehmlichkeiten und Schwierigkeiten auf uns zu nehmen und uns nicht von unserer Bequemlichkeit und unserem Sicherheitsdenken leiten zu lassen. Wir sind nicht auf uns gestellt, sondern gehören dem Herrn, dem alle Vollmacht im Himmel und auf Erden gegeben ist. Machen wir uns in unserer Zeit diesen verbindlichen Ratschlag des Paulus an seinen geistlichen Ziehsohn Timotheus zu eigen:

«Kämpfe den guten Kampf des Glaubens; ergreife das ewige Leben, zu dem du auch berufen bist und worüber du das gute Bekenntnis vor vielen Zeugen abgelegt hast» (1Tim 6,12).

---

37 *ideaSpektrum* 16.2021, S. 3.16-17.

Die Wohlstandsfalle

«Habt aber acht auf euch selbst, dass eure Herzen nicht
beschwert werden durch Rausch und Trunkenheit und
Sorgen des Lebens, und jener Tag unversehens über euch
kommt! Denn wie ein Fallstrick wird er über alle kommen,
die auf dem ganzen Erdboden wohnen. Darum wacht
jederzeit und bittet, dass ihr gewürdigt werdet, diesem
allem zu entfliehen, was geschehen soll, und vor dem
Sohn des Menschen zu stehen!» (Lk 21,34-36).

Alles kam ganz anders als gedacht! Ein Satz, der viele schmerz-
volle Erfahrungen beinhaltet, angefangen vom persönlichen
Leben bis hin zu grossen geschichtlichen Ereignissen. So kehrte
am 30. September 1938 ein euphorisierter britischer Premier-
minister Chamberlain in seine Heimat zurück und verkündigte
vollmundig und freudig nach seinem Münchner Abkommen mit
Hitler und Mussolini: «Peace for our time!» *Friede für unsere
Zeit!* Ein knappes Jahr später stürzte nicht nur Europa, sondern
die gesamte Menschheit in den bis dahin schrecklichsten Krieg
der Geschichte, verbunden mit dem grausamen Verbrechen des
Holocausts. Es gibt im Kleinen wie im Grossen so viele Dinge,
wo manches ganz anders kommt als gedacht. Die Urlaubspla-
nung wird durch einen Unfall durchkreuzt. Die Arbeitsstelle
geht durch Umstrukturierung oder Insolvenz plötzlich verlo-

ren. Alles kommt völlig anders, als man das selbst gedacht oder geplant hatte.

Die Bibel spricht deutlich von der Wiederkunft Jesu. Sie nennt uns Zeichen und Gefahren, die dem Kommen des Herrn vorausgehen. Sie redet Klartext in Bezug auf die Entwicklungen, die Israel betreffen. All das ist uns vorhergesagt, damit wir nicht von diesen Geschehnissen überrascht werden, uns aber auch von keiner falschen Zukunftseuphorie mitreissen lassen. Trotzdem stehen wir in der Gefahr, uns auf ganz bestimmte Vorstellungen festzulegen, wie alles sein wird und was noch alles vor der Wiederkunft Jesu oder der Entrückung der Gemeinde geschehen soll. Man legt sich einen genauen Endzeitfahrplan zurecht, nicht auf ein Datum, aber auf Ereignisse bezogen, wie alles ablaufen soll. Und man rechnet nicht mit der Möglichkeit, dass am Ende alles ganz anders kommt, als man gedacht hat. Die Covid-19-Pandemie hat einmal mehr deutlich gemacht, wie uns völlig unvorhersehbare Ereignisse, Massnahmen und Veränderungen treffen können, was Wochen zuvor niemand für möglich gehalten hätte.

Ein doppeltes Bild der Endzeit

In Lukas 21, Matthäus 24 und Markus 13 gibt Jesus einen Überblick über die Ereignisse vor Seiner Wiederkunft. In den Versen 20 bis 23 aus Lukas 21 liegt der Fokus stark auf der Zeit kurz vor der Zerstörung Jerusalems und des Tempels durch die Römer.

Insgesamt können wir in der Zusammenschau der drei Evangelien aber ganz bestimmte Zeichen der letzten Zeit erkennen. So spricht Lukas 21,8 von Verführung. Zugleich ist dies das Hauptkennzeichen der letzten Zeit in Matthäus 24. Lukas erwähnt Kriege und Unruhen sowie grosse militärische Konflikte, die viele Nationen umfassen.

Globale «Hungersnöte und Seuchen» oder Krankheitsepidemien finden wir in Lukas 21,11 erwähnt. Der Herr spricht von Verfolgung und Gefangenschaft um Seines Namens willen. Schliesslich werden in den Versen 25 bis 26 kosmische Erschütterungen und Ereignisse benannt, die Seinem sichtbaren Kommen unmittelbar vorausgehen. Aber auch schon in Vers 11 werden «Schrecknisse und grosse Zeichen vom Himmel» als ein Kennzeichen der letzten Zeit angeführt.

Vers 26 macht deutlich, wie die letzte Zeit das Zeitalter der Angst, der menschlichen Ohnmacht angesichts der Entwicklungen und der völlig ungewissen Zukunftserwartung sein wird. Und dann ist ab Vers 29 noch vom Feigenbaum und den Bäumen die Rede, die vor dem nahen Sommer ausschlagen. Der Feigenbaum ist ein Bild für Israel und die damit verbundenen Entwicklungen, die der Wiederkunft Jesu vorausgehen.

Wenn wir dies zusammenfassen, ist die letzte Zeit ein Zeitalter der Katastrophen, Gefahren, Verführung, Verfolgung, Angst und für den Menschen völlig unkontrollierbarer Entwicklungen. Auch das Buch der Offenbarung schildert eine Welt und eine Menschheit, die trotz aller scheinbaren Aufwärtsentwicklungen immer mehr von Erschütterungen heimgesucht werden. Eine kleine Randbemerkung: Wenn einmal die Gerichte der Offenbarung ausgeführt werden, ganz unabhängig von der Frage, ob die Gemeinde dann noch da ist, muss man nicht mehr spekulieren oder irgendwelche Zahlen über einen gewissen Zeitraum zusammenzählen. Dann weiss man, welche Zeit gekommen ist.

Zurück zu diesen zunehmenden Erschütterungen und dunklen Ereignissen, von denen die Endzeitrede Jesu spricht. Es geht uns in Westeuropa ja immer noch sehr gut. Trotz allem Kürzertreten und aller Abstriche der letzten Jahre haben wir einen Wohlstand wie noch nie zuvor in der Menschheitsgeschichte. Und da stellt sich die Frage, ob der Herr schon heute kommen kann, um Seine Gemeinde zu entrücken. Oder müssen nicht erst noch grundlegende Veränderungen eintreten, weil es uns doch noch viel zu gut geht im Vergleich mit den in Lukas 21 geschilderten Entwicklungen? Müssen nicht noch erst ein völliger Zusammenbruch, ein totales Chaos und eine weltweite Christenverfolgung und anderes kommen?

Gottes Wort wird sich wortwörtlich erfüllen. Daran besteht kein Zweifel. Eine andere Frage ist, ob sich unsere Vorstellungen und unsere Endzeitsysteme, so gut wir sie auch begründen können, erfüllen. Oder wird es uns so gehen, wie einleitend gesagt: *Alles kam ganz anders als gedacht!?* Damit wir uns nicht in falscher Weise auf irgendwelche selbstgemachten Systeme und Abläufe verlassen, nennt unser Herr ab Vers 34 eine Gefahr, die scheinbar überhaupt nicht zu dem passt, was wir vorhin gelesen haben. Neben Krisen, Kriegen, Verfolgung und dergleichen weist Jesus auf die Gefahr für Seine Jünger hin, sich in einem unbeschwerten Wohlstandsleben zu verlieren, das nur auf das Jetzt und Heute fixiert ist.

«Rausch und Trunkenheit und Sorgen des Lebens», das sind nicht die Gefahren in Hunger- und Kriegsgebieten, auch nicht die Gefahren für eine verfolgte Christenheit, die täglich um das Kommen des Herrn fleht. Hier beschreibt der Herr Jesus eine wohlhabende Christenheit, die in der Zeit direkt vor Seinem Kommen in der Gefahr steht, sich völlig im Diesseits zu verlieren. Damit wird deutlich, dass wir ein doppeltes Bild der Endzeit haben: Einerseits zunehmende Verführung, Krisen, Epidemien, Erschütterungen und Ängste, andererseits muss zumindest ein Teil der Jesusleute in einem ungeheuren Reichtum leben und in der Gefahr stehen, sich in den egoistischen Wünschen und Lastern von 2. Timotheus 3,1-8 zu verlieren.

Interessanterweise finden wir dieses doppelte Bild auch in Offenbarung 6,6 im Zusammenhang mit dem Reiter auf dem schwarzen Pferd gezeichnet. Unabhängig von der Frage, ob die Gemeinde dann noch da ist oder nicht. Weizen und Gerste, die Nahrungsmittel der Armen, erfahren eine rapide Verteuerung. Der Hunger und das Elend wachsen. Öl und Wein dagegen, die Luxusartikel, bleiben unberührt. Auf der anderen Seite wird also ein ungeheurer Wohlstand und Luxus vorherrschen. Diesen Umstand sollten wir nicht nur auf irgendwelche Multimillionäre oder Oligarchen beziehen. Im Vergleich zur weltweiten Armut und dem damit verbundenen Elend lebt auch der Normalbürger in Westeuropa in einem ungeheuren Luxus, trotz aller Abstriche der letzten Jahre und sich einer wohl anbahnenden Wirtschaftskrise. Unser Herr zeichnet demnach ein zweifaches Bild der Endzeit. Anstatt uns einen falschen Endzeitfahrplan zurechtzubasteln, was noch alles kommen muss, ist es viel wichtiger, die Gefahr heute zu erkennen, die uns die tägliche Bereitschaft nimmt. Es wäre tragisch, wenn alles ganz anders kommt, als wir gedacht haben, und wir uns im Nachhinein vorwerfen müssten: «Wenn ich das gewusst hätte ... dann hätte ich die Prioritäten anders gesetzt, dann hätte ich meine Zeit anders eingeteilt» usw. Mein Bibellehrer Fritz Grünzweig sagte einst: «Das Wichtigste ist unsere Bereitschaft.»

Eine heimliche Gefahr

«Habt aber acht», sagt Jesus Seinen Jüngern (Lk 21,34). Man kann auch sagen: «Passt auf! Seid auf der Hut!» Etwa so, wie wenn ein Bergführer die ihm anvertraute Gruppe vor der Gletscherüberquerung noch einmal anhält und ihre unbedingte Aufmerksamkeit für seine Verhaltensregeln und Hinweise einfordert, damit es nicht durch Unachtsamkeit oder Gedankenlosigkeit zu einem Unglück kommt.

Ein Kennzeichen der letzten Zeit ist Verführung. Jesus warnt in Matthäus 24 dreimal davor. Wir können Verführung sogar als Hauptmerkmal der letzten Zeit einstufen. Viele nehmen das heute nicht mehr ernst. Ich sprach von Krisenzeiten, Verfolgung und anderen Dingen. Möglicherweise sind wir auf all das so sehr fokussiert und denken, dieses und jenes müsste noch geschehen, dass wir für eine ganz andere Gefahr blind werden, nämlich dafür, dass wir gar nicht merken, wie uns die Bereitschaft für das überraschende Kommen des Herrn abhanden kommt.

Passt auf, hütet euch, habt acht, ermahnt unser Herr am Ende Seiner Rede Seine Jünger ausdrücklich. Und dann warnt Er vor den Versuchungen und den Sorgen, die mit einem unbeschwerten Wohlstandsleben oder mit einem Leben, das nach Unbeschwertheit und Genusssucht strebt, in Verbindung stehen.

Warren Wiersbe schreibt in einem seiner Bücher Folgendes:

«Ich habe an zahlreichen Prophetiekonferenzen teilgenommen und habe dabei eine grosse Menge an Deutungen und auch manche Spekulation gehört, aber nicht immer war dabei auch persönliche und praktische Anwendung inbegriffen. Einige der Redner erzählten sehr viel darüber, was Gott in der Zukunft tun werde. Aber sie sagten sehr wenig über das, was er von seinem Volk in der Gegenwart erwartet. Gottes Plan zu verstehen, erlegt dem Zuhörer die Verantwortung auf, Gottes Willen zu tun. Das Wort zu hören und zu verstehen, und dann nicht zu gehorchen, heisst, uns selbst zu betrügen – wir meinen, geistlich gewachsen zu sein, und sind doch in Wirklichkeit zurückgefallen (Jak 1,22-27).

‹Wir können ja so leichtfertig über das Kommen unseres Herrn sprechen und über den Preisrichterstuhl Christi›, sagte William Culbertson, der Präsident des Moody-Bibelinstituts. ‹Du stehst nicht wirklich in der Wahrheit der Lehre von der Wiederkunft des Herrn Jesus Christus, solange nicht diese Lehre in dir lebt und deine Lebensart so beeinflusst, wie die Bibel es fordert.›»[38]

Genau vor dieser Gefahr möchte uns auch unser Herr mit dieser abschliessenden Warnung in Lukas 21,34 bewahren.

Wir können noch so viel über den Ablauf und die Entwicklung zukünftiger Dinge diskutieren und spekulieren und dabei gar nicht merken, dass uns die tägliche Bereitschaft verloren geht, weil unser Alltag und unser Denken von ganz anderen Dingen bestimmt werden. Wenn wir den letzten Abschnitt von Matthäus 6 lesen, ist die Sorge um die materielle Zukunftsabsicherung nicht nur eine Gefahr der letzten Zeit, sondern eine prinzipielle Gefahr jeder Zeit. Sie ist sogar das Kennzeichen der Heiden: «Nach allen diesen Dingen trachten die Heiden» (Mt 6,32).

Im Lukasevangelium greift unser Herr Völlerei, Trunkenheit und Lebenssorge als eine besondere Gefahr für Seine Jünger in der Zeit vor Seinem Kommen auf. Und in Kapitel 17, ab

---

38 Warren Wiersbe, *Sei standhaft*, Christliche Verlagsgesellschaft Dillenburg 2005, S. 57.

Vers 26, vergleicht Er die Zeit vor Seinem Kommen mit der Zeit in den Tagen Noahs. Die Menschen lebten nur noch im Hier und Jetzt. Es ging darum, möglichst ausgiebig das Leben zu geniessen. Heute, so scheint es, wird die Gefahr der Verführung völlig unterschätzt, und wir tun gut daran, die Warnung Jesu zu beherzigen.

Es ist möglich, dass wir überall auf der Suche nach falschen Lehren und Lehrmeinungen Ausschau halten, dass wir uns mit allen möglichen und unmöglichen prophetischen Zukunftsszenarien auskennen und wunderbar argumentieren können, doch dass in Wirklichkeit unser tägliches Leben von den Sorgen um unser materielles Wohlergehen und den Lebensgenuss umgetrieben wird, ja dass uns die gewinnbringende Geldanlage, der Ausbau unseres Häusles und die Sicherung unseres Lebensstandards in Wirklichkeit viel mehr beschäftigen als die geistlichen Dinge und das Trachten nach Gottes Reich. Jesus spricht vom plötzlichen Hereinbrechen jenes Tages. Damit meinte Er den Tag Seiner Wiederkunft. Er gab diese Mahnung an Seine Jünger und ich bin von ihrer Wichtigkeit für uns und mich überzeugt, auch wenn ich fest daran glaube, dass die Entrückung der Gemeinde einige Zeit vor der sichtbaren Wiederkunft sein wird.

Die Bibel ruft uns nicht zu einem asketischen Leben auf, in dem Freude verboten ist. Aber vom dankbaren Gebrauch dessen, was uns der Herr schenkt und ermöglicht, zu einem von Lebenssorgen beschwerten Herz ist es oft nur ein kleiner Schritt – gerade in einer Konsumgesellschaft, die uns ständig verführerisch neue Güter und neue Möglichkeiten vor Augen stellt, das Leben noch ausgiebiger zu geniessen. In diesem Zusammenhang ist auch der Begriff «Trunkenheit» zu sehen. Dabei geht es nicht nur um einen übermässigen Alkohol- oder

Suchtmittelkonsum. Es geht dabei prinzipiell um einen rausch-haften Zustand, der uns befällt. Gerhard Maier nennt in die-sem Zusammenhang: Musikleidenschaft, Kunstbesessenheit, Sammlerwut, Genuss von Ehren und Auszeichnungen, geistige Überheblichkeit, Nationalismus, Verfallenheit an Ideologien.[39]

Das soll keine abgeschlossene Aufzählung sein, nach deren Abhaken wir selbstgerecht aufatmen können. Jeder muss sich selbst prüfen, wo er in Gefahr steht, von Dingen völlig in Beschlag genommen und berauscht zu werden. Wie gesagt: Das Drehen um materielle Zukunftssorgen ist eine prinzipielle Gefahr für uns Menschen. Aber in unserer Zeit, mit all ihren Möglichkeiten und Angeboten, ist die Gefahr besonders gross, dass wir dem auf die eine oder andere Weise erliegen. Und wir werden dazu erzogen, dass feiern, erleben, wohlfühlen und geniessen, in welcher Form auch immer, ganz wichtig für das persönliche Leben seien. Es ist mir wohl bewusst, dass morgen auch bei uns manches ganz anders aussehen kann. Aber es ist für uns im freiheitlichen Westen eine grosse Gefahr, dass wir uns als Nachfolger Jesu in einem Leben verlieren, das nur noch von den alltäglichen Sorgen und Anliegen und dem Diesseits bestimmt wird, selbst wenn wir in einer äusserlich betrachtet konservativen Gemeinde sind. So kann die Entrückung völlig unvorhergesehen über uns kommen und uns mit Schrecken bewusst werden, wie sehr wir das Eigentliche vernachlässigt haben und unser Denken und Leben von falschen Prioritäten haben leiten lassen – selbst als Errettete, die zu Christus gehö-ren.

---

39 Gerhard Maier, *Lukas-Evangelium 2. Teil – Edition C Bibelkommentar*, Band 5, Hänssler Verlag Neuhausen-Stuttgart 1992, S. 545.

Eine ständige Bereitschaft

Es wäre interessant zu sehen auf welche praktischen Auswirkungen unsere Diskussionen über die endzeitlichen Entwicklungen hinauslaufen, und mit dem zu vergleichen, was für Jesus das Wichtigste war. Ob am Ende Seiner Endzeitreden, im Gleichnis von den zehn Jungfrauen oder an anderer Stelle wie zum Beispiel in Lukas 12: Unser Herr rief immer zu persönlicher Wachsamkeit und Bereitschaft auf. Es gehört zweifelsohne dazu, dass wir andere wachrütteln und auch warnen. Aber in diesen Ermahnungen ging es immer um die persönliche Wachsamkeit. Wenn diese Wachsamkeit uns bestimmt, werden alle Diskussionen über den Zeitpunkt der Entrückung oder noch möglicher Entwicklungen, die kommen müssen, zweitrangig. Die Wachsamkeit wirkt sich im Gebet aus. Im Gebet werden wir immer wieder in die richtige Ausrichtung vor unseren Herrn geführt. Betend werden Seine Anliegen zu unseren Anliegen, Sein Wille zu unserem Willen und Seine Ziele zu unseren. Gerhard Maier macht noch eine interessante Anmerkung im Zusammenhang mit dem Gebet. Er schreibt:

«Es heisst nicht ‹betet dauernd!›, sondern ‹Betet in jedem Zeitabschnitt!› Das heisst: Bei jedem Schritt im persönlichen Leben und im Gemeindeleben, auch in jedem Abschnitt der Kirchengeschichte, ob uns nun das Ende nahe oder weit entfernt vorkommt.»[40]

Wie vorhin erwähnt, geht es darum, dass wir die richtige innere Ausrichtung haben und uns immer wieder neu schenken lassen.

---

40 Ebd. S. 546.

Mir selbst wurde in diesem Zusammenhang schon oft das Gebet, das Jesus Seine Jünger gelehrt hat, eine Hilfe. Nicht als etwas Auswendiggelerntes, das man auch gedankenlos herunterleiern kann, sondern als Ausrichtung des persönlichen Gebetslebens mit seinen Anliegen auf den Herrn hin. Beten ist auch immer der Ausdruck einer lebendigen und innigen Beziehung zum Herrn Jesus, damit Er der Wichtigste bleibt.

Was meint Jesus, wenn Er davon spricht (Lk 21,36), dass wir imstande sein sollen, diesem allem, was geschehen soll, zu entfliehen und vor dem Sohn des Menschen zu stehen? Geht es dabei um die Entrückung der Gemeinde, bevor die Gerichte der Offenbarung über diese Welt hereinbrechen? Das ist möglich. Ganz unabhängig davon, wie wir die Entrückungsfrage beantworten, gilt, dass diese Menschheit dem endgültigen Gericht Gottes entgegengeht. Der Ausdruck «vor dem Sohn des Menschen zu stehen» deutet dagegen auf die Errettung vor dem Gericht hin. Würdig dazu werden wir allein durch Jesus Christus und Seine geschenkte Gerechtigkeit. Es geht auch darum, dass wir all dem entfliehen, was eine Menschheit gefangen nimmt, berauscht, versklavt und davon abhält, das wichtigste Ziel des persönlichen Lebens und der Menschheitsgeschichte zu sehen: nämlich die Frage nach dem Wohin in der Ewigkeit. Als Kinder Gottes sind wir vor dem zukünftigen Gericht und Zorn Gottes gerettet. Das hat unser Herr in Johannes 3,18 klar gesagt. Aber wird für uns einmal die Vollendung der Gemeinde mit einem Aufschrecken verbunden sein, so wie wenn man feststellt, vor einem wichtigen Termin verschlafen zu haben, oder als ein freudiger Augenblick, weil nun das eintritt, was das Ziel unseres Lebens war, auf das wir unsere Nachfolge ausrichteten, und das lang Ersehnte nun Wirklichkeit ist?

Wir sehen ein zweifaches Bild der letzten Zeit: auf der einen Seite Verfolgung, Erschütterungen, Krisen und Verführung, auf der anderen Seite die Gefahr, sich als Nachfolger Jesu in einem auf Genuss und Lebenssorge ausgerichteten Leben zu verlieren. Und wie schnell kann uns das ganz praktisch geistlich lahmlegen, trotz aller theoretischen Beschäftigung mit endzeitlichen Abläufen. Würdig für unsere Errettung sind wir allein durch Christus. Wir sind aufgerufen, zu wachen und zu beten, in der Verbindung zu Ihm unser Leben von Ihm verändern und prägen zu lassen, Seine Ziele zu unseren Zielen zu machen und an jedem Tag von diesem künftigen Tag her bestimmt zu werden, in der Erwartung vor Ihm zu stehen und Ihn zu sehen.

«Darum wacht jederzeit und bittet, dass ihr gewürdigt werdet, diesem allem zu entfliehen, was geschehen soll, und vor dem Sohn des Menschen zu stehen!» (Lk 21,36).

Glück suchen oder Gott finden?

«Durch Glauben brachte Abel Gott ein besseres Opfer dar als Kain; durch ihn erhielt er das Zeugnis, dass er gerecht sei, indem Gott über seine Gaben Zeugnis ablegte, und durch ihn redet er noch, obwohl er gestorben ist. Durch Glauben wurde Henoch entrückt, sodass er den Tod nicht sah, und er wurde nicht mehr gefunden, weil Gott ihn entrückt hatte; denn vor seiner Entrückung wurde ihm das Zeugnis gegeben, dass er Gott wohlgefallen hatte. Ohne Glauben aber ist es unmöglich, ihm wohlzugefallen; denn wer zu Gott kommt, muss glauben, dass er ist und dass er die belohnen wird, welche ihn suchen. Durch Glauben baute Noah, als er eine göttliche Weisung empfangen hatte über die Dinge, die man noch nicht sah, von Gottesfurcht bewegt eine Arche zur Rettung seines Hauses; durch ihn verurteilte er die Welt und wurde ein Erbe der Gerechtigkeit aufgrund des Glaubens» (Hebr 11,4-7).

Der zentrale Flughafen der Schweiz ist der Flughafen Zürich in Kloten. Als vor einigen Jahrzehnten das Missionswerk Mitternachtsruf sein Versammlungshaus, die Zionshalle, in Dübendorf baute, hatte der Gründer Wim Malgo eine gute Idee. Auf dem Dach der Zionshalle ist mit grossen, gelben Buchstaben der

Schriftzug angebracht: «Gott sucht Dich», auch bei Nacht als beleuchteter Schriftzug klar zu erkennen. Und ganz in der Nähe dieser Halle befindet sich eine der Anflugschneisen von Kloten. Aus der Luft konnte ich selbst schon diesen Schriftzug lesen.

Manchmal musste ich an Menschen denken, die womöglich vor Gott fliehen und in der Schweiz ankommen. Und dann schauen sie aus dem Fenster des Fliegers und lesen klar und deutlich: «Gott sucht Dich». Die umgekehrte Seite ist ja, dass Gott den verlorenen Menschen dazu aufruft, Ihn zu suchen: «Sucht mich, so werdet ihr leben!» (Am 5,4). – «Gott sucht Dich». Das ist seit dem Sündenfall die grundlegende Botschaft Gottes für verlorene Menschen. Es würde mich interessieren, wie viele Menschen in Flugzeugen dieser Satz zum Nachdenken gebracht hat oder die sich darüber geärgert haben. «Sucht mich, so werdet ihr leben!» (Am 5,4). Das ist Gottes Aufforderung an Menschen, ihre Rettung zu ergreifen.

Wenn wir lesen, dass Gott denen, die Ihn suchen, ein reicher Belohner sein wird, könnten wir als Jesusnachfolger meinen: «Das Thema der Gottessuche betrifft mich nicht mehr, schliesslich gehöre ich ja bereits Jesus.» Eine solche Illusion müsste ich dir nehmen. Dass Gott denen, die Ihn suchen, ein reicher Belohner sein wird, ist an bekennende Christen geschrieben. An solche, die Jesus erkannt haben und durch Ihn gerettet sind. Und deshalb ist dieser zentrale Vers für jedes wiedergeborene Kind Gottes so wichtig zu beachten:

«Ohne Glauben aber ist es unmöglich, ihm wohlzugefallen; denn wer zu Gott kommt, muss glauben, dass er ist, und dass er die belohnen wird, welche ihn suchen» (Hebr 11,6).

Gott glauben

Wenn es ohne Glauben unmöglich ist, Gott wohlzugefallen, könnte man meinen, dass der Glaube ein Werk oder eine Leistung ist, mit der sich der Mensch Gottes Wohlgefallen verdient. Aber das ist nicht der Fall.

Glaube heisst, den lebendigen Gott so anzuerkennen, wie Er sich uns in Seinem Wort geoffenbart hat und Ihm in allem recht zu geben. Hüten müssen wir uns vor einer Gottesvorstellung, die unserem Wunschdenken entspricht. Gott will, dass wir Ihm die Ehre geben und uns vor Ihm beugen, unser Denken und unsere Vorstellungen Seinem Wesen und Seiner Selbstoffenbarung unterordnen.

Mit dem Glauben, dass Gott ist, geht es nicht um die blosse Anerkennung einer Existenz Gottes. Das können wir an den ersten beiden Personen in unserem Text erkennen. Auch Kain glaubte an die Existenz Gottes und brachte sogar ein Opfer dar. Aber nicht der lautere Glaube war sein Beweggrund. In Jakobus 2,19 lesen wir, dass auch die Dämonen glauben, dass es einen Gott gibt, und sogar zittern. Auch das ist nicht der Glaube, durch den wir Gott wohlgefallen. Es geht darum, Ihn vorbehaltlos als den anzuerkennen, der Er ist, und sich selbst Ihm zu unterwerfen. Die ersten drei Verse in Hebräer 11 sprechen von dem Schöpfergott, von Seiner Allmacht, Kraft und Souveränität. Sie bezeugen die Macht von Gottes Wort. Nur durch den Glauben ist es möglich, dies zu erkennen. Und das war der entscheidende Unterschied zwischen Abel und Kain. William MacDonald schrieb dazu:

«Nur der Glaube räumt Gott seine ihm zukommende Stellung ein, und verweist auch den Menschen an seinen

Platz. ‹Es verherrlicht Gott über alle Massen›, schreibt C. H. Makintosh, ‹weil er beweist, dass wir auf seine Augen mehr vertrauen als auf unsere eigenen›».[41]

Im Hebräerbrief geht es ja um die Einzigartigkeit und Bedeutung unseres Herrn Jesus. Es wird deutlich, dass wir nur durch das vollkommene Opfer unseres Herrn vor Gott treten können und Er uns als der Hohepriester vertritt. Durch den Glauben Gott wohlzugefallen, heisst deshalb, dass wir die Bedeutung des Herrn Jesus und die Notwendigkeit Seines Opfers so anerkennen, wie es Gott durch Sein Wort geoffenbart hat. Dieses Opfer war nicht nur Ausdruck der Liebe Gottes zu uns oder für die Beseitigung der Sünde, wie heute zwar von vielen gesagt wird. Das Opfer und das unschuldig vergossene Blut des Herrn Jesus waren notwendig, damit die Strafe Gottes, der gerechte Zorn Gottes, an Ihm vollzogen wurde. Nur so konnte der Gerechtigkeit Gottes Genüge getan werden. Und jede Verkürzung oder verzerrende Akzentuierung in diesem Zusammenhang ist nicht der Glaube, der Gott wohlgefällt.

Wir müssen genau hinhören, was gesagt wird, und uns nicht damit zufriedengeben, wenn Begriffe wie «Kreuz», «Tod Christi» und «die Liebe Gottes zu uns» gebraucht werden, aber der Hinweis auf die Notwendigkeit der vollzogenen Strafe für unsere Rebellion gegen Gott unerwähnt bleibt. Das umfassende Bezeugen aller Aspekte der biblischen Wahrheit geht verloren in einer Zeit, die keine absolute Wahrheit mehr anerkennt und die sich mit allen Mitteln gegen einen heiligen, gerechten und auch

---

41 William MacDonald, *Kommentar zum Neuen Testament*, Band 2, Christliche Literatur-Verbreitung Bielefeld 1994, S. 567.

richtenden Gott wehrt, die stattdessen die unfassbare Liebe und Gnade Gottes zu uns verlorenen Menschen in ein billiges Verharmlosen der Sünde vertauscht.

Gott liebt den verlorenen Sünder, ganz gleich wie und was seine offensichtliche Sünde ist. Aber Gott kann keinerlei Kompromiss mit der Sünde eingehen. Es gibt nur auf dem Weg, den der heilige Gott in Seiner grossen Barmherzigkeit zu uns verlorenen Menschen selbst bestimmt hat, Vergebung und Errettung. Wenn wir das verstehen, dann stellen wir fest, dass durch ein ganz anderes Verständnis in der Gesellschaft, das auch in der evangelikalen Welt mehr und mehr um sich greift, eine direkte Kollision mit dem lebendigen Gott aufgebaut ist.

Glauben, dass Er ist, das heisst, Gott ohne frommes Retuschieren und ohne theologische Bastelarbeit so anzuerkennen, wie Er sich uns in Seinem Wort offenbart hat. Wenn wir versuchen, die Dinge so hinzudrehen und zurechtzubiegen, dass sie für uns und unsere Generation und Kultur besser klingen, dann glauben wir im tiefsten Grund nicht mehr an den Gott der Bibel. Denken wir an Noah, der glaubte, dass Gott ist, so wie er es von Gott wusste (Hebr 11,7). Er nahm die Gerichtsankündigung Gottes deshalb ernst. Mitten in einer Zeit und Gesellschaft, die nichts von Gericht wissen wollte. Mitten in äusseren Umständen, die 120 Jahre lang völlig dagegen sprachen. Das war mit Sicherheit nicht leicht, Aussenseiter zu werden, als Miesepeter und Stimmungskiller in der damaligen Spassgesellschaft dazustehen. Aber Noah wusste um die Gnade Gottes auf der einen Seite und um den Ernst von Gottes Gericht auf der anderen Seite. Und so baute er, nicht aus Gretaangst oder Klimapanik, sondern von Gottesfurcht bewegt, die Arche, als den von Gott bestimmten Rettungsort. Und zugleich verurteilte er damit die

Menschheit, die Gott nicht Gott sein liess, sondern sich einen Gott nach den eigenen Vorstellungen zurechtbastelte und sich selbst vergötzte. Dagegen erkannte Noah Gott als Den an, der Er ist, und beugte sich unter Seiner Majestät.

Glauben, dass Gott ist, wie Er sich uns in Seinem Wort geoffenbart hat: als der ewige, der heilige, der allein weise Gott, der König der Zeitalter, dessen Gedanken und Handeln wir nicht immer verstehen, der aber trotzdem vollkommene Wege hat und rein, herrlich und gut ist und dem allein am Ende alle Ehre sein wird, der Seinen Kindern alles zum Guten mitwirken lassen möchte – auch wenn wir mit Seinen Wegführungen nicht immer klarkommen und manchmal meinen, dass dies jetzt sicher nicht sein müsste. Wenn wir Gott nur Gott sein lassen und Ihn nicht zur Projektion unserer frommen Wünsche und Vorstellungen machen, wie viel unnötige seelische Quälereien, überflüssiges Herumdoktern und nicht notwendige Verbitterung könnten wir uns ersparen. Trotzdem werden wir noch über unverstandene Lebensführungen Gottes Tränen vergiessen und manches schmerzhafte Tal durchqueren, aber die bittere Wurzel ist dann gezogen.

Gott wohlgefallen

Nur durch den Glauben können wir Gott wohlgefallen. «Durch Glauben brachte Abel Gott ein besseres Opfer dar ... Durch Glauben ... wurde [Noah] ein Erbe der Gerechtigkeit aufgrund des Glaubens» (Hebr 11,4.7). Auch Henoch, dieser Glaubenszeuge, lebte in der vorsintflutlichen Generation nicht sehr gesellschafts- und kulturrelevant. Im Gegenteil. Henoch wirkte als ein Fremdkörper inmitten der ganzen moralischen Dammbrüche seiner Zeit. Aber die Bibel stellt ihm das Zeugnis aus, «dass er Gott wohlgefallen hatte» (V. 5). Und wieder müssen wir den

Zusammenhang beachten. Dieses Wohlgefallen Gottes hatte nichts mit einer frommen Nabelschau Henochs zu tun, mit einer Selbstdarstellung auf dem frommen Laufsteg nach dem Motto: «Schaut mal alle, wie geistlich und demütig ich bin und wie salbungsvoll ich beten kann!» Dieses Wohlgefallen Gottes ist wieder untrennbar mit dem Glauben verbunden, der den Herrn im Zentrum hat, der Ihn mehr fürchtet als die Menschen und der weiss, wie sehr er abhängig ist von seinem Herrn, Seiner Gnade und Seinem Bewahren.

Wir wissen, was für ein Zeugnis die Bibel der vorsintflutlichen Generation ausstellt, beispielsweise in 1. Mose 6 oder in Matthäus 24. Aus göttlicher Sicht befand sich alles in einer rasanten Abwärtsspirale. Es ging um Lebensgenuss und Spass. Der Kompass war das eigene Bauchgefühl, um sich zu nehmen, was man wollte, ein Leben, das sich völlig im Heute und Diesseits verlor, das den Genuss und die Selbstverwirklichung suchte. Der Glaube hatte sich nach dem zu richten, was die Menschen wollten, und nicht umgekehrt. Und mittendrin war Henoch. In 1. Mose 5,24 lesen wir, dass er mit Gott wandelte. In der Elberfelder Studienbibel mit Sprachschlüssel finden wir eine Anmerkung dazu. Man kann auch übersetzen: «er ging beständig mit Gott». Henoch ging seinen Weg beständig mit Gott, weil er glaubte, dass Gott ist. Demzufolge wurde er vermutlich nicht mehr als wertvoller und bereichernder Bestandteil seines damaligen Umfeldes angesehen, aber er hatte das Wohlgefallen Gottes.

Noch etwas ist interessant. Es steht nicht geschrieben, dass Henoch *für* Gott lebte, sondern beständig *mit* Gott ging oder wandelte. Von Mose lesen wir später, dass er sich an den Unsichtbaren hielt, als sähe er Ihn. Was also zu diesem andersartigen Leben befähigt, ist die Verbindung mit dem Herrn, die Gemeinschaft mit dem Herrn durch Sein Wort und durch das Gebet und die immer wieder neue Ausrichtung auf Ihn und Seinen Willen. Dieses Leben kennt keinen Stillstand, sondern ist in einer beständigen Bewegung auf den Herrn zu.

Wenn wir nur für Christus leben, aber nicht bewusst mit Ihm, dann fehlt uns das Wesentliche. Das bedeutet: Es ist wohl etwas Gutes, wenn wir möglichst viel von unserer Kraft und Zeit für die Sache des Herrn einsetzen. Aber in unserer Aktivität liegt die Gefahr, dass wir so sehr für unseren Herrn tätig sind und dabei die Gemeinschaft mit Ihm nicht mehr pflegen. Natürlich möchten wir alles für den Herrn machen, aber womöglich merken wir gar nicht, wie der Dienst zum Selbstzweck wird – wie ein Aufziehspielzeug, das einmal aufgezogen, immer weiter rattert. Leben wir für Christus oder ganz bewusst mit Christus? Gehen wir beständig mit Ihm? Geht es uns um Seinen Willen und Ihn selbst? Oder sind wir wie ein frommes Aufziehspielzeug, dessen Aktivismus sich längst verselbstständigt hat?

Nikolai Petrowitsch Chrapow schreibt in seinem Buch *Das Glück des verlorenen Lebens* über die Verfolgung der Christen in der Sowjetunion und zugleich war es seine Autobiografie. Dieses Buch ist zum einen so lesenswert, um die Geschichte der Evangeliumschristen in Russland kennenzulernen und zu verstehen, und zum anderen, weil es eine ungeheure Herausforderung für unser eigenes Leben ist. Wir sollten solche Zeugnisse auch deshalb kennen, weil wir in Europa vor einer Zeitenwende stehen, was die Glaubensfreiheit anbelangt.

Dieses Buch verklärt nicht den frommen Helden. Es zeigt die Versuchungen, Anfechtungen, Schwachheit und manchmal auch Verzweiflung, die für Chrapow mit den verschiedenen Straflagern verbunden waren. Aber es macht auch deutlich, wie wichtig es für Chrapow war, mit dem Herrn zu leben, wie er immer wieder neu den Herrn im Gebet suchte und wusste, dass er ganz allein von Ihm abhängig ist, und wie der Herr ihn auch dann festhielt, als er völlig schwach und hilflos war. Henoch wandelte mit Gott. Das war die Folge seines Glaubens. Dadurch hatte er Gottes Wohlgefallen. Sind wir nur fromme Aufziehchristen, ist das Federwerk irgendwann abgelaufen. Und dann werden auch wir von den Entwicklungen mitgerissen. Wir benötigen ein Leben mit Gott, das in Christus und Seinem Wort verwurzelt ist und daraus immer wieder neu die nötige Kraft und Ausrichtung schöpft, das ganz kindlich der biblischen Wahrheit vertraut. Nur so werden wir geistlich resistent bleiben können und das Wohlgefallen unseres Herrn haben.

Gott suchen

«Denn wer zu Gott kommt, muss glauben, dass er ist, und dass er die belohnen wird, welche ihn suchen» (Hebr 11,6).

Geht es uns darum, unser Lebensglück zu finden oder Gott zu suchen?[42] Geht es uns um uns selbst, ist der Glaube nur Mittel zum Zweck für unser äusseres Lebensglück? Oder geht es uns um den Herrn selbst, auch dann, wenn unser äusseres Lebensglück in Trümmern liegt?

Um dies nicht falsch zu verstehen: Natürlich dürfen wir vor dem Herrn unser Herz ausschütten und um Sein Eingreifen in

---

42 Das Thema dieses Kapitels stammt von einem Buch, das Larry Crabb vor über 25 Jahren geschrieben hat. Der Originaltitel der deutschen Ausgabe lautet: *Glück suchen oder Gott finden? – Unterscheidungshilfen in der Welt des Kuschelchristentums.* Dies ist keine Empfehlung für andere Bücher, die Larry Crabb geschrieben hat. Und auch in diesem Buch kann ich nicht alles teilen. Aber es enthält wichtige Aspekte zu unserem Thema.

schweren und notvollen Lebenssituationen beten. Das hat beispielsweise Nikolai Chrapow in den furchtbaren und lebensbedrohlichen Umständen der sowjetischen Straflager auch immer wieder getan. Aber die Frage ist, um wen und was es uns letztendlich geht: Geht es uns um den Herrn selbst? Oder geht es uns um uns? Wenn wir glauben, dass Gott ist, absolut vollkommen und gut, dann werden wir Ihn immer wieder neu suchen. Er wird uns dazu befähigen, dass es uns um Seine Ehre und um Seinen Willen vor allem Eigenen geht. Und wir werden erfahren, dass es nichts Besseres gibt als ein Leben zur Ehre Gottes zu leben. Schwere Lebensführungen gehören dazu. Petrus hat bekannt: «Herr, zu wem sollen wir gehen? Du hast Worte ewigen Lebens ...» (Joh 6,68).

Als Nikolaj Petrovič Chrapow, im Buch heisst er Pawel, sich mit 20 Jahren bekehrte, war es mit seiner begonnenen Karriere schnell vorbei. Seinen 21. Geburtstag feierte er bereits im Gefängnis um Christi willen. Und es begann sich abzuzeichnen, dass dies kein kurzer Gefängnisaufenthalt werden würde. Da suchte Chrapow den Herrn noch einmal ganz neu und gab Ihm alles hin. Er betete:

«Herr, [...] du selbst hast gesagt, dass einer, der sein Leben um deinetwillen verliert, es findet, ja hundertfältig mehr bekommt. Jetzt entschliesse ich mich, dir das Wertvollste meines Lebens hinzugeben: mein Jungsein, die erste Liebe zu einem Mädchen, den Hunger nach Wissen und Lernen. Ich liefere mich dir aus, nicht, um ein Vielfaches zurückzuerhalten, sondern weil ich dich vor allem und über alles liebe. Herr hilf mir, dass ich mich nicht täusche. Ich vertraue mich ganz dir an; ich will dir in allem treu und gehorsam sein, aber ich möchte glücklich sein, möchte weiter lernen und verstehen können. Meine Liebe zu Katja opfere ich um deinetwillen, aber ich möchte dafür etwas Besseres. Lass mich doch dieses Glück erfahren, das Glück des verlorenen Lebens um deinetwillen und deines Evangeliums willen.»[43]

Er fand später auch noch eine liebe, gläubige Frau. Dieses Gebet war für ihn kein Mönchsgelübde, keine Selbstkasteiung oder etwas Ähnliches. Wir dürfen dankbar sein für alles Gute, das uns Gott gibt, und müssen dabei kein schlechtes Gewissen haben. Aber die Frage ist, um was es uns wirklich geht. Chrapow suchte am Anfang seines insgesamt fast drei Jahrzehnte dauernden Lageraufenthalts den Herrn und nicht sein eigenes Lebensglück. Und so erlebte er immer wieder, trotz aller Anfechtungen, Schwachheit und manchmal auch Verzweiflung, dass Gott «die belohnen wird, die ihn suchen», einmal ganz abgesehen von der ewigen Belohnung, die noch auf ihn wartete. Dieses «den Herrn suchen» ist kein Selbstläufer als Nachfolger Jesu oder eine einmalige Sache. Das ist beständig mit einem Ringen verbunden und kann für uns schmerzhaft sein und Tränen kosten. Aber es ist eine direkte Auswirkung des Glaubens, dass Gott ist, dass es um Seine Ehre geht und Er deshalb unser Vertrauen verdient. Und deshalb nochmals die Frage: Suchen wir den Herrn um Seiner selbst willen? Oder suchen wir unser äusseres Lebensglück und der Herr soll unser geistlicher Bodyguard sein, der alles Störende und Unangenehme von uns fernhält und aus dem Weg räumt?

---

43 Nikolai Petrowitsch Chrapow, *Das Glück des verlorenen Lebens – 2 Feuertaufe*, R. Brockhaus Verlag Wuppertal, Verlag Friedensstimme Gummersbach 1982, S. 151–152.

Der König Asa in Juda hatte einen so guten Anfang gemacht, aber dann ging er einen Bund mit Aram, dem Feind Israels, ein. Der Prophet Hanani rief ihn zur Umkehr. Asa hörte nicht darauf, sondern liess den Propheten einkerkern. Schliesslich wurde Asa schwer krank an den Füssen. Und dann lesen wir den traurigen Satz: «und seine Krankheit war sehr schwer; doch suchte er auch in seiner Krankheit nicht den Herrn, sondern die Ärzte» (2Chr 16,12). Es ist nicht verkehrt, bei Krankheit den Arzt zu suchen oder auch um Gottes Eingreifen zu beten. Aber es ist die Frage, was uns das Wichtigste ist. Unser äusseres Lebensglück und Wohlergehen oder Christus selbst? Die Fülle, die in Christus ist, können wir nur dann erfahren, wenn es uns um Ihn geht und wir Ihn suchen.

Larry Crabb bringt dazu ein eindrückliches Beispiel. Einer seiner Freunde lernte seine Frau auf der Bibelschule kennen. Er wollte sie nur heiraten, wenn dies Gottes Wille wäre. Und so betete er intensiv dafür und holte den Rat von anderen Christen ein. Alle rieten ihm zu und so fragte er seine Auserwählte, ob sie ihn heiraten wolle. Sie willigte ein und war bereit, ihr Leben ganz in den Dienst des Herrn zu stellen. Nachdem sie zwei Kinder hatten, offenbarte ihm seine Frau, dass sie schon lange lesbisch sei. Sie liess sich scheiden und zog zu ihrer Freundin. Einige Jahre später nahm sie sich das Leben. Ihre Tochter verlor sich in einem ausschweifenden Leben, der Sohn wurde drogensüchtig. Aber wie war das möglich, da dieser Mann doch so ernst nach dem Willen Gottes gefragt hatte? Crabb schreibt dann weiter:

«Wenn Sie die Theologie von Hiobs Tröstern vertreten, dann werden Sie Ihrem Freund kaum besser helfen können als jene Hiob. Es gibt einen Weg, sagten sie, um Gott dahin zu bringen, dass er dir gibt, was du möchtest ... In unseren

Tagen klingt diese Botschaft so: Du kannst Gott dazu bewegen, dir zu geben, was du willst. Er wird deine Frau zwar nicht wieder zum Leben erwecken, und vielleicht wird er auch deine Kinder nicht zurechtbringen, aber er wird dir helfen, dass du dich selbst wieder gut fühlen kannst.»[44]

Noch einmal stellt sich die Frage, ob es uns um Jesus geht oder ob Er nur ein Mittel ist, um das Leben berechenbarer zu machen und besser in den Griff zu bekommen. Wie oft habe ich mich schon ertappt, dass es mir beim Bibellesen und Beten gar nicht mehr darum ging, Gott zu suchen und Christus zu erkennen oder nach Seinem Willen zu fragen. Jeder von uns kennt das wohl aus seinem Leben, dass wir versuchen, den Herrn unsere Ziele bestätigen zu lassen. Nochmals zurück zu Crabb. Er schreibt weiter:

«Mein Freund muss darum ringen, zu glauben, dass Gott unser Vertrauen wert ist, auch wenn er seine Frau nicht vor dem Selbstmord, die Tochter vor Bulimie und sexueller Ausschweifung und den Sohn vor den Drogen bewahrte. Wenn er diesen Kampf verliert, dann wird er sich mehr über das aufregen, was aus seinem Leben geworden ist, als über seine unheilige Forderung nach einem glücklichen Leben. Gewinnt er jedoch, dann wird er frei davon, aus den Trümmern seines Lebens doch noch ein bisschen Glück retten zu wollen, und dazu befreit, sich Gottes Zielen zu widmen. Und er wird – wenn auch nur im Ansatz – entdecken, was wahre Freude ist.»[44]

---

44 Lawrence J. Crabb, *Glück suchen oder Gott finden? Unterscheidungshilfen in der Welt des Kuschelchristentums*, Brunnen-Verlag Basel 1996, S. 36–37.

Nun lassen sich solche Dinge leicht zitieren, wenn es einem relativ gut geht oder man selbst nicht mit solch schweren Lebensführungen konfrontiert ist. Aber in allem Ringen und allen Kämpfen, allem Unverstehen und inneren Auf und Ab geht es darum, daran festzuhalten, dass Gott ist, und Ihn vor und über allem zu suchen und damit diese tiefe Lebensfülle in Christus zu finden, die Er verheissen hat. Das gibt auch die Kraft, in unserer Zeit den Weg beständig mit dem Herrn zu gehen, die Richtung einzuschlagen, die Er vorgibt, und nicht nur für Ihn, sondern mit Ihm zu leben und uns nicht von äusseren Entwicklungen mitreissen zu lassen. Auch dann, wenn es einsam wird, wenn andere manche Dinge mit frommen und schön klingenden Begründungen für gut erklären, die biblisch gesehen falsch sind.

Wir stehen heute noch im Kampf des Glaubens, nicht in einem frommen Disneyland, auch wenn uns das manchmal vorgegaukelt wird. Es geht darum, Gott zu glauben, dass Er ist, absolut gut und vollkommen, so wie Er sich in Seinem Wort geoffenbart hat. Es geht darum, Ihm wohlzugefallen, indem wir durch den Glauben mit Ihm leben, und unseren Herrn immer wieder neu vor und über allem zu suchen. Schon heute ist Er ein reicher Belohner, weil es kein grösseres Glück geben kann als Ihn zu kennen und Ihm zu gehören. Denn Sein Friede entfaltet inmitten der grössten Stürme und Anfechtungen, inmitten nervlich bedingter Achterbahnfahrten und der damit verbundenen Panikattacken immer wieder neu Seine Kraft.

Und was wird das erst einmal sein, wenn wir vor Ihm stehen, nach allen Kämpfen, nach allen Tränen, trotz aller Schwachheit und allem Versagen, und Er einmal sagen wird: «Geh ein zur Freude deines Herrn» (Mt 25,21.23). Nicht, weil wir so gut waren und es selbst geschafft haben, sondern weil Er und Seine Gnade so gross sind, weil Er in und durch die gewirkt hat, die sich angesichts ihrer eigenen Armut und Schwachheit auf Christus geworfen haben, die sich in allen Anfechtungen und Zweifeln an Seinem Kraftwort in der Bibel festklammerten. Unser oft so wackliges Vertrauen und auch der angefochtene Glaube an Ihn werden in der ewigen Gemeinschaft mit Ihm in einer Art und Weise belohnt werden, die wir heute noch gar nicht fassen können.

«Ohne Glauben aber ist es unmöglich, ihm wohlzugefallen; denn wer zu Gott kommt, muss glauben, dass er ist, und dass er die belohnen wird, welche ihn suchen» (Hebr 11,6).

Sie, deren die Welt nicht wert war

«Und was soll ich noch sagen? Die Zeit würde mir ja fehlen, wenn ich erzählen wollte von Gideon und Barak und Simson und Jephta und David und Samuel und den Propheten, die durch Glauben Königreiche bezwangen, Gerechtigkeit wirkten, Verheissungen erlangten, die Rachen der Löwen verstopften; sie haben die Gewalt des Feuers ausgelöscht, sind der Schärfe des Schwertes entkommen, sie sind aus Schwachheit zu Kraft gekommen, sind stark geworden im Kampf, haben die Heere der Fremden in die Flucht gejagt. Frauen erhielten ihre Toten durch Auferstehung wieder; andere aber liessen sich martern und nahmen die Befreiung nicht an, um eine bessere Auferstehung zu erlangen; und andere erfuhren Spott und Geisselung, dazu Ketten und Gefängnis; sie wurden gesteinigt, zersägt, versucht, sie erlitten den Tod durchs Schwert, sie zogen umher in Schafspelzen und Ziegenfellen, erlitten Mangel, Bedrückung, Misshandlung; sie, deren die Welt nicht wert war, irrten umher in Wüsten und Gebirgen, in Höhlen und Löchern der Erde. Und diese alle, obgleich sie durch den Glauben ein gutes Zeugnis empfingen, haben das Verheissene nicht erlangt, weil Gott für uns etwas Besseres vorgesehen hat, damit sie nicht ohne uns vollendet würden» (Hebr 11,32-40).

Als Junge liebte ich die Bücher von Karl May. So gehörten zu meinen Lieblingsfiguren natürlich Winnetou und Old Shatterhand. Dabei hatte es mir der Apachenhäuptling mit seinem Pferd und seiner Silberbüchse ganz besonders angetan. Von Winnetou, seinen Abenteuern und Heldentaten konnte ich nie genug bekommen. Aber eine Sache störte mich dann doch. Und das war *Winnetou III*. Jeder, der die Winnetou-Geschichte kennt, weiss, wovon ich rede. In diesem Band kommt der heldenhafte Apachenhäuptling ums Leben. Ich kann mich noch gut daran erinnern, wie mir als Junge die Tränen liefen, als ich die entsprechenden Passagen las. Und ich habe mich gefragt, warum Karl May diesen Band neben allen anderen Winnetou-Geschichten schreiben musste. Mir hätte es viel besser gefallen, wenn die Heldengeschichte immer weitergegangen wäre. Ich habe *Winnetou III* zur Seite gelegt.

Nun sind Karl May und Winnetou eines – einige spannende Geschichten, die man kennt oder eben nicht kennt. Aber die Nachfolge Jesu ist etwas anderes. Da geht es um alles oder nichts. Nach Jahrzehnten der Glaubensfreiheit und des Wohlstandes in Westeuropa stehen wir in der Gefahr, uns falsche Vorstellungen zu machen. So wie ich als Junge damals – der Glaube als eine immer fortlaufende «Heldengeschichte».

Gerne lesen wir von den Glaubensvorbildern in Hebräer 11. Allerdings sollten wir nicht den Fehler machen, die Glaubenssiege, die sie errangen, mit einem unbeschwerten Leben zu verwechseln. Im ersten Teil des oben zitierten Textes sehen wir alttestamentliche Glaubensvorbilder, die grosse Siege davontrugen oder aus lebensbedrohlichen Situationen errettet wurden. Sie bezwangen Königreiche, ob das Gideon, Barak, Jephta, Samuel, David oder andere waren. Die Richter bewirkten Gerechtigkeit.

Daniel und Simson erlebten, wie ihnen Löwen nichts anhaben konnten. Die drei Freunde Daniels wurden aus dem feurigen Ofen errettet. David entkam mehrmals der Schärfe des Schwertes auf seiner über zehn Jahre dauernden Flucht vor Saul. In ihrer Ausgewogenheit berichtet die Bibel im Hebräerbrief, dass andere aus dem Glauben und um des Glaubens willen den Kürzeren zogen und keine äussere Errettung, keinen irdisch gesehen guten Ausgang ihres Lebens erfuhren. Gott verherrlicht sich durch Herausführen aus der Bedrängnis, aber auch durch Zerbrechenlassen des irdenen Gefässes in der Bedrängnis.

Ein doppelter Ausgang

Das grosse Thema von Hebräer 11 ist der Glaube an den lebendigen Gott:

«Es ist aber der Glaube eine feste Zuversicht auf das, was man hofft, eine Überzeugung von Tatsachen, die man nicht sieht. Durch diesen haben die Alten ein gutes Zeugnis erhalten. Durch Glauben verstehen wir, dass die Welten durch Gottes Wort bereitet worden sind, sodass die Dinge, die man sieht, nicht aus Sichtbarem entstanden sind. ... Ohne Glauben aber ist es unmöglich, ihm wohlzugefallen; denn wer zu Gott kommt, muss glauben, dass er ist, und dass er die belohnen wird, welche ihn suchen» (Hebr 11,1-3.6).

Diese Verse beschreiben das Wesen des biblischen Glaubens. Er ist nicht ein Mittel zum Zweck, nicht etwas, mit dem wir das Leben oder unser eigenes Wohlergehen in den Griff bekommen könnten, nein, der Glaube hält sich an Gott, ganz gleich, wie und wo Er führt. Und es ist sein Wesen, dass er Gott sucht (V. 6).

Diese grundlegende Haltung war den in Hebräer 11 genannten Personen eigen. Diese Glaubensvorbilder suchten den Herrn und nicht ihren Vorteil. Ihr Vertrauen und ihr Glaube zeigten sich im Gehorsam gegenüber dem Herrn. Von Mose lesen wir, dass er sich bei seiner Flucht in die Wüste an den Unsichtbaren hielt, «als sähe er ihn» (V. 27). Allen diesen Personen ging es um den Herrn selbst, weil Er Gott ist, weil Er es um Seiner selbst willen wert ist, dass Er unser Vertrauen verdient, auch dann, wenn der Glaube an Ihn mit Nachteilen und Leid verbunden ist. Und so erlebte der eine Teil von Zeugen, wie der Herr machtvoll eingriff und ihnen unerwartete Siege und Befreiung schenkte. Aber vertrauen wir dem Herrn auch dann, wenn, äusserlich gesehen, alles anders kommt, die Schwierigkeiten und Nöte sich nicht so auflösen, wie wir das gerne hätten und der Weg für uns steinig und beschwerlich wird?

Wir sehen nicht erst am Ende von Kapitel 11 einen doppelten Ausgang. Menschlich gesehen hat schon der erste Glaubenszeuge den Kürzeren gezogen (V. 4). Abel brachte durch den Glauben ein besseres Opfer dar als Kain. Aber das war nicht der Auftakt zu einem unbeschwerten und beschwingten Leben. Stattdessen kostete es ihn das Leben.

Von allen alttestamentlichen Glaubensvorbildern in Hebräer 11 wird uns derselbe Glaube berichtet. Und trotzdem hatte für die einen der Glaube die Errettung aus verschiedenen Nöten zur Folge und für die anderen zeigte sich der Glaube darin, dass sie Leid und Schmerz, Verfolgung und Verachtung nicht auswichen, sondern auf sich nahmen. Nun haben wir Jahrzehnte des Wohlstandes und der Glaubensfreiheit hinter uns. Aber die Anzeichen mehren sich, dass wir diesbezüglich in Westeuropa vor einer Zeitenwende stehen. Ein Echtheitstest für unseren

Glauben wird es sein, ob wir den Herrn auch dann suchen und Ihm vertrauen, wenn unser gesellschaftliches Ansehen verloren geht, wenn wir als gefährliche Aussenseiter und religiöse Fanatiker abgestempelt werden, die mit dem Absolutheitsanspruch des Herrn Jesus das multireligiöse Toleranzkonzert stören oder durch klare biblische Aussagen das Risiko einer Strafverfolgung auf sich nehmen.

Es wird immer gefährlicher, von Licht und Finsternis, gut und böse, verdammt oder gerettet zu sprechen, die biblisch ethischen Massstäbe zu nennen, so wie sie in Gottes Wort verankert sind. Noch etwas ist wichtig in diesem Zusammenhang. Nicht der Glaube als solches ist das Kernstück. Also anders als es der charismatische Irrlehrer Kenneth Hagin in einem Buchtitel formulierte: «Having faith in your faith» – «Vertrauen in deinen Glauben haben». Der lebendige Gott, unser Herr Jesus, ist das Entscheidende und damit verbunden der Glaube an Ihn. Er ist Der, der uns stärken kann, wenn unser eigener Glaube ins Wanken kommt. Deshalb ist nicht der Glaube als solcher wirksam, wie es beispielsweise das positive Denken lehrt, sondern der Glaube an Gott. Er wird denen, die Ihn suchen, ein Belohner sein. Wie wenig der Glaube in Hebräer 11 mit positivem Denken zu tun hat, sehen wir an den Glaubenszeugen ab Vers 35. Für sie ging es nicht gut aus. Aber sie waren bereit, diesen Weg zu gehen, weil sie sich an den Unsichtbaren hielten und auf das himmlische Vaterland hin ausgerichtet waren.

Ein leidvoller Weg

Viele Glaubenszeugen gingen diesen Weg mit einem menschlich gesehen schlechten Ende, nicht aus Freude am Schmerz oder weil wir durch Leiden etwas zu unserer Erlösung beitragen könnten, sondern weil sie an dem unsichtbaren, aber lebendigen Gott festhielten. Einige waren dabei bereit, ihr Leben zu lassen, weil sie eine bessere Auferstehung erlangen wollten. Das war ihr Ziel. Diese Auferstehung ist der Eingang zu einem höheren, dauerhaften Leben gegenüber dem Leben auf dieser Erde, so schön dieses für uns auch scheinen mag. Die Glaubenden suchen ein anderes Vaterland, das sie auf dieser Erde nicht finden (V. 14). Dazu zitiere ich George H. Morrison:

> «Das ist also ein Ergebnis des Glaubens, dass er manchmal dem Menschen ‹nicht› die Befreiung bringt, sondern stattdessen, wenn die Befreiung winkt, er ihm den grösseren Mut gibt, um sie abzulehnen. Es gibt Zeiten, wo sich der Glaube im Annehmen zeigt, aber auch andere Zeiten, wenn man durch Ablehnung Zeugnis gibt. Es gibt eine Befreiung, die der Glaube ergreift, und es gibt eine Befreiung, die er ablehnt. Sie wurden gefoltert, weil sie die Befreiung nicht annahmen – das war das Zeichen und Siegel ihrer Treue. Es gibt Stunden, in denen der stärkste Beweis des Glaubens die offene Ablehnung der Freiheit ist.»[45]

In Vers 36 geht die Schilderung des leidvollen Weges dieser Glaubensvorbilder weiter. Er war mit Spott, Geisselung, Ketten und Gefängnis verbunden. Sie erduldeten es um des Herrn willen. Hier zerplatzt die Vorstellung von einem Wohlstandsevangelium als einer äusserlich immer fortlaufenden Heldengeschichte. Die verfolgten Christen in Nordkorea oder den

---

45 William MacDonald, *Kommentar zum Neuen Testament*, Band 2, CLV Bielefeld 1994, S. 573.

islamischen Ländern kämen nicht auf die Idee, ein Wohlstands-evangelium zu ersinnen.

Unwillkürlich steht einem bei diesen Versen der Prophet Jeremia vor Augen, der seinen Dienst fast fünfzig Jahre unter schwierigsten Umständen tat. Das Volk lehnte ihn ab, die falschen Propheten standen gegen ihn. Einige Könige hassten seinen Dienst. Er wurde gefangen genommen, geschlagen, ins Gefängnis geworfen, wäre fast im Morast versunken. Und er erlebte keine Erweckung, keine Umkehr des Volkes, äusserlich gesehen keinen Erfolg. Am Ende seines Lebens wurde er vom Rest der Israeliten gegen seinen Willen nach Ägypten mitgenommen. Nach der Überlieferung wurde er dort wohl gesteinigt. Mehrmals zerbrach Jeremia fast an seinem Dienst. Aber er hielt sich an seinem Herrn und sein Herr hielt Seinen Propheten in allen Zweifeln fest.

Vers 37 spricht weiter von denen, die um ihres Herrn willen ihr Leben liessen. Das Gesteinigtwerden könnte sich, wie eben erwähnt, auf Jeremia beziehen. Nach der jüdischen Überlieferung wurde der Prophet Jesaja am Ende seines Lebens zersägt. Dass die leidvollen Wege keine frommen Selbstläufer waren oder durch einige Worship-Songs weggesummt wurden, können wir in der Formulierung erkennen, dass sie «versucht» wurden. Hätten diese Glaubensvorbilder Kompromisse geschlossen, wäre es ihnen äusserlich viel besser ergangen. Sie hätten sich nicht nur eine Menge Ärger, sondern auch Leiden erspart. Aber lieber verzichteten sie auf alle Vorteile, als von ihrem Herrn und den damit verbundenen Überzeugungen loszulassen. Schafspelze und Ziegenfelle, das war die Kleidung der Ärmsten im Gegensatz zu Seide und teuren Stoffen. Sie litten Mangel, Bedrückung, Misshandlung um des Glaubens willen und hatten jedes irdische Zuhause verloren. Wir kennen so etwas heute nur von Obdachlosen, Aussteigern oder irgendwelchen Randgruppen. Aber das durchlebten die Glaubensvorbilder um ihres Herrn willen. Die Empfänger des Hebräerbriefes waren wegen ihres Glaubens schon teilweise zwangsenteignet worden (Hebr 10,34), aber heimatlos waren sie deshalb wohl noch nicht geworden. Und sie waren auch noch keine Gefangenen für das Evangelium. So ermutigte sie der Schreiber, kompromisslos an dem festzuhalten, was ihnen in Christus geschenkt war. Die Glaubensvorbilder wurden durch den leidvollen Weg versucht.

Im Gleichnis vom vierfachen Ackerfeld ist die Rede von dem auf das Felsige Gesäten. Es ging sogleich auf und zwar «mit Freuden» (Mt 13,20). Da war Euphorie und Begeisterung dabei. Als aber die heisse Sonne kam, verdorrte es, weil es keine tiefe Wurzel hatte. Matthäus spricht in diesem Zusammenhang von Bedrängnissen und Verfolgungen. Äusserlich gesehen leben wir jetzt noch in der Zeit der schnell aufwachsenden Saat. Wie wichtig ist es heute, dass wir tiefe Wurzeln in Christus und Seinem Wort bekommen, damit wir einen Halt haben, wenn die Zeit der Versuchung kommt und das Bekenntnis zu Christus und Seinem Wort einen hohen Preis von uns fordern wird.

Ein einmaliges Zeugnis

Der Hebräerbrief beschönigt oder glorifiziert nichts. Doch mitten in dieser äusserlich gesehen dunklen und schweren Seite der Nachfolge leuchtet ein anderer Aspekt auf: «... sie, deren die Welt nicht wert war» (Hebr 11,38). Wenn hier von Welt die Rede ist, geht es um die von Gott losgelöste Menschheit. Die gefallene Menschheit hat ihre eigenen Werte. Der Apostel Johannes spricht von den Begierden des Fleisches, der Lust der Augen und dem Hochmut des Lebens (1Joh 2,16). Diese Welt legt Wert auf Dinge, die in den Augen Gottes unwichtig oder sogar verkehrt sind. Menschen werden verehrt und hofiert, obwohl ihr Leben aus biblischer Sicht ein einziges Trauerspiel ist. Der Text dagegen spricht von Personen, die nach dem Massstab der Welt zum Abschaum der Gesellschaft gehörten, die ausgestossen waren, abgelehnt, gehasst, verfolgt, über die man sich geärgert hat, die das alles aber auf sich nahmen, weil sie mit dem Unsichtbaren rechneten, als sähen sie Ihn. Und diese Welt, die Menschheit mit ihren ganzen Heldengeschichten, mit allem, was sie zu bieten hat, war ihrer nicht wert. Was für ein Zeugnis!

Gehen wir in die Gegenwart. Es gibt viele bekennende Christen, deren Namen niemand im Westen kennt und die in islamischen Ländern oder in den Straflagern von Nordkorea jämmerlich zugrunde gehen. Jesusleute, die bei allen Verhandlungen über wirtschaftliche und politische Interessen keinerlei Bedeutung haben, die wegen ihres «sturen Glaubens» sogar noch selbst für ihre Not verantwortlich gemacht werden. Und dann kommt der Augenblick, wenn der wiederkommende Herr alle Verhältnisse auf dieser Erde drehen und ins richtige Licht rücken wird. An diesem Tag wird es überhaupt keine Rolle mehr spielen, wie viele Weltmeistertitel, Oscars, Bambis, Auszeichnungen oder sonst etwas jemand bekommen hat. Die ganze Menschheit wird erkennen müssen, zu wem sich der lebendige Gott bekennt und was in Seinen Augen zählt. «Und siehe, ich komme bald und mein Lohn mit mir, um einem jeden so zu vergelten, wie sein Werk sein wird» (Offb 22,12).

Sie, deren die Welt nicht wert war, werden Lohn empfangen. Das ist etwas anderes als Werkgerechtigkeit. Gerettet werden wir allein aus Gnade und durch den Glauben an Christus. Es ist die Gnade unseres Herrn, dass Er einmal die Treue zu Ihm belohnen wird, obwohl Er es ist, der allein uns treu machen und halten kann. In unserer Wohlstandsgesellschaft ist es wichtig, dass wir uns vor Augen halten, wer diejenigen sind, deren die Welt nicht wert war: Glaubenszeugen, die alles um ihres Herrn willen verloren und aufgegeben haben. Diese haben Schmach, Mangel, Heimatlosigkeit, Verachtung, Folter und sogar den Tod auf sich genommen. Denn unser Herr ist es wert und es kann nichts Grösseres geben als Ihm zu gehören, Ihn zu kennen und Ihm zu dienen.

Ludwig Albrecht übersetzt: «Die ganze Welt konnte ihnen keine würdige Wohnstatt bieten ...»[46] Überlegen wir uns einmal was für Wohnstätten und Hotels es für die Menschen gibt, die bejubelt und verehrt werden, ob dies Luxussuiten in Dubai oder Multimillionärsvillen in Beverly Hills sind. Und nun sagt uns die Schrift, dass diese Welt den Glaubensvorbildern, die um ihres Herrn willen auf alles verzichteten, keine würdige Wohnstatt bieten kann. – «Darum schämt sich Gott ihrer nicht, ihr Gott genannt zu werden; denn er hat ihnen eine Stadt bereitet» (Hebr 11,16).

Dass wir aus Gnaden durch das vollkommene Werk unseres Herrn errettet werden und Gottes Kinder heissen, ist schon unfassbar. Der Herr Jesus kennt jeden Einzelnen Seiner Erlösten mit Namen. Er liebt uns und ist um uns besorgt. Und nun lesen wir, dass der allmächtige und herrliche Gott, dessen Name die religiösen Juden bis heute aus Ehrfurcht nicht auszusprechen wagen, sich nicht schämt, ihr Gott genannt zu werden. Der Gott

---

46 *Das Neue Testament – Sechs Bibelübersetzungen in einer Übersicht*, Verlag Mitternachtsruf Pfäffikon ZH 1989, S. 789.

Abels, der Gott Noahs, der Gott Abrahams. Und dies, obwohl Er um all das Versagen und die Schwächen der Glaubensvorbilder wusste. Aber Er schämt sich ihrer nicht, weil sie sich an Ihn geklammert und im Vertrauen auf Ihn gehandelt haben, weil sie um etwas Besseres wussten und ihr Leben danach ausrichteten, nicht auf das Irdische und Vergängliche.

Eine leidende und auch ohnmächtig sterbende Christenheit ist nichts, was in das Bild einer nach Hochmut und Anerkennung strebenden Gesellschaft und Menschheit passt. Aber in den Augen Gottes sind es genau die Menschen, deren die Welt nicht wert ist, von denen wir lesen: «Kostbar ist in den Augen des Herrn der Tod seiner Getreuen» (Ps 116,15).

Halten wir uns vor Augen: Das ist nicht irgendein Wunsch oder ein Traum. Das ist eine Realität, schon jetzt, auch wenn es für die Welt noch nicht sichtbar ist. Das soll uns eine Hilfe sein, wenn es darum geht, für Christus und Sein Wort zu leiden, verachtet, ausgestossen, an den Rand gedrängt und sogar verfolgt zu werden. *«Sie, deren die Welt nicht wert war.»*

Ein besseres Ziel

Der Hebräerbrief spricht von dem Vaterland, das die Glaubensvorbilder des Alten Testaments gesucht haben, und von der himmlischen Stadt, die Gott ihnen bereitet hat. Obwohl auch ihr Glaube auf den kommenden Erlöser ausgerichtet war, hatten sie noch nicht das Evangelium in seiner ganzen Fülle und das einzigartige Werk unseres Herrn gekannt. Im Alten Testament werden vor dem Thron Gottes noch keine Menschen gesehen. Der Zugang dorthin wurde erst durch den Herrn Jesus geöffnet. Und trotzdem wussten die Glaubenden um ein besseres Ziel als ein möglichst angenehmes Leben auf dieser Erde. Ja, wir dürfen darum beten, dass der Herr uns auch Leid und Not abnimmt, wo es Sein Wille ist, ob dies gesundheitliche oder andere Probleme sind. Auch wenn wir um Seines Namens willen Schmach und Unrecht erleiden, dürfen wir das Ihm klagen. Aber bei allem müssen wir sehen, dass das Ziel unseres Glaubens nicht ein möglichst schönes und angenehmes Leben auf dieser Erde ist, sondern dass wir ein besseres Ziel haben, die himmlische Stadt, die Gott erbaut hat, wo Er selber sichtbar gegenwärtig sein wird.

Denken wir noch einmal an Jeremia, der mehrmals innerlich einbrach, an seinem Glauben sogar zu zerbrechen drohte, aber von seinem Herrn durch alles hindurch festgehalten wurde. Als Menschen, die zu Jesus gehören, wissen wir, dass das Beste nie hinter uns, sondern noch vor uns liegt! Manchmal erinnern wir uns nicht nur dankbar, sondern auch etwas wehmütig an vergangene Zeiten. An unsere unbeschwerte Jugend, an die früheren körperlichen Kräfte oder makellose Gesundheit und unbeschwerte Lebensabschnitte. Doch das Schönste liegt nie hinter uns, sondern immer vor uns, wenn wir zu Christus gehören. Das sollte uns auch Mut geben, wenn die äusseren Umstände sich verändern und das Zeugnis für Christus einen Preis kostet. All das ist nur ein Durchgang, der für uns sehr lang und beschwerlich scheinen kann, der uns viel abfordert, aber zu dem eigentlichen Ziel führt: in die sichtbare Gegenwart mit dem Herrn und die Gemeinschaft mit Ihm.

In den Versen 38 und 39 von Hebräer 11 lesen wir, dass diese Glaubensvorbilder das Verheissene nicht erlangt haben, weil Gott für uns etwas Besseres vorgesehen hat, damit sie nicht ohne uns vollendet würden. Gemeint ist das vollkommene Werk Christi. Ihr Glaube war auf Christus hin ausgerichtet, aber sie erlebten nicht mehr, wie durch den Herrn Jesus ein besserer

Bund, ein besseres Amt, ein besseres Erbe, eine bessere Hoffnung, ein besseres Opfer, eine bessere Heimat, ein besserer Hohepriester und eine bessere Auferstehung gekommen sind. Auch der Blick auf die Neuschöpfung, die ewige Heimat in der sichtbaren Gemeinschaft mit dem Herrn, war ihnen noch nicht gegeben. Aber sie sollten nicht ohne uns vollendet werden. – Wer von uns wagt es, sich in eine Reihe mit diesen Glaubensvorbildern zu stellen, mit Abel, Abraham, Mose, David, Jeremia und allen anderen? Wohl keiner. Trotzdem sollen sie nicht ohne uns vollendet werden. Warum? Weil wir genauso grosse oder noch grössere Glaubensvorbilder sind? Bestimmt nicht, sondern weil das Werk unseres Herrn so gross ist, die Gnade, die Hoffnung, das neue Leben, die Vollendung und das ewige Leben, das uns in Christus geschenkt ist. Deshalb lohnt es sich, im Vertrauen an unserem wunderbaren Herrn festzuhalten, auch dann, wenn es einen Preis kostet und mit schmerzlichen Nachteilen verbunden ist.

Sind Christen immer fröhlich und obenauf?

«Noch eine kurze Zeit, und ihr werdet mich nicht sehen, und wiederum eine kurze Zeit, und ihr werdet mich sehen; denn ich gehe zum Vater. Da sprachen etliche seiner Jünger zueinander: Was bedeutet das, dass er sagt: Noch eine kurze Zeit, und ihr werdet mich nicht sehen, und wiederum eine kurze Zeit, und ihr werdet mich sehen, und: Ich gehe zum Vater? Deshalb sagten sie: Was bedeutet das, dass er sagt: Noch eine kurze Zeit? Wir wissen nicht, was er redet! Da erkannte Jesus, dass sie ihn fragen wollten, und sprach zu ihnen: Ihr befragt einander darüber, dass ich gesagt habe: Noch eine kurze Zeit, und ihr werdet mich nicht sehen, und wiederum eine kurze Zeit, und ihr werdet mich sehen? Wahrlich, wahrlich, ich sage euch: Ihr werdet weinen und wehklagen, aber die Welt wird sich freuen; und ihr werdet trauern, doch eure Traurigkeit soll in Freude verwandelt werden. Wenn eine Frau gebiert, so hat sie Traurigkeit, weil ihre Stunde gekommen ist; wenn sie aber das Kind geboren hat, denkt sie nicht mehr an die Angst, um der Freude willen, dass ein Mensch in die Welt geboren ist. So habt auch ihr nun Traurigkeit; ich werde euch aber wiedersehen, und dann wird euer Herz sich freuen, und niemand soll eure Freude von euch nehmen. Und an jenem Tag werdet ihr mich nichts fragen. Wahrlich, wahrlich, ich sage euch: Was auch immer ihr den Vater bitten werdet

in meinem Namen, er wird es euch geben! Bis jetzt habt ihr nichts in meinem Namen gebeten; bittet, so werdet ihr empfangen, damit eure Freude völlig wird! Dies habe ich euch in Gleichnissen gesagt; es kommt aber die Stunde, da ich nicht mehr in Gleichnissen zu euch reden, sondern euch offen vom Vater Kunde geben werde. An jenem Tag werdet ihr in meinem Namen bitten, und ich sage euch nicht, dass ich den Vater für euch bitten will; denn er selbst, der Vater, hat euch lieb, weil ihr mich liebt und glaubt, dass ich von Gott ausgegangen bin. Ich bin vom Vater ausgegangen und in die Welt gekommen; wiederum verlasse ich die Welt und gehe zum Vater. Da sagen seine Jünger zu ihm: Siehe, jetzt redest du offen und gebrauchst kein Gleichnis! Jetzt wissen wir, dass du alles weisst und es nicht nötig hast, dass dich jemand fragt; darum glauben wir, dass du von Gott ausgegangen bist! Jesus antwortete ihnen: Jetzt glaubt ihr? Siehe, es kommt die Stunde, und sie ist jetzt schon da, wo ihr euch zerstreuen werdet, jeder in das Seine, und mich allein lasst; aber ich bin nicht allein, denn der Vater ist bei mir. Dies habe ich zu euch geredet, damit ihr in mir Frieden habt. In der Welt habt ihr Bedrängnis; aber seid getrost, ich habe die Welt überwunden!»
(Joh 16,16-33).

Wir leben ja in einer Spassgesellschaft, die von der Illusion eines ständig unbeschwerten Lebens mit unbegrenztem Spassfaktor bestimmt ist. Das fängt schon in der Schule an. Lernen soll nicht mehr mit «Büffeln», Anstrengung und Stöhnen verbunden sein, sondern einfach Spass machen. Und so betont man auch in Teilen der Pädagogik den Spassfaktor. Ich formuliere es etwas zugespitzt: «Egal, was am Ende dabei herauskommt, Hauptsache, es hat Spass gemacht.» Alles soll nur noch Spass machen. Selbst die Arbeit ist für viele nur noch ein Mittel zum Zweck, damit sie am Wochenende Spass haben können. Ob eine solche Haltung hilft, mit der tatsächlichen Lebensrealität zurechtzukommen und sie zu bewältigen, ist eine andere Frage.

Nun ist das Motto «Spassgesellschaft» das eine. Ein Leben in der Nachfolge Jesu das andere. Im Gegensatz zu der oberflächlichen Spassgesellschaft spricht die Bibel an vielen Stellen von einer echten Freude. Sehr bekannt ist Nehemia 8,10, wonach die Freude am Herrn unsere Stärke ist. In Psalm 100,2 lesen wir die Aufforderung, dem Herrn mit Freuden zu dienen. Und Paulus schreibt in Philipper 4,4, dass wir uns allezeit in dem Herrn freuen sollen – eine Freude, die nicht in äusseren Umständen und Stimmungen begründet ist, wenn wir auch dankbar sind für alles Gute, das uns der Herr gibt. Die Freude ist vielmehr in Jesus verankert und in dem, was uns in Ihm geschenkt ist. Das steht im Gegensatz zur oberflächlichen Freude einer Spassgesellschaft, die am Ende Leere zurücklässt und oft den bitteren Nachgeschmack der Sünde nach sich zieht. Dem Herrn mit Freuden zu dienen, weil Er es wert ist, ist nicht nur gut für unsere eigene geistliche Psychohygiene. Zugleich ist damit auch immer ein Zeugnis nach aussen verbunden. Deshalb ist die Freude am Herrn auch unsere Stärke. Wenn uns der Herr mit einem fröhlichen Gemüt ausgestattet hat, können wir von Herzen dankbar sein. So heisst es in den Sprüchen:

«Ein fröhliches Herz macht das Angesicht heiter, aber durch ein betrübtes Herz wird der Geist niedergeschlagen. ... Ein

Unglücklicher hat lauter böse Tage, aber ein fröhliches Herz hat immer ein Festmahl» (Spr 15,13.15).

Aus der Freude am Herrn wird aber auch fälschlicherweise ein Christsein abgeleitet, das immer nur fröhlich und obenauf ist, das durch schwere Umstände nicht mehr erschüttert werden kann, nach dem Motto: «Nur wenn du immer selig lächelnd durch diese Welt schwebst, bist du ein Zeugnis für den Herrn.» Manche laufen den ganzen Tag mit einem künstlichen Lächeln herum, sodass man den Eindruck hat, dass sie sich abends stundenlang davon entspannen müssen, wie Peter Hahne einmal sagte.

Vor Jahren sagte mir jemand, dass er nach seiner Bekehrung dachte, einen Christen müsste man daran erkennen, dass er bei einem guten Witz besonders laut lacht. Der Betreffende merkte dann selbst, dass mit der Freude am Herrn etwas anderes gemeint ist. Aber sind echte Christen immer gut drauf? Stimmt ein ständiges Lächeln und Wohlbefinden mit dem überein, was in der Bibel über Anfechtung, Bedrängnis und schmerzhafte Lebensführungen, auch in der Nachfolge, steht?

Der Philosoph und Spötter Friedrich Nietzsche kannte das Christentum nicht nur vom Hörensagen. In seinem unmittelbaren Umfeld waren echte Christuszeugen. Und so schrieb er einmal abfällig: «Bessere Lieder müssten sie mir singen, dass ich an ihren Erlöser glauben lerne: Erlöster müssten mir seine Jünger aussehen!» Es gibt viele Christen, die meinen, sie müssten deshalb ganz anders sein und Nietzsches Aussagen mit einer aufgesetzten Fröhlichkeit widerlegen. Aber Jesus spricht auch von Angst und Bedrängnis und nicht etwa vom ständigen Lächeln und «Obenaufsein» in der Nachfolge.

Das Trugbild der Nachfolge

Die kurze Zeit für die Jünger, in der sie Jesus nicht mehr sehen werden, und die damit verbundene Trauer beziehen sich sowohl auf die Zeit zwischen der Kreuzigung und Auferstehung als auch auf Pfingsten. In dem Abschnitt vor dem oben zitierten Bibeltext sagt der Herr die Sendung des Heiligen Geistes, der Ihn verherrlicht, voraus. Er macht den Jüngern Jesus gross. So bezieht sich die Freude nach der Trauer der Jünger auch auf die Auferstehung und die Sendung des Heiligen Geistes. Zugleich wird darin ein Prinzip deutlich, das heute einerseits für unsere Nachfolge gilt und andererseits für diese Welt. In der Nachfolge Jesu geht es durch Bedrängnis und schwere Wegführungen Gottes, durch Ablehnung, bis hin zur Verfolgung. Aber dann kommt am Ende die vollkommene ewige Freude. Die Menschheit ohne Christus, auch Welt genannt, meint dagegen, heute zu triumphieren, obenauf zu sein, Freude an dem zu haben, was Gott verunehrt. Aber am Ende wartet eine ewige Traurigkeit.

Die Jünger begannen wohl zu erkennen, dass einiges ganz anders kommen würde, als sie es sich vorgestellt hatten. Ihre Erwartung war auf die Aufrichtung des sichtbaren Reiches Gottes gerichtet: ein triumphierender Messias, der mit aller Not und allem Leid ihrer Zeit ein Ende machen würde, der Israel von der römischen Fremdherrschaft und dem damit verbundenen Druck befreien sollte. Der dann die Verheissungen erfüllte, dass alles nur noch göttliche Glückseligkeit war. Angefangen bei der blühenden Wüste und den fruchtbaren Ernten, die die Propheten für das sichtbare Reich Gottes angekündigt hatten, über das Ende von Krankheit, Schwachheit und allem menschlichen Elend, in dem sich Israel befand, bis hin zur geistlichen Erneuerung des Volkes, ohne Sünde, ohne Gottlosigkeit.

Obwohl die Jünger durch die Abschiedsreden unseres Herrn merkten, dass einiges ganz anders kommen würde, klebten sie immer noch an ihrem Trugbild der Nachfolge. Freude und äussere Glückseligkeit war ja in den Propheten angekündigt worden. Aber eben noch nicht für die Zeit, die vor ihnen lag. Hauptsächlich geht es in unserem Text um die Zeit zwischen Kreuzigung, Auferstehung und Pfingsten. Aber am Ende spricht der Herr deutlich von dem Druck und der Trübsal, die Seine Jünger in dieser Welt haben werden. Damit wird ein Grundsatz der Nachfolge Jesu aufgezeigt, bis hin zur Wiederkunft Jesu.

Auch wir stehen in der Gefahr, dass wir Verheissungen, welche die Bibel für das Tausendjährige Reich (nach der sichtbaren Wiederkunft Jesu) und für die Vollendung und Neuschöpfung gegeben hat, auf heute beziehen wollen. Die Bibel spricht von der Zeit, in der Gott alle Tränen abwischen wird, in der es kein Leid, keinen Schmerz, keine Krankheit und auch keine Vergänglichkeit mehr gibt. Das erfüllt sich für die Jesusleute aber erst in der Neuschöpfung und der damit verbundenen Vollendung. Auch keine Sünde und Anfechtung werden dort mehr sein (Offb 21–22).

«Moment mal», mag jemand einwerfen: «Nach Jesaja 53,4-5 starb Jesus doch nicht nur für unsere Sünden, sondern auch für unsere Krankheiten und Schmerzen. Und wenn wir an die Vergebung glauben, dann müssen wir auch an eine völlige Heilung heute glauben.» Damit noch nicht genug, dann kommt der Umkehrschluss: «Ja, wenn du krank bist, dann glaubst du nicht richtig oder genug.» Und während die einen solche Thesen selbstsicher und lächelnd verkündigen, werden andere in die Verzweiflung gestürzt, weil sie trotz Gebet und Glauben keine Heilung und keine Besserung erfahren. Es stimmt, am Kreuz trug unser Herr unsere Krankheiten und Schwachheiten. Wenn es Sein Wille ist, kann Er auch heute Heilung oder Besserung in Nöten schenken. Aber auch als errettete Kinder Gottes leben wir in einer gefallenen Welt. Und so haben wir noch einen sterblichen Leib, wie Paulus in Römer 8,11 schreibt. Wenig später, in Vers 23, spricht der Apostel von dem Warten auf die Erlösung unseres Leibes. Der neue Herrlichkeitsleib, den der Herr für die Seinen bereithält, ist Folge des Kreuzes und der Auferstehung Jesu. Und dieser Leib wird nicht mehr anfällig für Krankheit, Schmerz und die Vergänglichkeit sein. Aber er wartet erst in der Vollendung auf uns. Diese Dinge müssen wir unterscheiden, damit wir nicht in die Schwärmerei abgleiten.

Genauso ist es ein Trugbild der Nachfolge, wenn man meint, man müsste immer nur fröhlich und obenauf sein. Und wenn dies nicht der Fall ist, dann stimme geistlich etwas nicht mit dir. Tatsächlich sagt Paulus, dass wir uns in dem Herrn allezeit freuen sollen. Und er doppelt sogar nach: «abermals sage ich: Freut euch!» (Phil 4,4). Ausserdem spricht Jesus von einer Freude, die niemand von uns nehmen kann (Joh 16). Aber derselbe Abschnitt spricht auch von Angst und Druck. So war der Apostel Paulus auch keine immer lächelnde, fromme Person mit Teflonmantel, an der alle Schwierigkeiten wie Wasser abperlten. Der Mann, der zu dieser tiefen Freude aufruft und befiehlt, alle Sorgen dem Herrn im Gebet zu bringen, kannte sehr wohl Unruhe, Sorgen und Ängste. In 2. Korinther 6,4 spricht er ja davon, dass Bedrängnisse – derselbe Begriff wie in Johannes 16,33 –, Nöte und Ängste zu seinem Dienst gehören. Paulus kannte auch innere, geistliche und körperliche Unruhe (vgl. 2Kor 2,13; 7,5).

Unser Herr hat uns echte Freude verheissen, aber nicht ein knitterfreies und beschwingtes Leben.

Die Realität in der Nachfolge

Zwar sagt unser Herr Trübsal und Bedrängnis in der Welt als feste Bestandteile der Nachfolge voraus (Joh 16,33), das heisst aber nicht, dass ein Nachfolger Jesu ständig in Bedrängnis ist. Hier kann es Unterschiede geben, sowohl von der Häufigkeit als auch von der Intensität der Bedrängnisse her. Und wenn der Herr uns eine Zeit ohne Bedrängnisse schenkt, dürfen wir dies dankbar aus Seiner Hand nehmen. Eine Zeit ohne jegliche Druck- und Leidensphasen ist uns erst für die Herrlichkeit versprochen.

Das griechische Verb, das von dem Wort Trübsal oder Bedrängnis abgeleitet wird (*thlibo*), kann mit drücken, drängen oder quetschen übersetzt werden. Da merken wir schon einen Unterschied zu der Vorstellung, dass ein Christ immer nur obenauf ist und einfach alles ohne mit der Wimper zu zucken wegsteckt. Um ganz praktisch zu sein: Wer sich den Finger in einer Tür einquetscht, begleitet dies in der Regel nicht mit einem seligen Lächeln. Wie schon erwähnt, geht es heute um ständiges Wohlbefinden. Zumindest wird uns das vorgegaukelt: Ein Leben ohne Sorgen, ohne Schwierigkeiten, ohne Tiefschläge. Und nun sagt unser Herr, dass wir in dieser Welt Trübsal haben, gedrückt und gequetscht werden. Wie Petrus schreibt:

«Geliebte, lasst euch durch die unter euch entstandene Feuerprobe nicht befremden, als widerführe euch etwas Fremdartiges; sondern in dem Mass, wie ihr Anteil habt an den Leiden des Christus, freut euch, damit ihr euch auch bei der Offenbarung seiner Herrlichkeit jubelnd freuen könnt» (1Petr 4,12-13).

Wenn wir meinen, dass echter Glaube den Himmel auf Erden schon heute bedeutet, Nöte und Schwierigkeiten sich immer gleich in Luft auflösen und wir nur aufgestellt und obenauf sind, *dann ist das,* gemessen an dem, was uns die Bibel über Nachfolge sagt, etwas Fremdes und Befremdendes. So schreibt Paulus in Römer 8,18 auch von den Leiden dieser Zeit. Dabei geht es zunächst um Leiden um des Evangeliums willen. Aber der Textzusammenhang und schon der nächste Vers machen deutlich, dass es um alle Leiden geht, die in Verbindung mit einer gefallenen Schöpfung stehen.

In diesem Zusammenhang ist auch die bekannte Stelle aus Offenbarung 21,4 zu erwähnen: «Und Gott wird abwischen alle Tränen von ihren Augen ...» Da geht es auch um die Tränen, die wegen Gottes unverständlicher Wegführungen vergossen wurden. Lebensabschnitte, die uns sogar ins Wanken brachten; gesundheitliche Nöte oder Krankheiten, die trotz Gebet nicht weggenommen wurden; Nöte und Schwierigkeiten in der Familie, die sich nicht einfach wegbeten liessen, der Verlust von lieben Menschen, den wir nicht verstehen konnten; unsere Pläne und Ziele, die wir gewissenhaft unter Gebet gefasst haben und die völlig durchkreuzt wurden, unser Versagen und unsere sündigen Charaktereigenschaften, die uns immer wieder zusetzten; Ängste und Sorgen, die sich wie eine Bleidecke auf uns legten; kurz: sämtliche Tränentäler, die es zu durchqueren galt (vgl. Ps 84).

Indem Friedrich Nietzsche spöttisch meinte, dass die Lieder besser klingen und die Jünger erlöster aussehen sollten, machte er deutlich, dass er wohl nie verstanden hat, was Erlösung bedeutet, was die Bibel über Nachfolge sagt und um welches Ziel es am Ende geht.

Der Friede in der Nachfolge

Was der Herr über die Bedrängnis sagt, soll dazu dienen, damit wir in Ihm Frieden haben (Joh 16,33). Es geht also nicht um das Entweder-oder: Bedrängnis, Trübsal, Druck gegenüber Frieden, bildlich gesprochen: gequetscht zu werden oder ohne Schrammen davonzukommen. Vielmehr geht es um den Frieden trotz Trübsal und Bedrängnis, Frieden mitten in schmerzhaften Umständen. In Johannes 14,27 hat Jesus von diesem Frieden gesprochen. Dort sagt er:

«Frieden hinterlasse ich euch; meinen Frieden gebe ich euch. Nicht wie die Welt gibt, gebe ich euch; euer Herz erschrecke nicht und verzage nicht!»

John MacArthur hat dazu Folgendes geschrieben: «Die biblische Vorstellung von Frieden konzentriert sich nicht auf die Abwesenheit von Problemen. Biblischer Friede ist unabhängig von den Umständen – er ist Lebensqualität, die von äusseren Dingen unberührt bleibt.»[47]

Wir haben in Christus den Frieden. Dieser Friede ist also untrennbar mit unserem Herrn verbunden. Es geht zum einen um das Erlösungswerk unseres Herrn. Er hat durch Sein Kreuz Frieden mit Gott gemacht, den Kriegszustand, der durch die Sünde da war, beendet. Zu diesem Frieden gehören die Gewissheit der Sündenvergebung, das ewige Leben und das himmlische Erbe. Dieser Friede, den der Herr geschaffen hat, kann durch nichts und niemand zerstört werden, so sehr wir auch unter Druck kommen. Davon spricht Paulus in Römer 8: «Nichts

---

47 John MacArthur, *Die Welt überwinden*, Betanien Verlag 2003, S. 92.

kann uns scheiden von der Liebe Gottes, die in Christus Jesus ist, unserem Herrn» (V. 39). Die Welt mit ihren Bedrängnissen ist ja nicht das Letzte. Sie ist nur ein Durchgang, hin zum eigentlichen Ziel. Wenn ich zu Jesus gehöre und durch Ihn Frieden mit Gott habe, dann können die schmerzhaftesten Umstände, selbst Druck und Bedrängnis, nichts daran ändern. Aber es geht zum anderen auch darum, dass dort der Friede Gottes immer wieder neu seine Kraft entfaltet, obwohl die Umstände gar nicht friedvoll aussehen. Wie viele Psalmen beginnen mit einem Schrei aus der Not, wie oft sieht sich der Beter als elend? Und dann kommt der Psalmist immer wieder zur Ruhe, indem er den Blick auf seinen Herrn lenkt, der über allem steht. Manchmal ist das auch mit einer inneren Achterbahnfahrt verbunden (vgl. Ps 42–43). Aber im Vertrauen auf den Herrn kommt der Beter zur Ruhe. Und dies, obwohl sich die Umstände nicht geändert haben.

Dieser Friede zeigt sich in der Freude am Herrn, so wie es Johann Lindemann gedichtet hat: «In dir ist Freude in allem Leide» (EG 398). Der Friede, den wir in Christus haben, wird durch Trübsal nicht an der Entfaltung seiner Kraft gehindert, sondern erwächst aus ihr. Das merken oft andere Menschen viel mehr, als wir meinen. Auch dann, wenn uns nicht nach einem oberflächlichen Lächeln zumute ist. Damit verbunden ist die Freude am Herrn trotz schwieriger Umstände. Schliesslich sagt uns Jesus noch etwas, was diesen Frieden in Ihm begründet. Das kommt im Anschluss an die Bedrängnisse. Es beginnt mit einem göttlichen Aber: «In der Welt habt ihr Bedrängnis; aber seid getrost ...» (Joh 16,33).

Wir können auch sagen: «Seid guten Mutes» oder «Seid voller Mut» im Sinn von «Fürchte dich nicht». Diesen Zuspruch begründet Jesus so: «Ich habe die Welt überwunden.» Walter Bauer schreibt in seinem Griechisch-Wörterbuch so schön: «Ich habe die

Welt – d. h. die Summe alles Widergöttlichen – überwunden».[48] Zu diesem Widergöttlichen gehören der Druck, der mit der Feindschaft und Ablehnung Jesu und der Bibel verbunden ist. Aber dazu gehören auch alle Folgen des Sündenfalls in einer vergänglichen Welt, ob das Krankheiten, Schwachheiten, familiäre Nöte, Leid oder andere schwere Lebensführungen sind. Diese Dinge können uns schwer zu schaffen machen, drücken und quetschen. Aber Christus hat den Sieg errungen. Unser Herr kann hier schon in vollendeter Gegenwart sprechen, obwohl das Kreuz, die Auferstehung und Seine Erhöhung noch vor Ihm lagen. Damit kommen Seine ganze Macht und Grösse zum Ausdruck.

Paulus hatte ein hohes Mass an Verfolgung und Folter um Jesu willen erlebt. Zusätzlich beschäftigte ihn täglich die Sorge und das Ringen um die Gemeinden. Auch körperliche Schwachheit und Nöte, Anfechtungen und anderes gehörten dazu. In 2. Korinther 4,16 spricht er vom Aufreiben und Zerfall seiner körperlichen Kräfte. Und doch schreibt dieser so leidgeprüfte Mann in Vers 17:

«Denn unsere Bedrängnis, die schnell vorübergehend und leicht ist, verschafft uns eine ewige und über alle Massen gewichtige Herrlichkeit ...»

Was muss das für eine Herrlichkeit sein, wenn einmal im Rückblick alle so erdrückend scheinende Trübsal im Vergleich dazu als etwas schnell Vorübergehendes, Leichtes angesehen wird. Das gibt Friede und Zuversicht inmitten aller Bedrängnisse. Und noch etwas: Der Herr Jesus hat die Welt besiegt. Damit ist sie

---

48 Walter Bauer, *Griechisch-Deutsches Wörterbuch zu den Schriften des neuen Testaments und der übrigen urchristlichen Literatur*, Verlag Alfred Töpelmann, Berlin 1937, S. 893.

Ihm untertänig, wie Philipp Friedrich Hiller in seinem bekannten Lied gedichtet hat: «Jesus Christus herrscht als König» (EG 123). Somit kann uns nichts bedrängen und zustossen, worüber Er nicht die Kontrolle hat. Wenn wir uns das immer wieder bewusst machen, erleben wir Seinen Frieden inmitten des auf uns lastenden Drucks.

Sind Christen immer fröhlich und obenauf? Nein, das sind sie nicht. Wir müssen nicht künstlich den Strahlemann und Siegeshelden spielen. So etwas stösst andere nur ab. Pfarrer Wilhelm Busch ist vielen durch seine anschaulichen Predigten, seine Schlagfertigkeit und seinen guten Humor bekannt. Und so könnte er als unangefochtener Strahlemann eingeschätzt werden. Er musste sich einmal anhören, wie jemand ärgerlich zu ihm sagte: «Sie haben es gut. Sie haben eine robuste Seelenlage ins Leben mitbekommen.» Buschs Antwort: «Nein! Aber einen soliden Heiland.» Busch kannte auch immer wieder dunkle Stunden in seinem Leben. Er hatte vier Töchter und zwei Söhne. Beide Söhne verlor er. Den einen als Kleinkind, der andere verblutete an der Ostfront. Als er mit einem Freund darüber sprach, dass er nicht über den Verlust seiner Söhne hinwegkam, antwortete der ihm: «Wenn man nicht drüber kommt, muss man drunter bleiben.» Das befolgte Wilhelm Busch von da an. Und so konnte er im Hinblick auf sein eigenes Leben schreiben: «Ja, Christen haben einen Trost! Und doch bleibt der Schmerz.» Und ein andermal sagte er: «Der Herr, dem wir dienen, löscht den glimmenden Docht nicht aus. Der Herr, dem wir dienen, tut mit zerbrochenen Stäben Wunder.»[49]

---

[49] Alle Busch-Zitate vgl.: Beate u. Winrich Scheffbuch, *Mit Freuden ernten*, Hänssler-Verlag 1999, S. 51–52.

Eine satanische Theologie

«Es geschah aber eines Tages, dass die Söhne Gottes vor den Herrn traten, und unter ihnen kam auch der Satan. Da sprach der Herr zum Satan: Wo kommst du her? Und der Satan antwortete dem Herrn und sprach: Vom Durchstreifen der Erde und vom Umherwandeln darauf! Da sprach der Herr zum Satan: Hast du meinen Knecht Hiob beachtet? Denn seinesgleichen gibt es nicht auf Erden, einen so untadeligen und rechtschaffenen Mann, der Gott fürchtet und das Böse meidet! Der Satan aber antwortete dem Herrn und sprach: Ist Hiob umsonst gottesfürchtig? Hast du nicht ihn und sein Haus und alles, was er hat, ringsum eingehegt? Das Werk seiner Hände hast du gesegnet, und seine Herden breiten sich im Land aus. Aber strecke doch einmal deine Hand aus und taste alles an, was er hat; lass sehen, ob er dir dann nicht ins Angesicht absagen wird! Da sprach der Herr zum Satan: Siehe, alles, was er hat, soll in deiner Hand sein; nur nach ihm selbst strecke deine Hand nicht aus! Und der Satan ging vom Angesicht des Herrn hinweg» (Hiob 1,6-12; vgl. 2,1-7).

Zwischen dem 23. Juni und dem 10. Juli 2018 hielten die dramatischen Ereignisse rund um die Tham-Luang-Höhle in Thailand die ganze Welt in Atem. Eine zwölfköpfige Jungenfussballmannschaft war zusammen mit ihrem Trainer bei einem Höhlenausflug durch einen Sturzregen und die ansteigenden Wasserfluten von der Aussenwelt abgeschnitten worden. Sie mussten sich vor den steigenden Fluten immer tiefer in das Höhlensystem retten. Erst nach neun Tagen Suche wurden die Jungen und ihr Trainer etwa vier Kilometer vom Höhleneingang entdeckt.

Dann begannen die schwierigen Vorbereitungen für eine mögliche Rettung mit Spezialisten aus aller Welt. Schon für geübte Höhlen- und Tauchspezialisten war die Route gefährlich. Und so begann am 8. Juli diese bis dahin einmalige und spektakuläre Rettungsaktion. Sie war mit enormen Schwierigkeiten und Kraftanstrengungen verbunden. Aber der unbequeme, schwierige und mit Engpässen verbundene Weg war die einzige Möglichkeit zur Rettung. Am 10. Juli waren alle Jungs und ihr Trainer gerettet. Zweifelsohne kann die gefährliche Rettung trotz allem fachlichen Können als ein Wunder bezeichnet werden.

Durch den Glauben an Jesus Christus gibt es schon heute Vergebung unserer Schuld, Frieden mit Gott und die wahre Lebenserfüllung. Aber trotz dieses Reichtums, der uns in Christus geschenkt ist, sind wir noch nicht am Ziel. Die himmlische Herrlichkeit, in der es kein Leid, keinen Schmerz, keine Vergänglichkeit mehr gibt, wartet am Ende. Sie ist das eigentliche Ziel derer, die Christus gehören. Deshalb haben wir heute noch nicht den Himmel auf Erden, sondern sind auf der Durchreise. Und diese Durchreise in die himmlische Herrlichkeit führt durch eine Welt, die von Sünde, Leid, Schwierigkeiten und Vergänglichkeit gekennzeichnet ist.

Jesus Christus hat den Seinen versprochen, dass Er jeden Tag bei ihnen ist, bis an das Ende des Zeitalters. Niemand und nichts kann die Seinen aus Seiner Hand reissen. Er trägt sie, Er schützt sie und Er bewahrt sie. Trotzdem ist dieser Weg für jeden Christen mit Nöten, Schwierigkeiten und Engpässen verbunden, so wie der Weg dieser Jungen aus der Tham-Luang-Höhle. Der Weg unseres Herrn führte über das Kreuz zur Herrlichkeit. Und so geht auch unser Weg über die Kreuzesnachfolge zur ewigen Herrlichkeit.

«Da sprach Jesus zu seinen Jüngern: Wenn jemand mir nachkommen will, so verleugne er sich selbst und nehme sein Kreuz auf sich und folge mir nach! Denn wer sein Leben retten will, der wird es verlieren; wer aber sein Leben verliert um meinetwillen, der wird es finden. Denn was hilft es dem Menschen, wenn er die ganze Welt gewinnt, aber sein Leben verliert? Oder was kann der Mensch als Lösegeld für sein Leben geben?» (Mt 16,24-26).

Zu dieser Kreuzesnachfolge gehören nicht nur die Selbstverleugnung und Christusbejahung als Kernstück. Dieses Kreuz kann, je nach Situation, auch mit schweren persönlichen Lebensführungen, Krankheitsnöten, Leid und Verfolgung um Christi willen verbunden sein.

Jesus hat den Seinen Seine Hilfe zugesagt. Wir dürfen um Sein Eingreifen beten, aber der Glaube ist eben nicht Mittel zum Zweck, mit dem wir alles in den Griff bekommen, alle Schwierigkeiten wegbeten können. Es ist nicht nur eine verfälschte Theologie, die uns das vorgaukelt. Auch unser Wohlstand, der Wellnessboom und die vielen scheinbaren Hilfsmittel wollen uns das vorgaukeln. Der Glaube als Mittel zum Zweck, um möglichst gesund, erfolgreich und reich zu sein, steht nicht nur im Gegensatz zu echter Jüngerschaft. Zugleich ist der Glaube als Mittel für ein knitterfreies Leben satanische Theologie.

Der Blick in die unsichtbare Wirklichkeit

Das Buch Hiob ist eine wahre Geschichte mit historischen Personen (vgl. Hes 14,20; Jak 5,11). Gerade darin ist die Kraft dieses Buches gegeben. Uns wird gezeigt, wie der Herr Seinen Knecht durch unvorhergesehenes Leid und grösste Nöte führt, bis Er am Ende, trotz aller Schwachheit, trotz allem Nichtverstehen Hiobs, trotz aller Tränen, Sein Ziel mit Seinem Knecht erreicht hat. Wir sehen im Buch Hiob eine sichtbare und eine unsichtbare Wirklichkeit vor uns, was uns viel näher ist, als wir meinen.

In Hiob 1 und 2 erhalten wir einen Einblick in den Hintergrund dieser schweren Lebensführung aus der Perspektive der unsichtbaren Welt. Und so lesen wir die kommenden Ereignisse, das Leid, die Anschuldigung der Freunde und die Verzweiflung Hiobs vor diesem Hintergrund. Aber genau diesen Hintergrund in der unsichtbaren Welt, die Absichten Gottes und die Angriffe Satans, kannte Hiob nicht. Das ganze Leid brach wie aus heiterem Himmel über ihn herein. Und es ging immer weiter, bis er selbst schwer krank und verzweifelt war. Auch als für Hiob die Wende kam (Kap 38–42), wusste er noch nichts über die wahren Hintergründe in der unsichtbaren Welt. Das hat ihm der Herr wohl erst am Ende geoffenbart, als er innerlich und später dann auch äusserlich wieder festen Boden unter den Füssen hatte.

Mit anderen Worten: Die Wende in Hiobs Leben kam nicht, als Gott ihm erklärte, warum das alles so ist. Das ist ja der Punkt, an dem wir hängen bleiben und uns zermürben. Sie kam auch nicht, indem sich alle Schwierigkeiten plötzlich in Luft auflösten und weggeblasen wurden. Die Wende in Hiobs Leben kam, als sich ihm Gott in Seiner Grösse ganz neu offenbarte und sich Hiob nur noch vor seinem Herrn beugen konnte. Und dies, obwohl die Warum-Frage für ihn nach wie vor ungelöst war und die Umstände sich noch nicht verbessert hatten. Es ist von grundlegender Bedeutung bei all unseren Schwierigkeiten, diese Abfolge von Schritten im Buch Hiob zu beachten. Sonst werden wir immer an der Warum-Frage kleben bleiben und vergeblich auf eine Erklärung im Sinn von Hiob 1 und 2 warten. Oder wir fixieren uns auf die äussere Veränderung der Umstände und meinen, dass wir damit einhergehend auch wieder geistlich zurechtkommen. Aber es war die Erkenntnis der Grösse Gottes, das anbetende Staunen darüber, was für Hiob die Wende brachte, und nicht eine Erklärung oder äussere Verbesserung, die sich später für den Zurechtgekommenen auch noch einstellte. So ist es nur unser Herr selbst, die Erkenntnis Seiner Grösse und Herrlichkeit, die uns durch alle Lebensstürme hindurchträgt. Und selbst als Hiob völlig verzweifelt war und diese Erkenntnis nicht hatte, war es sein Herr, der ihn in allen und durch alle Anfechtungen hindurch festhielt.

Im Buch Hiob sehen wir, dass es der Satan ist, der durch das ganze Unglück, durch die so schwere Lebensführung, Hiob zusetzt und seinen Glauben zerstören will. Aber die Geschichte beginnt nicht mit Satans Plänen und Handeln, und schliesslich greift noch der Herr ein, sondern genau umgekehrt. Alles geht von Gott aus. Der Herr spricht Satan auf Hiob an, nicht etwa umgekehrt (Kap. 1,8). Dann kam die erste Welle des Leids über Hiob. In Kapitel 1,13-19 lesen wir, wie Hiob sein Vieh und seine Knechte durch Raubüberfälle und Feuer und schliesslich noch seine Kinder durch einen wilden Sturm verlor.

Danach fällt der Blick in Kapitel 2 wieder in die für uns unsichtbare Welt. Trotz all dem Leid, das Hiob schon getroffen hatte, ist es der Herr selbst, der Satan wiederum auf Hiob anspricht (V. 3), und nicht etwa umgekehrt. Danach begann die zweite Welle des Leids, Hiobs unsagbares körperliches und seelisches Leid. Wohlgemerkt war für all das Schlimme und Schwere, das Hiob traf, nicht Gott, sondern der Teufel verantwortlich. Als kleine Randnotiz: Wir sehen in Hiob 1 mit dem Feuer, das vom Himmel fiel, und dem Sturmwind, der das Haus mit Hiobs Kindern darin traf, wie auch die Macht der Finsternis in den Naturvorgängen am Wirken ist. Auf der einen Seite lenkt der lebendige Gott die Naturvorgänge. Auf der anderen Seite sehen wir am Beispiel Hiobs, wie auch der Satan sich der Natur bedient. Wie gesagt – für das Schlimme und Schwere im Buch Hiob ist nicht der lebendige Gott, sondern Satan verantwortlich. Aber über allem steht der Herr selbst. Der allwissende, allmächtige und souveräne Gott, der genau wusste, welche Pläne und Absichten Satan verfolgt, spricht den Teufel auf seinen Knecht Hiob an, nicht umgekehrt. So geht alles im Buch Hiob letztendlich von Gott aus. Seine vollkommenen Gedanken und Seine Pläne mit Hiob können selbst von Satan nicht durchkreuzt und verhindert werden. Das wird vom Ende der Geschichte aus sichtbar. Und selbst die Absichten des Bösen müssen am Ende dazu dienen, dass Gott zu Seinem Ziel kommt. Von diesem Hintergrund aus verstehen wir noch viel besser, was Paulus schreibt:

«Wir wissen aber, dass denen, die Gott lieben, alle Dinge zum Besten dienen, denen, die nach dem Vorsatz berufen sind. Denn die er zuvor ersehen hat, die hat er auch vorherbestimmt, dem Ebenbild seines Sohnes gleichgestaltet zu werden, damit er der Erstgeborene sei unter vielen Brüdern» (Röm 8,28-29).

Die schwärmerische und verkehrte Variante würde lauten: «Wir wissen, dass denen, die Gott lieben, alles Gute und Angenehme zum Besten dient: Wohlergehen, Gesundheit, Erfolg und die Verschonung vor schweren Lebensumständen.» Aber genau das steht nicht da. Und wenn wir das Ende von Römer 8 dazunehmen, dann verstehen wir, was Paulus hier sagt. Dort spricht er von dem, was uns *nicht* von der Liebe Gottes scheiden kann: Tod und Leben, Engel und Gewalten, Gegenwärtiges und Zukünftiges – mit anderen Worten: was auch immer passiert –, Mächte und Hohes und Tiefes oder irgendein anderes Geschöpf.

Alle Dinge im Leben Hiobs, auch diese satanischen Angriffe, mussten Hiob, vom Ende her gesehen, zum Besten dienen.

Ein satanisches Verständnis von Nachfolge

Am Anfang des Buches Hiob sehen wir, wie alles von Gott selbst ausgeht. Vom ersten bis zum letzten Kapitel wacht Er über Hiob, was diesen aber nicht vor unendlichem Leid verschont. Aber noch etwas können wir in diesen beiden ersten Kapiteln erkennen. Hier wird uns ein Stück teuflischer Theologie gezeigt, wir können auch sagen, eines satanischen Verständnisses von Nachfolge. Wohlgemerkt geht es dabei nicht um irgendwelche okkulten Praktiken, sondern um ein Verständnis, das für uns alle sehr plausibel klingt und wir aus unseren eigenen Regungen kennen. Wir sind ja gefallene Menschen, die der Lüge Satans auf den Leim gegangen sind. Ohne die Erleuchtung durch Gottes Geist und Wort ist unser Denken verfinstert. Und so liegt es uns sehr nahe, genauso verkehrt zu denken. Das hat nichts mit okkulten Belastungen und Ähnlichem zu tun. Es geht hier ganz einfach um unser verdorbenes Herz.

Das satanische Verständnis von Nachfolge erkennen wir zum ersten Mal in Hiob 1,9-11. Nach den Worten Satans fürchtet Hiob Gott nur, weil es ihm gut geht, der Herr ihn äusserlich und materiell gesegnet hat, Hiobs Arbeit von Erfolg gekrönt ist und er bisher vor schweren Lebensführungen bewahrt blieb. Anders ausgedrückt: Hiob glaubt an Gott, weil Gott es ihm gutgehen lässt. Man kann es auch noch anders ausdrücken; Benedikt Peters schreibt dazu Folgendes: «Die Frage Satans will auch besagen, dass Hiob Gott nur fürchtet, weil das ihm nützt. Louis Segond übersetzt: ‹Est-ce d'une manière désintéressée que Job craint Dieu? – Fürchtet Hiob Gott etwa ohne Eigennutz?›»[50]

Genau in diese Richtung geht auch das sogenannte Wohlstandsevangelium. «Wenn du nur richtig glaubst, bleibst du äusserlich bewahrt, dann lösen sich Schwierigkeiten in Luft auf, dann wirst du beruflich erfolgreich sein, dann wächst dein Sparkonto im regelmässigen Takt, dann hast du eine gute Arbeitsstelle oder einen guten Betrieb, dann gibt es keine Probleme in deiner Familie» usw. An Gott glauben aus Eigennutz, sodass es uns äusserlich gut geht und wir eine Art Versicherungsschein gegen alles Unangenehme und gegen alle Nöte haben.

Es steht ausser Frage, dass unser Herr auch äusserlich Segen geben kann. Dies ist aber immer auch Gnade und niemals ein Verdienst, den wir uns erarbeiten könnten. Das kommt dann ja später bei Hiobs Freunden zur Sprache. Nach ihrer Meinung ging es Hiob schlecht, weil Sünde in seinem Leben war, und

---

50 Benedikt Peters, *Das Buch Hiob – Warum müssen die Gerechten leiden?*, Christliche Verlagsgesellschaft Dillenburg 2002, S. 48.

wenn er wieder vorbildlich fromm wäre, würden sich auch seine äusseren Umstände verändern.

Im württembergischen Pietismus gab es eine Reihe von Personen, die Firmen gründeten, Handwerksbetriebe hatten und damit erfolgreich waren. Nicht weil sie die grösste Rendite absahnen wollten, wie das heute oft der Fall ist, sondern weil ihr Fleiss und ihre Arbeit ihrer Gottesfurcht und dem Gottvertrauen entsprungen waren. Das kann der Herr geben, wo Er möchte. Aber die Frage ist, ob wir glauben, um ein angenehmes Leben zu führen, oder ob es uns um den Herrn selbst geht. Gott um Seiner selbst willen zu lieben, weil Er Gott ist, absolut gut und göttlich vollkommen, gerecht und heilig, barmherzig und liebevoll, Ihm zu vertrauen, auch wenn die Umstände schwierig sind, das ist etwas, was Satan nicht verstehen kann. Und das ist auch etwas, was keiner von uns aus sich selbst kann. Es ist ja unser verdorbenes, sündiges Wesen, dass es uns um uns selbst geht und wir bestrebt sind, unseren eigenen Vorteil zu suchen. Den Herrn zu lieben, von ganzem Herzen, mit ganzer Seele und all unserer Kraft, das ist nur möglich durch die verändernde Gnade und Liebe Gottes, die durch die Wiedergeburt in unsere Herzen ausgegossen wird. Lieben wir Gott um Seiner selbst willen oder wegen äusserer Segnungen und Vorteile?

Trotz aller Zweifel, Fragen und der damit verbundenen inneren und äusseren Unruhe, die Hiob noch durchlebte, erhalten wir am Ende von Kapitel 1 doch dieses einzigartige Zeugnis von ihm:

«Nackt bin ich aus dem Leib meiner Mutter gekommen; nackt werde ich wieder dahingehen. Der Herr hat gegeben, der Herr hat genommen; der Name des Herrn sei gelobt!» (V. 21).

Aber damit nicht genug. Als alles um Hiob herum zusammengebrochen war und er dennoch an seinem Herrn festhielt, kommt die zweite Stufe. Wieder spricht Gott Satan an. Und da sagt Satan in Kapitel 2,4, dass der Mensch alles für sein Leben gibt. Anders gesagt: Wenn Gott die Gesundheit Hiobs ruiniert, dann wird er dem Herrn absagen.

Wir kennen das alles aus dem Volksmund: «Hauptsache gesund!» Eine Frau hatte schon zahlreiche Eingriffe und Operationen hinter sich. Immer wieder kamen neue Dinge dazu. Und wenn dann jemand fragte: «Wie geht's?», sagte sie manchmal extra: «Hauptsache gesund!» So sollten die Leute ins Nachdenken kommen, dass es viel wichtiger ist, Christus zu gehören, Ihn zu erkennen und Ihn zu haben.

Natürlich dürfen wir um Gottes Eingreifen in schweren Lebenssituationen beten. Und wie oft erbarmt sich der Herr auch äusserlich über Seine Kinder. Aber wenn der Glaube Mittel zum Zweck ist, damit es uns gut geht, dann entspricht dies der satanischen Theologie aus Hiob 1 und 2. Es ändert auch nichts daran, wenn man das Ganze in fromme Worte einpackt, nach dem Motto: «Du musst nur richtig glauben, dann wirst du gesund, und wenn nicht, dann stimmt etwas mit deinem Glauben nicht.» Zudem: Wie viele Menschen wurden schon mit solchen Aussagen in tiefste Verzweiflung gestürzt, wurden möglicherweise sogar geistlich irre, obwohl dieser charismatische Irrtum überhaupt nichts mit dem zu tun hat, was in der Bibel über den Glauben steht.

In dieser Behauptung Satans, dass der Mensch alles für sein Leben gibt, klingt noch etwas an. Es geht um die Frage: «Gesundheit um jeden Preis?» So hiess ein vor vielen Jahren erschienenes Buch, das auf die Hintergründe der Alternativmedizin einging. Es steht ausser Frage, dass wir bei Krankheit zum Arzt gehen und auch die Möglichkeiten nutzen, die uns in der Medizin gegeben sind. Aber gefährlich wird es dann, wenn einem am Ende jedes Mittel recht ist, um körperliche Heilung zu erfahren, wenn dann auch zu alternativmedizinischen Methoden mit esoterischem und spirituellem Hintergrund gegriffen wird, was der Bibel entgegensteht. Nochmals, wir dürfen um Gottes Eingreifen und um Heilung beten. Und Er kann das auch heute schenken, wenn es Sein Wille ist. Aber Er kann sich auch verherrlichen, indem Er notvolle Umstände, schwere Lebensführungen und Krankheiten auferlegt lässt, weil sich oft besonders darin die Grösse und Kraft Seiner Gnade zeigt, die in Schwachheit zum Ziel kommt.

Unser Herr hat am Kreuz auch die Krankheit und Schwachheit getragen. Deshalb gibt Er die Kraft, auch heute solche Dinge zu ertragen. Aber dass es kein Leid, keinen Schmerz in notvollen Lebensführungen mehr gibt, keine Krankheit, keinen Tod, das ist uns erst für die Vollendung verheissen.

Und selbst als diese zweite Leidenswelle Hiobs Gesundheit völlig ruinierte, seine eigene Frau das nicht mehr mit ansehen konnte und deshalb sagte, dass er Gott absagen und sterben solle, sehen wir dieses Zeugnis:

«Du redest so, wie eine törichte Frau redet! Wenn wir das Gute von Gott annehmen, sollten wir da das Böse nicht auch annehmen?» (Hiob 2,10).

Trotzdem kamen noch sehr dunkle Stunden über Hiob, voller Fragen, Anfechtungen und Zweifel. Aber er sah trotz aller Wellen, die über ihn hinwegspülten, immer wieder den Herrn und hielt an Ihm fest. Nicht nur, dass er an Ihm festhielt, mehr noch wurde er von Ihm festgehalten.

Wir sehen also ein Stück satanische Theologie, die nur auf den Eigennutz, nur auf äusseres Wohlergehen fixiert ist, den Glauben dafür als Mittel zum Zweck herabwürdigt. Und wie nah uns allen dieses Denken ist, sehen wir im Neuen Testament. Nach der ersten Leidensankündigung sprach Petrus ganz entsetzt: «Herr, schone dich selbst! Das widerfahre dir nur nicht!» (Mt 16,22). Der Herr Jesus antwortete ihm sehr deutlich: «Weiche von mir, Satan! Du bist mir ein Ärgernis; denn du denkst nicht göttlich, sondern menschlich!» (V. 23). Da haben wir wieder dieses verhängnisvolle Denken, das Leiden vermeiden möchte und Gott zum Erfüllungsgehilfen eines äusserlich unbeschwerten Lebens herabwürdigt.

Ein biblisches Verständnis von Gottes Macht und Grösse

Nichts geschieht ohne Gottes Willen – das muss sogar Satan indirekt bezeugen. Er kann Hiob nichts anhaben, wenn der Herr ihm dafür nicht den Raum gewährt. Und vom Ende her gesehen gebraucht Gott diese Angriffe, damit Hiobs Glaube nicht zerbricht, sondern gestärkt wird. Die Voraussetzung ist für uns natürlich, dass ein Mensch Christus als seinen Retter kennt. Paulus spricht deshalb von denen, die Gott lieben (Röm 8,28). Ihnen, nicht jedem x-beliebigen Menschen, müssen alle Dinge zum Guten mitwirken. Das darf uns in allen Kämpfen und Nöten, in allen unverstandenen, schweren Wegführungen Gottes getrost machen. Wir stehen in einem geistlichen Kampf, «nicht gegen Fleisch und Blut, sondern gegen die Herrschaften, gegen die Gewalten, gegen die Weltbeherrscher der Finsternis dieser Weltzeit, gegen die geistlichen [Mächte] der Bosheit in den himmlischen [Regionen]» (Eph 6,11-12). Zu diesem Kampf können auch Angriffe durch schwere Lebensführungen wie bei Hiob gehören. Und um in diesem Kampf zu bestehen, benötigen wir die ganze Waffenrüstung Gottes: den Gürtel der Wahrheit, den Brustpanzer der Gerechtigkeit, beschuht mit der Bereitschaft zur Verkündigung des Evangeliums, den Schild des Glaubens, den Helm des Heils, das Schwert des Geistes.

Dieser Kampf ist allerdings kein Kräftemessen in dem Sinn, dass wir ängstlich sein müssten mit den Fragen: «Sind die geistlichen Waffen auch gut genug? Hält der Brustpanzer der Gerechtigkeit auch allen Hieben stand? Bricht auch nicht der Schild des Glaubens unter dem feurigen Pfeilhagel des Bösen? Ist das Schwert des Geistes, das Wort Gottes, auch wirklich kraftvoll genug?» Nein, die geistliche Waffenrüstung ist unüberwindbar, auch wenn uns manchmal angst und bange wird. Dazu kommt auch das andere, dass der Feind nie weiter gehen kann, als ihm unser Herr Raum gibt.

Hiob ging durch unsagbares Leid. Aber sein Leben durfte Satan nicht antasten, obwohl er so schwer erkrankt war. Und selbst wenn das Leben angetastet und ein Kind Gottes plötzlich hinweggerissen wird, ist das nicht ein Triumph der Finsternis, nicht eine Situation, die dem Herrn ausser Kontrolle geraten ist. Vielmehr wacht Er über den Seinen und bestimmt Zeit und Stunde, wann Er uns ruft. Dass wir nicht willkürlichen Umständen ausgesetzt sind, schreibt Paulus:

«Es hat euch bisher nur menschliche Versuchung betroffen. Gott aber ist treu; er wird nicht zulassen, dass ihr über euer Vermögen versucht werdet, sondern er wird zugleich mit der Versuchung auch den Ausgang schaffen, sodass ihr sie ertragen könnt» (1Kor 10,13).

Die bemessene Versuchung zeigt das Leben Hiobs. Immer wieder brach er innerlich ein. Aber sein Glaube brach nie ab, wie es Benedikt Peters einmal sagte. Gott hat den Ausgang aus der Versuchung geschaffen. Nicht indem Er zunächst die Umstände änderte, sondern indem Er sich Hiob ganz neu in Seiner Macht und Grösse offenbarte. Jesus sagt es klar:

«Mein Vater, der sie mir gegeben hat, ist grösser als alle, und niemand kann sie aus der Hand meines Vaters reissen» (Joh 10,29).

Nichts kann uns scheiden «von der Liebe Gottes, die in Christus Jesus ist, unserem Herrn» (Röm 8,39). Wenn wir unser Gefühlsleben mit dem Gürtel der Wahrheit umgürten und den Schild des Glaubens ergreifen, dann geht es dabei nicht um irgendwelche geistlichen Klimmzüge oder theologischen Kunstturneinlagen. Es geht einfach darum, dass wir inmitten der Nöte uns an solche Worte wie die aus Johannes 10 oder Römer 8 klammern und uns darin bergen, dass unser Herr grösser ist als alles.

Der Glaube Hiobs wurde im Schmelztiegel des Leidens gestärkt. Am Ende erkannte er den Herrn in einer Art und Weise wie noch nie zuvor. Und dies, obwohl Gott ihn schon am Anfang Seinen Knecht nennt, der Ihn fürchtet. Wie schon erwähnt, dürfen wir um Gottes Eingreifen beten, Ihm unser Wünschen sagen. Aber einen durchs Feuer erprobten Glauben, der viel kostbarer ist als das vergängliche Gold, bekommen wir nicht, wenn sich alle Schwierigkeiten auflösen und es uns nur gut geht. Den bekommen wir dann, wenn wir ein Ja zu Gottes schmerzhaften Lebensführungen finden und bei allem Unverstehen sehen, dass auch das Schwere zu unserem Besten mitwirkt. Der Herr tut dies nie, um uns zu quälen oder zu zerstören, sondern um sich zu verherrlichen.

Benedikt Peters schreibt in Bezug auf Satans Forderung, dass Gott Seine Hand gegen Hiob ausstrecken soll:

«Wenn Adam im Paradies fiel, gegen den Gott seine Hand nicht ausgestreckt hatte, obwohl er von keinem Leiden und keinen Schmerzen wusste, dann würde Hiob sich erst recht von Gott lossagen, wenn es ihm plötzlich nicht mehr so ginge. Das ist Satans Kalkül. Dass Hiob aber an seinem Gott bleibt – wenn auch mit Schwierigkeiten –, ist ein unermessliches Wunder der göttlichen Gnade; ein Wunder, das alle anderen von Gott an Menschen erwiesenen Wunder übertrifft. Welch Wunder, dass er Sünder so hat umgestalten können, dass sie nunmehr an ihrem Gott festhalten, auch wenn alles gegen sie ist.»[51]

Was für ein grosser und wunderbarer Gott, der Seine Kinder durch alle Stürme hindurch festhält, der sie nicht loslässt und dazu befähigt, Ihn mehr zu lieben als sich selbst und das eigene Wohlergehen. Die satanische Theologie in Hiob 1 und 2 dagegen kennt den Glauben nur als Mittel zum Zweck, solange alles so läuft wie wir das gerne hätten und der Herr uns von Schwierigkeiten verschont.

---

51 Ebd. S. 48–49.

Wenn wir dereinst mit Christus Herrlichkeitsgemeinschaft haben wollen, gehört heute auch die Kreuzes- und Leidensbereitschaft dazu. Gott hatte am Anfang der Hiobsgeschichte schon das Ende beschlossen. Auch die Attacken Satans waren zu jedem Zeitpunkt unter Gottes Oberhoheit. Selbst wenn es in diesem Leben äusserlich zu keinem guten Ende kommt wie bei Hiob, wartet noch etwas viel Grösseres in der Herrlichkeit auf uns – so wie für den zweiten Teil von Glaubenshelden am Ende von Hebräer 11, für die es irdisch gesehen auch keinen guten Ausgang nahm, aber die um eine bessere Auferstehung wussten.

«Meine Brüder, nehmt auch die Propheten, die im Namen des Herrn geredet haben, zum Vorbild des Leidens und der Geduld. Siehe, wir preisen die glückselig, welche standhaft ausharren! Von Hiobs standhaftem Ausharren habt ihr gehört, und ihr habt das Ende gesehen, das der Herr [für ihn] bereitet hat; denn der Herr ist voll Mitleid und Erbarmen» (Jak 5,10-11).

Leide mit!

«So schäme dich nun nicht des Zeugnisses von unserem
Herrn, auch nicht meinetwegen, der ich sein Gefangener
bin; sondern leide mit [uns] für das Evangelium in der
Kraft Gottes» (2Tim 1,8; vgl. 2,3; 3,11; 4,5).

Überall wird uns durch die Wohlstandsgesellschaft suggeriert,
dass es so etwas wie ständiges Wohlbefinden oder ständige
Wellness als Lebenselement geben muss, ein Leben ohne Spannungen,
ohne Schwierigkeiten, in dem man sich viele Wünsche
schnell und spontan erfüllen kann. Wenn man etwas haben
möchte, muss man nicht mehr sparen und überlegen, ob man
es wirklich braucht, sondern man kann es in Ratenzahlung
kaufen, sogar schon verhältnismässig kleine Dinge des alltäglichen
Bedarfs. Wenn es einem nach Pommes frites gelüstet,
muss man nicht mehr bis zum nächsten Festessen warten, sondern
schaut kurz bei McDonald's vorbei. Diese Form des alltäglichen
Lebens übertragen wir automatisch auf unser geistliches
Leben. Auch dort soll alles möglichst ohne Spannungsfelder
und die damit verbundene Geduld und Leiden vonstattengehen.
Unser Dilemma heute ist, dass in der Bibel über den geistlichen
Bereich genau das Gegenteil geschrieben steht.

Geistliches Wachstum ist immer mit Wachstumsschmerzen
verbunden. Die Rebe, die in Johannes 15,2 mehr Frucht bringen
soll, muss beschnitten werden. Für die Rebe ist dies ein

schmerzhafter Vorgang. Und wen der Herr liebt, den züchtigt Er, den schlägt Er, um ihn zu erziehen, wie wir in Hebräer 12,6 lesen. Den 2. Timotheusbrief können wir auch als das geistliche Vermächtnis des Paulus ansehen. Dieser Brief ist der letzte bekannte Brief vor seiner Hinrichtung. In diesem Brief gibt Paulus Timotheus wichtige Hinweise, Ermutigungen und Ermahnungen für seine persönliche Nachfolge und für seinen Dienst. Dabei erwähnt er auch eine besondere geistliche Eigenschaft, die untrennbar mit der Nachfolge verbunden ist und dazugehört: Es geht um unsere Leidensfähigkeit. Einmal ruft Paulus Timotheus auf mitzuleiden (2Tim 1,8). Dreimal ermuntert er ihn zu der Bereitschaft, Leiden oder Leid zu ertragen (2Tim 2,3; 3,12; 4,5). Und einmal stellt Paulus dankbar fest, dass Timotheus bereit war, seinen Leiden zu folgen (2Tim 3,11).

Nun laufen wir Gefahr, das alles mit der damaligen Situation im Zusammenhang mit der Verfolgung durch Rom zu erklären. Gewiss steht dieser Brief im Zusammenhang mit der Gefangenschaft des Paulus und der Schmach, die damit verbunden war. Dies wird beispielsweise in Kapitel 1,8 deutlich. Aber es geht nicht nur darum. In Kapitel 2,3-4 sehen wir, dass Dienst und Nachfolge generell mit Leidensfähigkeit zusammenhängen: «Du nun erdulde die Widrigkeiten als ein guter Streiter Jesu Christi! Wer Kriegsdienst tut, verstrickt sich nicht in Geschäfte des Lebensunterhalts, damit er dem gefällt, der ihn in Dienst gestellt hat.» In Kapitel 4,5, geht es im Zusammenhang um das Festhalten an der gesunden Lehre: «Du aber bleibe nüchtern in allen Dingen, erdulde die Widrigkeiten, tue das Werk eines Evangelisten, richte deinen Dienst völlig aus!»

Es soll nicht darum gehen, Nachfolge zu vermiesen oder ein verzerrtes Bild davon zu zeichnen. Paulus spricht davon, ein Diener des Neuen Bundes zu sein. Dieser ist für ihn mit viel mehr Herrlichkeit verbunden als der Dienst im Alten Bund (2Kor 3,6-10). Es geht um die Herrlichkeit Christi und damit verbunden die Herrlichkeit des Evangeliums. 15-mal spricht Paulus in 2. Korinther 3 und 4 von dieser Herrlichkeit. Der Dienst der Herrlichkeit ist der schönste Dienst, den es überhaupt geben kann. Wir sollen dem Herrn mit Freuden dienen. Aber zugleich spricht Paulus von dem Schatz des göttlichen Lebens, den wir in irdenen Gefässen haben (2Kor 4,7). Damit ist unser vergänglicher, begrenzter und zerbrechlicher Körper gemeint. Im selben Kapitel erklärt er, allezeit bedrängt zu sein, aber nicht ohne Ausweg (2Kor 4,8). In 2. Korinther 7,5 zeigt er uns, worin dieses Bedrängtsein besteht: Von aussen Kämpfe, von innen Ängste. Waren es Ängste, die im Zusammenhang mit der Sorge um alle Gemeinden standen, die ihn täglich anliefen (2Kor 11,28)? Hingen die durchwachten Nächte (2Kor 11,27) damit zusammen? Waren es Ängste, weil sein Nervensystem manchmal im Dienst an seine Grenzen kam (2Kor 7,5 kann dazu ein Hinweis sein)? Paulus sagt: «... wir kommen in Verlegenheit, aber nicht in Verzweiflung» (2Kor 4,8). Schliesslich spricht er davon, niedergeworfen zu werden (V. 9). Es ist das Bild eines Ringers oder Boxers, der im Kampf zu Boden geht, aber doch rechtzeitig weiterkämpfen kann, bevor er ausgezählt, also besiegt, ist.

Wir sehen, dass dieser einmalige Dienst der Herrlichkeit neben dem Mitfreuen ein Mitleiden des Paulus war, was persönliche Leidensbereitschaft erforderte – ganz abgesehen von den anderen Leiden, die Paulus noch im 2. Korintherbrief aufzählt: Ängste, Gefängnisse, Schläge, Steinigung, Auspeitschung, Schiffbrüche, Mühsal, Naturgewalten, falsche Brüder und mehr.

Nun wollen wir uns mit der Art der Leiden befassen, die von Timotheus Leidensbereitschaft erfordern.

Leiden von aussen

Zunächst möchte ich klären, was der Begriff für «Leiden» in 2. Timotheus 1,8 und 2,3 bedeutet (von *synkakopateo*). Er kommt nur an diesen beiden Stellen im Neuen Testament vor. Es geht darum, unter Bösem und Nöten zu leiden, die einem andere zufügen. Es geht nicht um das Erleiden einer Strafe, sondern das Leiden, das Erdulden für das Evangelium nach der Kraft Gottes.

Wenn das Leid, das Schlimme, das Paulus und Timotheus zugefügt wird, auch ertragen werden soll und nicht einfach abgeschüttelt werden kann, so ist es im richtig verstandenen Sinn kein sinnloses oder hilfloses Ertragen. Warum? Weil das Evangelium inmitten dieser leidvollen Situation die Kraft Gottes zeigt. Es kann durch nichts gestoppt werden. Aber nicht nur das Evangelium zeigt seine göttliche Kraft. Auch die Knechte Gottes selbst erfahren in ihrer eigenen Hilflosigkeit die Kraft Gottes, die sie trägt und hält. Erinnern wir uns an 2. Korinther 4,7-8, den Schatz im irdenen Gefäss. Paulus spricht davon, bedrängt, völlig ratlos, niedergeworfen zu sein und schreibt: «... damit die überragende Kraft von Gott sei und nicht von uns» (V. 7).

Paulus sass um des Evangeliums willen im Gefängnis. Leiden von aussen, durch Menschen, die einem Schlimmes zufügen. Aber dieser Aufruf an Timotheus, für das Evangelium mitzuleiden, das galt nicht nur für die Situation damals in Rom, das gilt heute nicht nur für unsere Geschwister in Nordkorea oder im Iran. Das ist eine grundsätzliche Sache, auch wenn wir für alle Freiheiten dankbar sein wollen. Im selben Brief steht: «Und alle, die gottesfürchtig leben wollen in Christus Jesus, werden Verfolgung erleiden» (2Tim 3,12). Wenn wir in der Nachfolge stehen und mit Christus leben, brauchen wir uns nicht zu wundern, wenn andere uns Böses zufügen. Wir müssen uns von dem

Gedanken verabschieden, wir könnten in einer gottlosen Gesell-schaft «Everybody's Darling» sein.

«Ist es möglich, soviel an euch liegt, so haltet mit allen Men-schen Frieden» (Röm 12,18). Wir sollen die Unerretteten auch nicht durch einen falschen Schein, der mit unserem Sein nicht zusam-menpasst (wegen einem ungeheiligten Charakter und dem damit verbundenen mangelhaften persönlichen Zeugnis) zum Lästern bringen. Aber wir können es uns von der Bibel her gesehen wirk-lich abschminken, dass wir überall in unserer Gesellschaft will-kommen sind und als eine wertvolle gesellschaftliche Bereiche-rung angesehen werden, wenn wir mit Christus leben und uns klar zum Evangelium stellen. Oft sind sich Menschen, die uns böse mitspielen, nicht einmal selbst bewusst, warum sie dies tun.

Wir wollen alles von unserer Seite aus tun, um Missverständ-nisse oder falsche Vorstellungen auszuräumen. Aber wir können nicht verhindern, dass andere uns Stündeler, Sektierer, Funda-mentalisten oder die Ewiggestrige nennen. Wir müssen auch heute damit leben lernen und ein Ja dazu finden, dass wir im Namen der Toleranz angegriffen werden. Es braucht uns nicht zu wundern, wenn man an den Islam, Buddhismus, an Esote-riker oder verschiedene Sekten andere Massstäbe anlegt als an uns. Paulus legte es Timotheus ans Herz: «So schäme dich nun nicht des Zeugnisses von unserem Herrn, auch nicht meinetwe-gen, der ich sein Gefangener bin; sondern leide mit [uns] für das Evangelium in der Kraft Gottes.» Interessant ist auch 2. Timo-theus 3,12. Es steht nicht da: «Und alle, die gottesfürchtig *reden* wollen ..., werden Verfolgung erleiden», sondern: «alle, die got-tesfürchtig *leben* wollen».

Der Absolutheitsanspruch Jesu «Ich bin der Weg und die Wahrheit und das Leben» (Joh 14,6) passt nicht mehr in unsere heutige Zeit mit ihrem relativen Wahrheitsbegriff und ihren angeblich vielen Wegen zu Gott. Wir werden auch unter Druck kommen, wenn wir uns klar zu den biblischen Überzeugungen stellen, beispielsweise bei dem Thema Ehe, gleichgeschlechtliche Partnerschaften usw. Oder es bleibt für andere Arbeitskollegen und den Chef unverständlich, warum wir es mit der Wahrheit so genau nehmen. Petrus sagt: «Das befremdet sie, dass ihr nicht mitlauft in demselben heillosen Schlamm, und darum lästern sie ...» (1Petr 4,4). Natürlich dürfen wir darum beten, dass unser Herr auch Situationen zum Guten wendet und eingreift. Aber Paulus fordert Timotheus auf, bereit zu sein, für das Evangelium mitzuleiden (2Tim 1,8), nicht, sich dagegen zu sträuben oder die Unannehmlichkeiten möglichst schnell abstreifen zu wollen. Ist uns diese Bereitschaft heute nicht weitgehend verloren gegangen?

Es sind von aussen aber nicht nur Verfolgung, Schmähung oder Spott, die unsere Leidensbereitschaft verlangen. Es können auch andere Dinge sein, durch die der Feind angreift und uns zu entmutigen versucht. Paulus schreibt in 2. Korinther 11 nicht nur von Verfolgung und Schmähungen. Er redet auch von Schiffbrüchen, Naturgewalten, wilden Tieren, Mühen, Beschwerden, Räubern, Hunger, Durst, Kälte usw. Auch durch solche Umstände und Schwierigkeiten versucht der Feind Gottes, uns zu entmutigen und lahmzulegen. Möglicherweise gibt es am Arbeitsplatz plötzlich Schwierigkeiten oder Kurzarbeit und Stellenverlust. In der Familie tauchen Probleme auf. Dabei ist es wichtig zu prüfen, ob das wirklich Angriffe und Erprobungen sind, oder ob wir selbst die Schuld daran tragen. In frommen Kreisen wird häufig die Verantwortung viel lieber auf Anfechtungen geschoben, als das eigene Versagen zu erkennen.

Nun möchte ich nicht schwarzmalen, dass man in einer Art fromm getarntem Aberglauben nur noch auf die nächsten Schwierigkeiten wartet. Es gibt leider auch bibelgläubige Christen, die von einer satan- und finsterniszentrierten Nachfolge verängstigt werden, anstatt das Evangelium und die Kraft Gottes zu sehen, von der Paulus hier spricht. Aber die gelebte Nachfolge sowie das Bezeugen des Evangeliums erfordert unsere Leidensbereitschaft. Nachfolge und der damit verbundene gute Kampf des Glaubens ist nichts für ein Wellness-Christentum, in dem man ohne Anstrengung und ohne Schwierigkeiten unbeschwert und ständig beschwingt dem Himmel entgegenschlendern möchte.

Leiden und Verzicht

«Du nun erdulde die Widrigkeiten als ein guter Streiter Jesu Christi! Wer Kriegsdienst tut, verstrickt sich nicht in Geschäfte des Lebensunterhalts, damit er dem gefällt, der ihn in Dienst gestellt hat. Und wenn sich auch jemand an Wettkämpfen beteiligt, so empfängt er doch nicht den Siegeskranz, wenn er nicht nach den Regeln kämpft» (2Tim 2,3-5).

Wiewohl hier auch dasselbe Wort für Leiden gebraucht wird wie in Kapitel 1, können wir einen anderen Schwerpunkt sehen. In Kapitel 1 geht es um das, was einem von aussen zugefügt wird. Hier geht es auch um Erdulden von Leiden und Widrigkeiten. John MacArthur drückt es wie folgt aus: «seinen Teil einer groben Behandlung einstecken».[52] Vom Zusammenhang her kann

---

52 John MacArthur, *Kommentar zum Neuen Testament – 2. Timotheusbrief*, CLV Bielefeld 2003, S. 43.

dies auch im Sinn von Verzicht und Selbstdisziplin gesehen werden.

Paulus vergleicht den Dienst für den Herrn mit dem Dienst eines guten Soldaten. Interessanterweise nicht mit *irgendeinem* Soldaten, sondern mit einem *guten* Soldaten. Auf solche unscheinbaren Details in der Bibel zu achten, lohnt sich. Wir sollen nicht nur den Kampf des Glaubens kämpfen, sondern den *guten* Kampf des Glaubens. Es gibt Soldaten, die gleichgültig ihr Soldatendasein fristen, und es gibt gute Soldaten. Denken wir beispielsweise an Eliteeinheiten. Das kostet wesentlich mehr Opfer, Willensbereitschaft, Selbstdisziplin und Leidensbereitschaft, als nur zu irgendeiner gewöhnlichen Einheit zu gehören.

Für uns als gute Streiter Christi geht es darum, ob wir bereit sind, um des Herrn und der Nachfolge willen Opfer zu bringen und die damit verbundenen Widrigkeiten zu ertragen. Suchen wir in erster Linie ein bequemes, bürgerliches Leben mit allen Dingen, die dazugehören, oder sind wir bereit, um Christi willen auf manches zu verzichten? Nachfolge Jesu, ein Leben, das dem Evangelium verpflichtet ist, ist nicht etwas, was man nebenbei mal machen kann, so wie man mal 30 Minuten joggen geht oder abends noch entspannt ein Buch auf dem Sofa liest. Das fordert auch Opfer von uns. Dabei geht es nicht nur um die finanzielle Opferbereitschaft. Der Verzicht hat auch etwas mit dem Setzen unserer Prioritäten zu tun. Diese Opfer beginnen bei der persönlichen Stille über die Bibel und im Gebet. Sind wir bereit, an anderer Stelle Dinge zu streichen? Beispielsweise an den Freizeitaktivitäten, obwohl sie ihre Berechtigung haben?

In der Bibel sehen wir, dass das christliche Familienleben im gewissen Sinn die Zelle einer Gemeinde ist. Paulus spricht in Epheser 5 und 6 davon. Ein geordnetes Familienleben ist die

Voraussetzung für den Ältestendienst. Wer seine eigenen Hausgenossen vernachlässigt, «ist schlimmer als ein Ungläubiger» und «hat ... den Glauben verleugnet» (1Tim 5,8). Genauso haben wir Ehemänner für unsere Frauen und Ehen eine grosse Verantwortung nach Epheser 5, die leider auch in bibeltreuen Gemeinden oft viel zu wenig gesehen wird. Es gibt immer wieder Menschen, die sich in fromme Aktivitäten und Dienste stürzen, um vor der Verantwortung in Ehe und Familie zu fliehen.

Aber in unserer Zeit gibt es auch die andere Gewichtung. Der Ehe und Familie wird ein so hoher Stellenwert beigemessen, dass man nicht mehr bereit ist, in diesem Bereich Opfer für den Herrn zu bringen, die Widrigkeiten eines guten Streiters Christi auf sich zu nehmen. Nachfolge und der gute Kampf des Glaubens sind an der richtigen Stelle mit Opfern bezüglich des Ehe- und Familienlebens verbunden. Wer immer nur das menschlich Maximale für die Ehe und Familie möchte, wird in der Nachfolge und in seinem Leben für den Herrn Abstriche machen müssen. Hier gilt das Wort unseres Herrn: «Wenn jemand zu mir kommt und hasst nicht (oder: stellt nicht zurück) seinen Vater und seine Mutter, seine Frau und Kinder, Brüder und Schwestern, dazu aber auch sein eigenes Leben, so kann er nicht mein Jünger sein» (Lk 14,26). Wie können wir unterscheiden zwischen Opfer und Flucht? Opfer werden uns in der Regel immer schwerfallen und wehtun. Kritik an Handlungen als Flucht berühren uns empfindlich.

Mitzuleiden, die Widrigkeiten eines guten Streiters Christi zu ertragen, sich nicht in die Beschäftigungen des täglichen Lebens verwickeln zu lassen, kann ebenso, je nach Führung, beinhalten, dass man auf Karrierestufen verzichtet, auf ein noch höheres Gehalt oder anderes ... allgemein gesagt: dass man

Dingen, denen unsere Gesellschaft einen sehr hohen Stellenwert zumisst, einen geringen einräumt, weil die Kraft und Zeit für den Herrn und das Evangelium gebraucht werden. Wenn es um Verzicht geht, wird deutlich, wie viel uns die Nachfolge und Christus bedeuten. Wie wichtig ist uns die Gemeinschaft der Glaubenden, beispielsweise die Gebetsstunde? Ist uns eine Fussballübertragung wichtiger als die Gebetsstunde? Oder irgendein anderer Anlass oder Hobby, was uns davon abhält? Wie wichtig sind uns die Gemeindeveranstaltungen, sowohl in Bezug auf unser persönliches Leben als auch für die Gemeinde Jesu? Geben wir dem Herrn das von unserer Zeit und Kraft, was noch übrigbleibt, nachdem unsere eigenen Interessen alle abgedeckt sind, oder sind wir bereit, hier Prioritäten zu setzen, um um Christi willen auch verzichten und kürzertreten zu können?

Die Leiden von innen

Das Wort für Leid in 2. Timotheus 4,5 stammt aus derselben Wortwurzel wie die anderen beiden genannten Wörter. Es geht darum, Unglück und Übles zu ertragen, Widrigkeiten zu erdulden, nämlich auszuhalten unter schwierigen Umständen: «Du aber bleibe nüchtern in allen Dingen, erdulde die Widrigkeiten, tue das Werk eines Evangelisten, richte deinen Dienst völlig aus!»

An dieser Stelle steht dieser Vers als Bindeglied zwischen dem, was Paulus vorher über die Verkündigung und die gesunde Lehre sagte, und dem, was nun über seine eigene bevorstehende Hinrichtung kommt. So können wir «Widrigkeiten erdulden», was zum Werk eines Evangelisten gehört, in zweierlei Hinsicht sehen. Ich möchte hauptsächlich auf das Vorhergehende eingehen: «Verkündige das Wort, tritt dafür ein, es sei gelegen oder ungelegen; überführe, tadle, ermahne mit aller Langmut und Belehrung!» (V. 2). Wenn ich die Leiden von innen nenne, meine ich die Leiden, die mit der Nachfolge und dem Dienst innerhalb der Gemeinde zu tun haben, im Gegensatz zu den Leiden, die von aussen kommen, von der Gesellschaft oder den unerretteten Menschen.

Für Paulus waren die Nachfolge und die Mitarbeit am Evangelium und in der Gemeinde Jesu das Schönste überhaupt. Es war für ihn zugleich immer auch ein Mitleiden an der Gemeinde Jesu. Die vielen schlaflosen Stunden, in denen seine Gedanken und Gebete um die Kinder Gottes kreisten, die Sorge um die geistliche Entwicklung der Gemeinden, die ihn täglich beschäftigte. In seiner Abschiedsrede an die Ältesten in Ephesus sagte Paulus unter anderem:

«Ihr wisst, wie ich mich vom ersten Tag an, als ich Asia betrat, die ganze Zeit unter euch verhalten habe, dass ich dem Herrn diente mit aller Demut, unter vielen Tränen und Anfechtungen, die mir widerfuhren durch die Nachstellungen der Juden … Darum wacht und denkt daran, dass ich drei Jahre lang Tag und Nacht nicht aufgehört habe, jeden einzelnen unter Tränen zu ermahnen» (Apg 20,18-19.31).

Paulus gab nicht einfach von oben herab irgendwelche Ratschläge oder hielt Standpauken, sondern er litt innerlich mit und bangte um das Leben der Jesusnachfolger. Für ihn war das Fördern des geistlichen Wachstums der Christen auch ein Mitleiden. Es kostete ihn viele Tränen. So sagt er in Bezug auf die Gemeinde als Leib Christi: «Und wenn *ein* Glied leidet, so leiden alle Glieder mit; und wenn *ein* Glied geehrt wird, so freuen sich alle Glieder mit» (1Kor 12,26). Das kann körperliches Leid bei Krankheit betreffen, aber auch seelisches Leid in Begleitung zu geistlichem Wachstum. Paulus erlitt Geburtswehen um die Galater (Gal 4,19).

Paulus fordert Timotheus auf, geradlinig zu verkündigen und weiterzugehen, aber eben nicht als einer, der alle abbügelt und wie ein Schneepflug durch die Gemeinde rauscht, sodass es links und rechts nur noch spritzt. Er soll geradlinig weitergehen, indem er Leid erträgt und das Werk eines Evangelisten tut. Wir können auch sagen: indem er viel einstecken kann, ohne sich immer gleich verteidigen zu müssen oder aus der Haut zu fahren, wenn es nicht nach seinen Vorstellungen geht. Paulus schreibt: «Ein Knecht des Herrn aber soll nicht streiten, sondern milde sein gegen jedermann, fähig zu lehren, geduldig im Ertragen von Bosheiten; er soll mit Sanftmut die Widerspenstigen zurechtweisen ...» (2Tim 2,24-25).

Nachfolge und die Mitarbeit in der Gemeinde Jesu erfordern immer auch die Bereitschaft, Angriffe und Widerspruch aus den eigenen Reihen zu ertragen, sich selbst zu prüfen, ob nicht wenigstens ein Körnchen Wahrheit an der Kritik ist, besonders wenn es um die eigene Person und Art geht. Bei unberechtigter Kritik gilt es, milde und duldsam mit Angriffen umzugehen und über allem die Ehre unseres Herrn zu suchen. So wie das Paulus in dem Bild vom guten Soldaten ausgedrückt hat: Dem zu gefallen, der uns «in Dienst gestellt hat», unserem Herrn, nicht uns selbst, den Geschwistern oder sonst jemandem (vgl. 2Tim 2,4).

Der 2. Timotheusbrief macht deutlich, warum zur Nachfolge und zum Dienst für den Herrn die Leidensbereitschaft gehört. Auch in dieser Beziehung kommt das Wort zur Anwendung: «Die mit Tränen säen, werden mit Freuden ernten» (Ps 126,5).

Kommen wird der grosse Tag, an dem Christus uns mit Seiner ganzen Gemeinde vollenden wird, die Er mit Seinem Blut erkauft hat, die Er selbst gegründet, gebaut und fertiggestellt hat. Er wird sie vollenden ohne jeden Makel, ohne jeden Flecken. Er vollendet uns, trotz all unseres Versagens und unserer Eigenarten. Er wird Seine Gemeinde als Ganzes vollenden, heraus aus allen Trümmern der Kirchengeschichte. Die vollendete Gemeinde wird Seine ganze Herrlichkeit widerspiegeln, wie Paulus es in Bezug auf die sichtbare Wiederkunft Christi gesagt hat: «Wenn er kommen wird, um verherrlicht zu werden in seinen Heiligen und bewundert in denen, die glauben» (2Thess 1,10).

Dann werden wir sehen und endgültig verstehen, dass die Leiden dieser Zeit in überhaupt keinem Verhältnis zu der zukünftigen Herrlichkeit stehen.

Anpassung oder Widerstand? – Das christliche Zeugnis in gesellschaftlichen Umbrüchen

«Jedermann ordne sich den Obrigkeiten unter, die über ihn gesetzt sind; denn es gibt keine Obrigkeit, die nicht von Gott wäre; die bestehenden Obrigkeiten aber sind von Gott eingesetzt. Wer sich also gegen die Obrigkeit auflehnt, der widersetzt sich der Ordnung Gottes; die sich aber widersetzen, ziehen sich selbst die Verurteilung zu. Denn die Herrscher sind nicht wegen guter Werke zu fürchten, sondern wegen böser. Wenn du dich also vor der Obrigkeit nicht fürchten willst, so tue das Gute, dann wirst du Lob von ihr empfangen! Denn sie ist Gottes Dienerin, zu deinem Besten. Tust du aber Böses, so fürchte dich! Denn sie trägt das Schwert nicht umsonst; Gottes Dienerin ist sie, eine Rächerin zum Zorngericht an dem, der das Böse tut. Darum ist es notwendig, sich unterzuordnen, nicht allein um des Zorngerichts, sondern auch um des Gewissens willen. Deshalb zahlt ihr ja auch Steuern; denn sie sind Gottes Diener, die eben dazu beständig tätig sind. So gebt nun jedermann, was ihr schuldig seid:

Steuer, dem die Steuer, Zoll, dem der Zoll, Furcht, dem die Furcht, Ehre, dem die Ehre gebührt» (Röm 13,1-7).

«Ihr seid das Salz der Erde. Wenn aber das Salz fade wird, womit soll es wieder salzig gemacht werden? Es taugt zu nichts mehr, als dass es hinausgeworfen und von den Leuten zertreten wird. Ihr seid das Licht der Welt. Es kann eine Stadt, die auf einem Berg liegt, nicht verborgen bleiben. Man zündet auch nicht ein Licht an und setzt es unter den Scheffel, sondern auf den Leuchter; so leuchtet es allen, die im Haus sind. So soll euer Licht leuchten vor den Leuten, dass sie eure guten Werke sehen und euren Vater im Himmel preisen» (Mt 5,13-16).

«So ermahne ich nun, dass man vor allen Dingen Bitten, Gebete, Fürbitten und Danksagungen darbringe für alle Menschen, für Könige und alle, die in hoher Stellung sind, damit wir ein ruhiges und stilles Leben führen können in aller Gottesfurcht und Ehrbarkeit; denn dies ist gut und angenehm vor Gott, unserem Retter, welcher will, dass alle Menschen gerettet werden und zur Erkenntnis der Wahrheit kommen» (1Tim 2,1-4).

———————————————

Die Überschrift für dieses Kapitel leitet sich von einem Buch Dietrich Bonhoeffers ab, das in den Wirren des Nationalsozialismus durch seine Briefe, Schriften und Gedichte aus der Gefängniszelle entstanden ist. Das Buch wurde von seinem Freund Eberhard Bethge herausgegeben und unter dem Titel

«Widerstand und Ergebung» veröffentlicht.[53] Einerseits sollten
wir vorsichtig sein, vorschnell Parallelen zu dieser dunklen Zeit
mit ihrem Schreckensregime zu ziehen. Andererseits können
wir viel Grundsätzliches aus dieser Zeit für unser Thema lernen: «Anpassung oder Widerstand? – Das christliche Zeugnis in
gesellschaftlichen Umbrüchen». Zudem ist es hilfreich, gewisse
Grundstrukturen der damaligen Ideologisierung zu erkennen
und zu sehen, wie die Christenheit damit umgegangen ist.

Was unsere gesellschaftliche Verantwortung als Nachfolger
Jesu betrifft, bestehen zwei Extrempositionen. Auf der einen
Seite meint eine zunehmende Zahl von Christen, dass wir den
Auftrag hätten, das sichtbare Reich Gottes auf dieser Welt zu
errichten.[54] Man will die Gesellschaft, die Kultur, unser Land
und die ganze Menschheit verändern. Das Schlüsselwort heisst
«transformieren» (umgestalten). Doch die Aufrichtung des
sichtbaren Reiches Gottes auf dieser Erde bleibt allein dem wiederkommenden Herrn vorbehalten.

Auf der anderen Seite gibt es Christen, die darauf verweisen, dass die Gemeinde keinerlei gesellschaftliche Verantwortung wahrnehmen sollte und keinen damit verbundenen Auftrag habe. Sie soll sich ausschliesslich auf die Verkündigung
des Evangeliums und ihr himmlisches Ziel konzentrieren, aber
sich aus allem anderen heraushalten. Das hört sich sehr geistlich an, es stellt sich aber die Frage, ob diese Haltung von der
Bibel gedeckt wird. Selbstverständlich ist der vorrangige Auf-

---

53 Dietrich Bonhoeffer, *Widerstand und Ergebung*, Lizenzausgabe mit Genehmigung des Chr.
Kaiser Verlags München 1951, Siebenstern Taschenbuch 1.
54 Vgl. Johannes Reimer: «Nichts wäre heute wichtiger als die Entscheidung der Christen,
das Reich Gottes in der Welt mit den [ungläubigen] Menschen zusammen zu bauen. Nicht
für sie und erst recht nicht gegen sie, sondern mit ihnen.» (http://buecheraendernleben.
wordpress.com/2012/03/31/tobias-faix-johannes-reimer-die-welt-verstehen/).

trag immer die Verkündigung des Evangeliums, die Rettung von Menschen und der Bau der Gemeinde Jesu. Aber damit ist die Frage noch nicht beantwortet, ob die Gemeinde einen Auftrag zum Zeugnis in den gesellschaftlichen Umbrüchen hat.

Um uns weiter diesem Thema anzunähern, möchte ich eine gewisse Spannung aufzeigen. In Lukas 13,32 nennt Jesus Herodes einen Fuchs. Es geht um die Listigkeit des Herodes Antipas. Diese Bezeichnung ist kein Ehrentitel. In Römer 13,7 lesen wir zum Verhältnis Christ und Obrigkeit: «Ehre, wem Ehre gebührt». Darf man dann so über einen Fürsten reden? Offensichtlich ja.

Johannes der Täufer wurde von Herodes Antipas ins Gefängnis geworfen, weil der Täufer ihm vorgehalten hatte, seinem Bruder Philippus dessen Frau ausgespannt zu haben. Darüber war die untreue Herodias verärgert. Dieser Tadel kostete Johannes buchstäblich seinen Kopf. Wir könnten einwenden: «Aber Johannes, war das wirklich nötig? Was willst du eigentlich? Herodes war nicht mal ein Jude. Er gehörte gar nicht zu Gottes Volk. Und dann das ganze römische Umfeld der damaligen Zeit – das war doch gang und gäbe. Hättest du dich nicht lieber auf deinen Dienst am Volk Israel und die Verkündigung des Reiches Gottes beschränken sollen?»

Dem Apostel Paulus wurde schon bei seiner Bekehrung gesagt, wie viel er für Christus und das Evangelium leiden würde. Dazu hatte Paulus ein Ja, weil sein Herr und das Evangelium dies wert waren. Dennoch geschah es dreimal in der Apostelgeschichte, dass Paulus sich auf seine ihm zustehenden Rechte berief. Und dies in Situationen, in denen er eindeutig um des Evangeliums willen litt. Wir könnten fragen: «Durfte er so etwas tun, da er doch wegen des Evangeliums geschmäht wurde? Hätte er das Unrecht nicht einfach wortlos im Vertrauen auf seinen Herrn tragen müssen? Dürfen Christen auch auf die geltende Rechtslage verweisen?»[55]

Gehen wir einige Schritte weiter in der Kirchen- und Weltgeschichte. Am 26. Juli 1833 beschloss das britische Parlament die Abschaffung der Sklaverei, was weltweite Auswirkungen hatte. Der bibeltreue Christ und Politiker William Wilberforce hatte für dieses Anliegen einen scheinbar aussichtslosen politischen Kampf bis zum Ende durchgestanden. Sehr unterstützt wurde er von Pastor John Newton, der früher selbst ein Sklavenhändler war. Wieder könnten wir fragen: «War das richtig, sich so für ein gesellschaftspolitisches Anliegen einzusetzen? Natürlich gab es in der Sklaverei grauenhafte Zustände und unsägliches Leid. Aber ist so etwas auch Auftrag der Gemeinde Jesu? Hatte nicht Paulus den Sklaven geraten, in ihrem Stand zu bleiben, wenn sie nicht loskommen konnten (vgl. 1Kor 7,21-22)?»

Machen wir einen Sprung um rund hundert Jahre ins zwanzigste Jahrhundert. Am 18. Juli 1939 wurde der treue Jesuszeuge, Pfarrer Paul Schneider, im KZ Buchenwald ermordet. Das war gute sechs Wochen vor Ausbruch des Zweiten Weltkrieges. Er wurde bereits im November 1937 in Buchenau inhaftiert, etwa ein Jahr vor der Reichspogromnacht und den damit verbundenen öffentlichen Verbrechen an den Juden. Schon 1933, als ein ganzer Teil bibelgläubiger Christen im Nationalsozialismus die Rettung vor dem antichristlichen Bolschewismus zu erkennen meinte, verweigerte er dem Regime die absolute Gefolgschaft – während andere Christen immer noch meinten, die Nazis wegen der biblisch geforderten Unterordnung unter die Obrigkeit nicht kritisieren zu dürfen. Und Paul Schneider widersetzte sich nicht

---

55 Vgl. dazu: «Paulus und das römische Bürgerrecht», S. 231.

nur in theologischen Fragen, sondern bezog Stellung für die Wahrheit gegenüber ideologischen Lügen. Am 21. März 1933, am Anfang des Naziregimes, verweigerte er beispielsweise das angeordnete Glockenläuten zur Eröffnung des Reichstages. Am 20. April 1938, als er schon im Konzentrationslager war, verweigerte er als Einziger unter Tausenden von Häftlingen beim Fahnenappell zu Hitlers Geburtstag das Abziehen der Mütze. Das brachte ihm den Arrestbunker und Folterungen ein. Wir könnten fragen: «War das wirklich nötig? Wäre es am Anfang des Naziregimes nicht klüger gewesen, zu manchen Verlautbarungen zu schweigen und sich stattdessen ganz auf die Evangeliumsverkündigung zu konzentrieren? Und warum verweigerte er das Mützeabnehmen beim Fahnenappell? Hatte das überhaupt etwas direkt mit dem Glauben zu tun oder hätte er sich nicht besser den Anordnungen des Staates unterordnen sollen?»

In allen skizzierten Fällen haben wir es mit grossen Glaubensvorbildern zu tun. Unser Herr selbst fand für einen listigen und verschlagenen König kritische Worte. Johannes der Täufer schreckte nicht davor zurück, dem Nichtjuden Herodes sein moralisches Unrecht vorzuhalten. Paulus nahm trotz aller Leidensbereitschaft mehrmals seine politischen Rechte in Anspruch. Wilberforce und Schneider waren Männer, die aus ihrem tiefen Vertrauen auf Christus und Sein Wort auch gesellschaftliche Verantwortung wahrnahmen. Man könnte diese Reihe mit vielen weiteren Vorbildern fortsetzen. Die jahrzehntelange Glaubensfreiheit und der Wohlstand haben uns immer mehr dazu geführt, unseren Glauben nach dem Motto «Leben und leben lassen» einzurichten. Auch unser innerer Widerstand gegenüber ethischen und ideologischen Umbrüchen ist dadurch mehr und mehr einer stillen Anpassung gewichen.

Und in vielen Fällen haben wir schon gar nicht mehr den Mut, unsere Stimme öffentlich zu erheben.

Noch einmal, die Verkündigung des Evangeliums und der Bau der Gemeinde Jesu haben immer die höchste Priorität. Auch ist nicht jeder ein Paulus, Wilberforce oder Schneider. Der Herr teilt Seine Aufgaben und Aufträge unterschiedlich zu. Trotzdem müssten uns all die Umbrüche, in denen wir heute stehen, tief bewegen. Ich meine nicht, dass wir untereinander über die Umstände nur noch klagen sollten. Wir nehmen die Anliegen in unsere Gebete. Gott zeigt uns, wie wir andere unterstützen können oder selbst die Stimme erheben sollten.

Angesichts der extremen ethischen und ideologischen Umwälzungen unserer Zeit müssen wir uns fragen, wie wir dereinst zurückblicken werden. Denken wir an die Legalisierung der Abtreibung. Ob wir vor dem Richterstuhl Christi damit durchkommen, dass wir das alles ja nicht gut gefunden hätten, aber mit so vielen geistlichen Dingen beschäftigt waren, dass wir uns nicht auch noch darum hätten kümmern können? Wir merken, wie herausfordernd dieses Thema ist. Im Folgenden will ich nur einige grundsätzliche Dinge streifen.

Das Verhältnis zur Obrigkeit und unsere Verantwortung

In Römer 13,1-7 spricht Paulus vom prinzipiellen Verhältnis der Jesusnachfolger zur Obrigkeit. Dies tat er in einer Zeit, als es keine Basis- oder parlamentarische Demokratie im Römischen Reich gab. Es regierten die Cäsaren. Dazu kam, dass während der Abfassung des Römerbriefes kein Geringerer als Nero an der Macht war, auch wenn die Abfassung des Briefes noch vor der Zeit der Christenverfolgung lag. Paulus macht in diesem

Abschnitt deutlich, dass die Obrigkeit oder staatliche Macht eine von Gott verfügte Ordnung ist. Sie ist eine Notverordnung in einer gefallenen Welt. Die Obrigkeit oder Regierung hat den Auftrag, Leben zu ermöglichen und einer Anarchie vorzubeugen. Von daher hat sie auch das Mandat der Gewalt, um Recht und Ordnung zu erhalten.

Hilfreich ist die «Zwei-Reiche-Lehre» Martin Luthers. Er unterschied zwischen dem Reich zur Rechten und dem zur Linken. Es geht um zwei Arten, wie Gott die Welt regiert. Das Reich zur Rechten ist die Gemeinde Christi; wir können auch sagen, «Kirche» (das griechische Lehnwort bedeutet: «dem Herrn gehörend»). Dort gibt es keinen äusseren Zwang, sondern die Herrschaft Gottes geschieht durch Wort und Sakrament. Nun muss man Luthers Sakramentslehre nicht unbedingt teilen. Aber seine grundsätzliche Unterscheidung ist richtig. Die Lehrbriefe des Neuen Testaments sind hauptsächlich für die Kirche oder Gemeinde geschrieben, was sich in ihrem Wesen und ihrer Ausrichtung zeigt.

Das Reich zur Linken ist Gottes Herrschaft in dieser Welt. Diese Herrschaft steht nicht unter dem Mandat der Kirche oder Gemeinde, sondern unter der Obrigkeit und der ihr verliehenen Macht sowie ihren Gesetzen und Ordnungen. Was das Wesen und den speziellen Auftrag der Gemeinde Jesu betrifft, müssen wir den Unterschied zu Gottes Herrschaft in dieser Welt beachten. Trotzdem hat der Christ auch seinen Auftrag und seine Verantwortung im Reich zur Linken, in der Gesellschaft und unter der Obrigkeit.

Jedermann – also nicht nur die Christen, aber besonders auch sie – soll der Obrigkeit untertan sein. Regierungen sind von Gott eingesetzt (Röm 13,1). Einerseits ist darin eine relative Autorität der Obrigkeit gegenüber den Christen begründet. Andererseits wird dadurch auch deutlich, dass die Obrigkeiten nicht die letzte Instanz, sondern Gott untergeordnet sind. Das ist übrigens sowohl in der Schweizer Bundesverfassung als auch im Deutschen Grundgesetz mit dem Gottesbezug festgehalten worden.[56] Der Christ soll sich in diesem Wissen der Obrigkeit unterordnen, ganz unabhängig von der Staatsform und der Frage, ob seine Lieblingspartei regiert. Damit ist jedem anarchistischen «Revoluzzertum» ein Riegel vorgeschoben.

Paulus bezeichnet die Regierung in Römer 13,4 als eine Dienerin oder Diakonin Gottes. Apostelgeschichte 5,29 lässt erkennen, dass wir Gott mehr gehorchen müssen als den Menschen. Es gibt eine Grenzlinie, ab der für den Nachfolger Jesu der Gehorsam gegenüber der Obrigkeit nicht mehr möglich ist. Wenn eine Obrigkeit Dinge verlangt, die sich gegen Gottes Willen richten, geht es darum, Gott mehr zu gehorchen. Die Verweigerung des Gehorsams gegenüber der Obrigkeit bedarf einer klaren biblischen Begründung. Wird der Wille Gottes nicht verletzt, hat der Christ der Obrigkeit untertan zu sein. Verlangt beispielsweise ein Staat den totalitären Gehorsam gegenüber einem Führer, kann sich ein Christ unmöglich daran halten. Die Strassenverkehrsordnung gilt in einem solchen System aber auch für einen Christen. Mit der Begründung «Gott mehr als den Menschen zu gehorchen» lässt sich die Missachtung der Strassenverkehrsordnung auch in einem totalitären System nicht rechtfertigen.

Damit noch deutlicher wird, um was es geht, komme ich auf das Gute und Böse in Römer 13,3-4 zurück. Hier ist nicht nur

---

56 Präambel in der Bundesverfassung der Schweizerischen Eidgenossenschaft: «Im Namen Gottes, des Allmächtigen!»; Präambel im Grundgesetz für die Bundesrepublik Deutschland: «Im Bewusstsein seiner Verantwortung vor Gott und den Menschen, von dem Willen beseelt ...»

gemeint, was die Obrigkeit als gut oder böse bezeichnet, sondern was aus der Sicht Gottes gut und böse ist. Paulus nennt die Regierung ja eine Dienerin Gottes. Dazu noch eine weitere Anmerkung: Der Begriff für Obrigkeit oder staatliche Macht kann auch mit Autorität, Recht oder Vollmacht übersetzt werden. Es ist derselbe Begriff, der Christi Vollmacht in Matthäus 28,18 bezeichnet. In Römer 13 geht es in erster Linie um die Macht einer Regierung, aber auch das Recht und Gesetz sind mit im Blick. Mit anderen Worten: Der Christ ist auch dann der Obrigkeit untertan, wenn er alle ihm zustehenden gesetzlichen Rechte und die damit verbundenen Möglichkeiten ausschöpft, falls die Obrigkeit das Gute nicht fördert oder sich nicht an das geltende Recht hält.

Wir haben diesbezüglich mit Paulus ein Vorbild. Als es um ihn persönlich und seine Ansprüche gegenüber den Gemeinden ging, konnte er auf seine Rechte verzichten (vgl. 1Kor 9,4-12). Aber im Blick auf seinen Dienst nach aussen und das Evangelium berief er sich dreimal auf sein römisches Bürgerrecht, auch in Situationen, in denen römische Mandatsträger das Recht beugen wollten (vgl. Apg 25,9-12).

Nun erleben wir in den letzten Jahren und Jahrzehnten grundlegende gesellschaftliche Umwälzungen, die in die Gesetzgebung einfliessen und sich gegen Gottes Willen richten. Das beginnt bei den Themen Abtreibung und Sterbehilfe, geht weiter über die Themen Familie, Ehe für alle, Gender usw. bis hin zur Sexualpädagogik und die sich ausbreitende neomarxistische Ideologie. Dazu gehört auch die zunehmende ideologische Unterwanderung des Bildungssystems. Pfarrer Paul Schneider votierte schon in der Zeit des Nationalsozialismus für Bekenntnisschulen. Er war gegen eine Volksschule, in der die nationalsozialistische Ideologie in die Kinder eingepflanzt wurde. Er strebte eine Volksschule an, in der im Religionsunterricht eine klare evangelisch-christliche Orientierung gegeben wurde. Dieses Anliegen hatte er schon 1934.[57]

Zurück in die Gegenwart. Die Stimmen und Initiativen der bekennenden Gemeinde Jesu verstummen immer mehr. Es geht uns ja so gut, und wir wollen es uns mit niemandem verderben. Wir bestärken uns vielleicht noch gegenseitig darin, dass bestimmte Entwicklungen nicht richtig sind, und das war's dann. In diesem Zusammenhang möchte ich aus einem Buch meines Vaters Lienhard Pflaum zitieren, das 1978 unter dem Titel «Kampf, Anfechtung, Überwindung» erschienen ist. Er schrieb Folgendes:

«Wichtig ist, dass wir besondere Aufgaben durchbeten. Ein Bruder aus der Schweiz wies mich kürzlich darauf hin, dass in den gläubigen Kreisen der Schweiz auch für politische Angelegenheiten wie beispielsweise den Volksentscheid zur Frage des Schwangerschaftsabbruchs viel intensiver gebetet werde als bei uns in Deutschland.»[58]

Dazu eine persönliche Anmerkung: Als wir vor bald 30 Jahren in die Schweiz kamen, staunte ich noch darüber, wie sehr bekennende Christen an den Diskussionen zu politischen und ethischen Fragen teilnahmen. Das stand in einem gewissen Kontrast zur Situation in Deutschland. Abgesehen davon, dass uns die Schweiz zur Heimat geworden ist, war für mich auch die Basis-

---

57 Vgl. Margarete Schneider, *Paul Schneider – Der Prediger von Buchenwald*, S. 170.
58 Lienhard Pflaum, *Kampf, Anfechtung, Überwindung*, Verlag der Liebenzeller Mission Bad Liebenzell 1978, S. 25–26.

demokratie ein Grund zur Einbürgerung. Nicht weil ich meine, damit die Verhältnisse drehen zu können. Vielmehr möchte ich im Kleinen meine gesellschaftliche Verantwortung als Christ wahrnehmen, beispielsweise bei den Volksabstimmungen.

Nun meine ich, nach fast drei Jahrzehnten in der Schweiz beobachtet zu haben, dass dieses Wahrnehmen der Verantwortung in der Gesellschaft und das Erheben der christlichen Stimme abgeflacht sind. Manchmal hält man es auch innerhalb der Gemeinde Jesu nicht mehr für nötig, selbst bei grundlegenden ethischen Themen abzustimmen. Das geht so weit, dass Teile der evangelikalen Bewegung sich immer mehr einer Gesetzgebung anpassen, die in ethischen Fragen das aus Gottes Sicht Gute böse nennt und das Böse gut.

Wir wollen für alle Bereiche dankbar sein, in denen die Regierungen das Gute schützen und das Böse bestrafen, und für alle damit verbundene Ordnung und Freiheit. Bekennende Christen zitieren aus Römer 13 manchmal nur die Aufforderung zur Unterordnung. Über das dort erwähnte Gute und Böse und deren Bedeutung denken sie jedoch oft nicht einmal nach. Und so versäumen wir es auch, unsere gesellschaftliche Verantwortung wahrzunehmen und unsere Stimme klar zu erheben, wo dies gefordert wäre. Wenn wir dies heute nicht tun und die uns staatlich zustehenden Möglichkeiten nicht nutzen, was wird sein, wenn es wirklich «nur» um des Glaubens willen zu Konfrontationen kommt?

Wird das «Dritte Reich» erwähnt, denken wir schnell an die grauenhaften Konzentrationslager, die Judenverfolgung, den Holocaust oder auch den Druck für Teile der bekennenden Gemeinde Jesu. Das Ringen um die christliche Verantwortung begann aber schon, bevor diese Verbrechen offensichtlich wurden. Ehrlicherweise muss eingestanden werden, dass die Bekennende Kirche in den evangelischen Landeskirchen grossen Teilen der Freikirchen und des Pietismus in Bezug auf den Bekennermut weit voraus war. Die Bekennende Kirche erkannte die Entwicklungen, während grosse Teile der Brüderbewegung mit Verweis auf Römer 13 noch immer ihre Loyalität der Regierung gegenüber beteuerten. Die Bekennende Kirche erhob ihre Stimme auch an Punkten, wo es um Gewalt, Unrecht und Unwahrheit ging. Vor diesem Hintergrund lehnte sie alle Ansprüche des Staates ab, den Menschen total zu vereinnahmen und ihn zu absolutem Gehorsam zu zwingen.[59] Für Paul Schneider war von Anfang an die Wahrheitsfrage von grosser Bedeutung, wie auch für Wilhelm Busch. In seinem Buch über das Erleben im Dritten Reich, *Freiheit aus dem Evangelium*, findet sich ein Kapitel über die Macht der Lüge. Ich zitiere:

«Es gehört für mich einfach zum Erstaunlichsten, wie die Staatspolizei und auch alles Übrige der Lüge verschworen war. Darum sind wir so empfindlich, wenn im Bundestag gelogen wird.»[60]

Das schrieb Busch in den Sechzigerjahren des vorigen Jahrhunderts. Wir könnten heute salopp fragen, warum er die Lügerei im Bundestag überhaupt erwähnenswert findet. Ist es nicht normal, dass in der Politik gelogen wird? Wir sehen also, dass es damals nicht nur um Fragen ging, ob und wie Verkündigung weitergeführt werden kann und Gottesdienste noch möglich sind. Mit der

---

59 Vgl. Margarete Schneider, *Paul Schneider – Der Prediger von Buchenwald*.
60 Wilhelm Busch, *Freiheit aus dem Evangelium*, Aussaat Verlag 2006, S. 65–66.

Frage nach Wahrheit und Lüge wurde im Prinzip das aufgenommen, was in Römer 13 mit Gut und Böse benannt ist.

Noch einmal zurück zu unserer gesellschaftlichen Verantwortung. Gerhard Jordy schreibt in seinem Buch über die Brüderbewegung im Dritten Reich:

«Im Ganzen war die in den Kreisen der ‹Brüder› oft geäusserte Versicherung, dass man gegen die Juden keinen Hass hege und als Christ auch nicht hassen dürfe, und die Weigerung, sich an der Hasspropaganda – ‹Juden ’raus! Juda Verrecke!› – zu beteiligen, unter einem Terrorsystem das Äusserste, was man meinte, tun zu können. Helfen konnte es den Betroffenen, den Juden, nicht, wie es eben einem Ertrinkenden nichts nützt, wenn man ihm versichert, dass man nichts gegen ihn habe, aber keinen Finger rührt, um ihn zu retten.»[61]

Es soll nicht so sein, dass wir mit dem Finger auf damalige Christen zeigen oder uns empören. Wie erwähnt, wollen wir auch nicht einfach unsere Situation eins zu eins auf die Verhältnisse des Dritten Reiches übertragen. Im Vergleich zu damals geniessen wir heute noch mehr Freiheiten. Aber es ist möglich, ähnliche Grundmuster im Denken zu erkennen, womit wir uns heute auch in anderen Fragen unserer gesellschaftlichen Verantwortung zu entziehen suchen. Fragen wir uns angesichts der gesellschaftlichen Umbrüche in unserer Zeit: Wo könnten wir

---

61 Gerhard Jordy, *Die Brüderbewegung in Deutschland – Teil 3*, R. Brockhaus Verlag Wuppertal 1986, S. 71–72.

unsere Stimme erheben, Verantwortung wahrnehmen und auch die uns offenstehenden Möglichkeiten nutzen?

In diesem Zusammenhang eine kleine Anmerkung zum «Marsch des Lebens». In solchen Angelegenheiten sollten wir zwei Ebenen unterscheiden. Auf der einen Seite geht es um eine Zusammenarbeit in Sachfragen. In dieser Hinsicht habe ich keine Bedenken, an einem solchen Marsch teilzunehmen. Vor Jahren war ich auch schon als Teilnehmer einer Demonstration gegen den Schwangerschaftsabbruch dabei. Auf der anderen Seite steht die Frage der geistlichen Gemeinschaft. Wenn am Ende oder Anfang einer solchen Veranstaltung ein ökumenischer Gottesdienst stattfindet oder irgendein «geistlicher Eintopf» gerührt wird, muss man ja daran nicht teilnehmen.

Das kraftlos gewordene Salz

In der Bergpredigt lehrt unser Herr Seine Jünger. In Matthäus 5,13-16 spricht Jesus vom Salz der Erde (s. Bibelverse am Anfang dieses Kapitels).

Es ist bekannt, dass Salz würzt und der Fäulnis entgegenwirkt. Die gleiche Auswirkung hat auch die praktische Nachfolge Jesu. Wir sollen wie Himmelslichter leuchten, inmitten eines verdrehten und verkehrten Geschlechts in dieser Welt (vgl. Phil 2,15). Praktische Nachfolge ist mit einem Zeugnis in unsere Umgebung verbunden. Der Herr mahnt, dass das fade Salz hinausgeworfen und zertreten wird. Es ist wirkungslos. Das können wir auch auf die Nachfolge und unsere gesellschaftliche Verantwortung beziehen. Eine Aussage meines Ethiklehrers Heiko Krimmer werde ich nicht vergessen. Ich zitiere sinngemäss:

«Ein ganzer Teil der Vollmachtslosigkeit der Gemeinde Jesu heute hängt mit ihrem Schweigen zur Abtreibungsfrage zusammen.»

Das ist ein Paukenschlag. Wir sind so oft mit uns selbst und unserer vermeintlichen Geistlichkeit beschäftigt, dass wir gar nicht mehr wahrnehmen, was um uns herum abläuft. Gerade in der Abtreibungsthematik sind uns viele aufrichtige Katholiken um Längen voraus. Das sage ich nicht, um geistliche Unterschiede zu nivellieren, sondern weil uns dies, die wir bibeltreu sein wollen, zutiefst beschämen muss. Wie viele andere ethische Themen könnten wir hier noch erwähnen. Es ist nichts einzuwenden, wenn wir unser Schwergewicht auf das geistliche Leben und Lehrfragen legen und die erste Priorität immer die Evangeliumsverkündigung sowie der Bau der Gemeinde Jesu bleibt. Aber es wird gefährlich, wenn wir unsere gesellschaftliche Verantwortung in der Nachfolge Jesu nicht mehr wahrnehmen und erkennen. Dazu zitiere ich Walter Lüthi. Er schreibt in seiner Auslegung zu Römer 13:

«Auch wenn diese alte Welt das sinkende Schiff ist, so haben doch gerade wir Gotteskinder kein Recht, Ratten zu sein, die das Schiff verlassen, gerade wir haben auf dem Posten zu stehen, solange das Schiff fährt, solange es noch schwimmt, solange es noch schwebt.»[62]

Aus 2. Thessalonicher 2,3 wissen wir, dass der grosse Abfall von Gott und Seinen Ordnungen kommen wird, der am Ende in das

---

62 Walter Lüthi, *Der Römerbrief*, Brunnen Verlag Giessen 2001, S. 267.

Auftreten des Antichrists mündet. Matthäus 24,12 spricht vom
Überhandnehmen der Gesetzlosigkeit – man kann das griechische «anomia» auch frei übersetzen mit «Auflösung des göttlichen Willens» – und von der erkalteten Liebe. Diese Entwicklungen vor der Wiederkunft Jesu können wir nicht verhindern.
Ich bin davon überzeugt, dass wir mitten in diesen Entwicklungen stehen. Es wäre aber geistlich grundverkehrt, wenn wir uns
aus jeglicher Verantwortung mit der Begründung zurückziehen,
dass am Ende eben doch alles so kommen muss. In eine fromme
Lethargie oder einen Fatalismus zu verfallen, die zur Passivität
führen, wäre Ungehorsam.

Wir sind auch heute in die Verantwortung gestellt. Wir könnten sogar selbstkritisch die Frage stellen, ob die Entwicklungen
nicht deswegen so rasant vor sich gehen, weil das Salz fade
geworden ist und seine Kraft verloren hat. Nehmen wir das Beispiel von König Josia im Alten Testament. Durch die Prophe-
tin Hulda wurde ihm gesagt, dass nach seiner Lebenszeit das
Gericht Gottes unaufhaltsam über Jerusalem und Juda kommen
würde. Damals hatte Josia schon Reformen durchgeführt. Diese
Ankündigung hätte ihn auch dazu veranlassen können, seine
Hände in den Schoss zu legen. Aber genau das tat er nicht.
Obwohl er wusste, dass das Gericht nach seinem Tod kommen
würde, trieb er auch nach der prophetischen Ansage die geistliche Erneuerung mit ganzem Einsatz voran.

Das Wissen um die nahende Wiederkunft Jesu entbindet uns
nicht von unserer gesellschaftlichen Verantwortung, die wir als
Nachfolger Jesu haben. Genauso wenig das Argument, dass wir
sowieso nichts bewirken können. Um einen harten Vergleich zu
ziehen: Was konnten schon Paul Schneider, Dietrich Bonhoeffer oder Wilhelm Busch äusserlich bewirken? Natürlich haben

sie viel bewirkt in ihrer Zeit. Bleiben wir aber bei der damaligen äusseren Situation stehen. Keiner konnte das Massenmorden verhindern oder stoppen und das Terrorregime unterbinden. Auch die Predigten von Paul Schneider in Buchenwald – seine lautstarke Benennung des Unrechts durch die Gitterstäbe der Arrestzelle hindurch – änderten nichts an der Brutalität und dem Morden im KZ Buchenwald. Er war bereits ermordet, als das Verhängnis des Zweiten Weltkrieges begann. Dietrich Bonhoeffer wurde genauso hingerichtet. Auch Pfarrer Wilhelm Busch konnte durch seine mutigen Predigten und sein Zeugnis den Lauf der Ereignisse nicht verhindern. Und trotzdem sahen diese Männer ihre Verpflichtung vor Gott und dem Evangelium. Sie nahmen ihre Verantwortung wahr. Sie wurden schon damals vielen Christen eine Hilfe, im Angesicht der ideologischen Verwirrung zwischen Lüge und Wahrheit zu unterscheiden.

Wir dagegen versuchen manchmal, unseren Rückzug und unsere Passivität in ethischen Fragen damit zu rechtfertigen, dass der Herr ja ohnehin bald kommt und sich alles erfüllen muss. Man muss nicht alle theologischen Ansichten Bonhoeffers teilen. Was uns aber nachdenklich stimmen sollte, ist der «Heilsegoismus», den Bonhoeffer der pietistischen Frömmigkeit damals vorwarf. Was meinte er damit?

Ein Teil der Glaubenden betonte eben nur geistliche Fragen und wollte keine gesellschaftliche Verantwortung wahrnehmen. Um Matthäus 5 aufzugreifen – so verlor ein ganzer Teil der Gemeinde Jesu seine Salzkraft. In der Nachkriegszeit waren zahlreiche Schuldbekenntnisse fällig.

Bonhoeffer traf auch eine wichtige Unterscheidung zwischen dem Vorletzten und dem Letzten. Darin sehen wir eine klare Abgrenzung gegenüber der transformatorischen Theologie. Das

«Letzte» war für ihn immer das kommende Reich Gottes, das allein Gott schaffen wird. Aber trotzdem wollte er im «Vorletzten», heute, seine Verantwortung wahrnehmen, gerade auch in gesellschaftlicher Hinsicht.

Das können wir auch auf die Prioritäten anwenden. Das Letzte und Wichtigste sind immer die Evangeliumsverkündigung und der Bau der Gemeinde Jesu, die Rettung von Menschen. Trotzdem wollen wir aber heute im Vertrauen auf den Herrn auch mitgestalten und Verantwortung wahrnehmen, soweit uns das möglich ist. In 2. Thessalonicher 2,7 lesen wir, dass das Geheimnis der Gesetzlosigkeit schon am Wirken ist, aber der, der es noch zurückhält, erst hinweggenommen werden muss. Eine Reihe von bibeltreuen Auslegern bezieht diese Stelle auf die Entrückung der Gemeinde oder die Hinwegnahme des Heiligen Geistes. Es kann auch ganz einfach die aufhaltende Kraft Gottes sein. Wir können nicht mit letzter Sicherheit sagen, was mit dem Aufhaltenden genau gemeint ist. Wenn man in dem Aufhaltenden die Gemeinde sieht, kann man fälschlicherweise damit sogar noch die eigene Passivität und den Rückzug aus der Verantwortung als Salz der Erde rechtfertigen, nach dem Motto: «Damit es richtig fault, muss erst noch das Aufhaltende, sprich wir, hinweggenommen werden.»

Ja, es könnte wirklich sein, dass die Fäulnis auch deshalb so rasch voranschreitet, weil das Salz seine Kraft verloren hat. Denken wir an Corona – ein Thema, das mit seinen Zusammenhängen und Auswirkungen sehr komplex und schwierig ist, auch innerhalb der Gemeinde Jesu. Jesusnachfolger können hier zu unterschiedlichen Erkenntnissen und Einschätzungen kommen, wobei uns aber bei allem Ringen daran gelegen sein muss, die geistliche Einheit zu bewahren. Und was die diesbezüglichen Vorschriften betrifft, sind wir als Gemeinde Jesu auch zu einem sehr umsichtigen und überlegten Umgang aufgerufen. Ausserdem wollen wir dankbar sein, wo wir unser Grundrecht auf Religionsfreiheit noch weitgehend ungehindert wahrnehmen können. Dennoch sollte die Gemeinde Jesu immer ihre gegebenen Möglichkeiten voll ausschöpfen und nicht meinen, durch einen vorauseilenden Gehorsam als besonders «staatstreu» glänzen zu müssen. Es stellt sich daher die Frage, ob wir wirklich alle Massnahmen schweigend hinnehmen müssen und nicht etwa zu entsprechenden Sachverhalten unsere Stimme erheben und die gesetzlichen Möglichkeiten, die gegeben sind, ausschöpfen sollten.

Führen wir uns nur die aus christlich-ethischer Sicht untragbare Isolation und Vereinsamung von alten und sterbenden Menschen vor Augen. Oder die vielen Depressionen und Suizide, die durch die belastende Situation verursacht werden. Eine Hebamme warnt beispielsweise wegen der Kontaktbeschränkungen vor zunehmenden Depressionen bei jungen Müttern nach der Geburt.[63] Und was ist in diesem Zusammenhang mit der häuslichen Gewalt und den Folgeschäden der sozialen Isolation für Kinder? Diese Fragen können auf dem Hintergrund einer christlichen Ethik nicht einfach weggeschoben werden.

Wie lassen sich Glaubensfreiheit, Gottesdienste und Versammlungen sowie die biblische Anweisung zum gesungenen Lob Gottes vereinbaren? Es geht nicht darum, Vorschriften leichtfertig zu missachten, aber sind wir inzwischen so angepasst, dass wir uns darüber keine Gedanken mehr machen und versäumen unsere Stimme zu erheben? Was wird sein, soll-

---

63 *ideaSpektrum* 3/21, S. 31.

ten christliche Veranstaltungen, ein Gottesdienstbesuch oder die Teilnahme am Mahl des Herrn von Impfungen abhängig gemacht werden? Angesichts dessen stimmt schon nachdenklich, wie sich selbst in bibeltreuen Gemeinden das «geistliche Koordinatensystem» zu verschieben beginnt. Mit einem Verweis auf Römer 13 betrachten manche die Massnahmen und Empfehlungen der Regierung als oberste Maxime und denken nicht mehr darüber nach, was uns die Bibel umfassend über das Wesen der Gemeinde Jesu sagt.

Das Coronavirus ist ernst zu nehmen. Jeder Todesfall und jede folgenreiche Erkrankung sind schwer. Das soll nicht heruntergespielt werden. Aus einer christlich-ethischen Sicht ist aber auch die Frage der Verhältnismässigkeit zu stellen, zumal der Staat etwa bei den Themen Abtreibung und Sterbehilfe ganz andere Massstäbe für den Schutz des Lebens setzt. Wir erleben auch ein ständiges, teilweise bewusstes Panikmachen[64] und eine einseitige Berichterstattung sowie eine zunehmende Verweigerung des Diskurses mit ausgewiesenen Fachleuten, die manche Fakten anders als die Regierung beurteilen und andere Wege für den Umgang mit der Situation aufzeigen. Prof. Siegfried Scherer mahnte schon im Mai 2020 eine offene wissenschaftliche Debatte an.[65] Auch das Denunziantentum, das durch die ganzen Verordnungen und das gegenseitige Beobachten entfacht wurde, stimmt äusserst bedenklich.

---

64 In *factum* (6/2020 S. 10) war Folgendes zu lesen: «In einem Strategiepapier des deutschen Innenministeriums vom März heisst es, man sollte, um ‹die gewünschte Schockwirkung zu erzielen›, ein ‹Worst Case-Szenario› inszenieren und die tatsächlichen Fallsterblichkeitszahlen nicht kommunizieren.» Unabhängig von der Einschätzung der Gefährlichkeit des Virus wurde Angstmache bewusst als «Mittel zum Zweck» ins Kalkül gezogen.
65 *Pro Christliches Medienmagazin* 3/2020, S. 9.

Wir sollten nicht aus einer Laune heraus die Bestimmungen missachten, uns anstössig verhalten oder irgendwelche wilden Spekulationen und Theorien verbreiten. Aber die Gemeinde Jesu hat durchaus einen Auftrag, ihre Stimme zu erheben, wo Massnahmen Folgeschäden im menschlich-ethischen Bereich verursachen. Die wirtschaftlichen Folgen sind nicht nur materiell zu sehen, sondern sie werden zahlreiche Menschenleben kosten und menschliche Tragödien nach sich ziehen, nicht nur in Europa, sondern besonders in den armen Ländern. Die Beschränkungen werden auch in der bekennenden Gemeinde Jesu tiefe Spuren hinterlassen, über deren Umfang wir uns heute noch gar nicht im Klaren sind. Für manch einen wird wohl nach dem äusseren der geistliche Lockdown kommen.

Apropos Panik. Jede schwere Coronaerkrankung und jeder Todesfall sind tragisch. Niemand darf davon ausgehen, dass er automatisch davor geschützt sei. Werden wir aber nun selbst von der Angststimmung mitgerissen oder können die Menschen um uns herum sehen, dass wir eine lebendige, ewige Hoffnung haben und uns in der Hand des allmächtigen Gottes befinden?

Die Verantwortung und das Gebet

In 1. Timotheus 2 erklärt Paulus, dass wir vor allen Dingen Bitten, Gebete, Fürbitten und Danksagung darbringen sollen für alle Menschen, für Könige – wir können sagen Regierende und Verantwortungsträger –, damit wir ein ruhiges und stilles Leben führen können, in Gottesfurcht und Ehrbarkeit (1Tim 2,1ff.). Der weitere Textzusammenhang macht deutlich, dass es in erster Linie um die Freiheit für den Lauf des Evangeliums und den Missionsauftrag geht. Beim Gebet beginnt unsere gesellschaftliche Verantwortung.

Wir haben einige Bereiche gestreift, die mit gesellschaftlicher Verantwortung der bekennenden Christen zusammenhängen. Es liessen sich noch viel mehr Dinge nennen. Wir müssen berücksichtigen, dass unser Herr unterschiedliche Aufträge gibt, auch in Bezug auf gesellschaftliche Verantwortung und Evangelisation. Es kann und muss nicht jeder alles tun. Was wir aber alle tun können, ist dies: die Dinge und Entwicklungen, die uns Not machen, im Gebet vor den Herrn bringen.

Ist unterlassenes Gebet nicht Versagen? Wem ist der Mord am ungeborenen Leben ein regelmässiges Gebetsanliegen? Oder die Auflösung der göttlichen Schöpfungsordnung von Mann und Frau und die ganze ethische Enttabuisierung, die uns gerichtsreif gemacht haben? Wer betet angesichts der Coronabeschränkungen für vereinsamte Menschen und die Nöte, die damit zusammenhängen? Wie bereits erwähnt: Wir betonen, dass viele Dinge nicht richtig sind, und gehen dann wieder zur Tagesordnung über, ohne dass es uns ein Anliegen des Herzens würde. Wenn Themen für uns zu einem lebendigen Gebetsanliegen werden, dann lässt uns der Herr in der Regel auch erkennen, ob und was wir tun sollen.

Paulus spricht hier verschiedene Arten des Gebets für die Obrigkeit an: Bitten, Fürbitte und Danksagung. Wir danken für alles, wofür wir dankbar sein können. Wir beten um Weisheit für die Verantwortungsträger bei ihren Entscheidungen. Wir üben uns aber auch in der Fürbitte und im Bitten, wenn die Dinge dem Willen Gottes entgegenlaufen. Dazu gehört auch unsere Beugung unter die antichristlichen Umbrüche, die wir erleben. Ist es uns überhaupt ein Anliegen, in den Beschränkungen der Coronasituation darum zu beten, dass wir uns bald wieder ohne Einschränkungen als Gemeinde Jesu versammeln können? Oder haben wir diesen Wunsch verloren, weil es so bequem ist, sonntagmorgens im Pyjama mit der Kaffeetasse in der Hand eine Predigt zu streamen und sich dann noch eine geistliche Delikatesse nach dem eigenen Geschmack auszusuchen?

Lot, den Neffen Abrahams, würden wir nicht unbedingt als ein leuchtendes geistliches Vorbild für uns betrachten. Er war ein Grenzgänger, einer, der geistlich gesehen auf dem Vulkan tanzte. Aber wir lesen etwas von ihm, das er uns möglicherweise voraushatte. In 2. Petrus 2,7 steht, dass er von dem ausschweifenden Wandel der Ruchlosen gequält wurde. Uns dagegen berühren viele Dinge nicht einmal mehr.

Blenden wir noch einmal in die extreme Situation des Nationalsozialismus zurück. Da gab es auch bekennende Christen, die zuerst von Hitler und seiner scheinbaren Ordnungsmacht in dem Chaos der damaligen Zeit begeistert waren. Allmählich erkannten dann manche, dass sie geblendet wurden und welche Verbrechen und Finsternis hinter allem standen. Ein Mann, dem die Augen aufgegangen waren, betete in Bezug auf Hitler: «Herr, kehr ihn um oder bring ihn um.» Schon für dieses Gebet hätte er ins Gefängnis kommen können.

Immer wieder haben sich Politiker dankbar über das Gebet und die Fürbitte geäussert, nicht nur aus wahltaktischen Gründen oder weil sie selbst bekennende Christen waren, sondern weil sie auch um ihre eigenen Grenzen wussten. Wir wollen auch für bekennende Christen beten, die gesellschaftliche Verantwortung wahrnehmen und für wichtige ethische Anliegen kämpfen.

Wie gesagt: Die erste Priorität hat immer die Evangeliumsverkündigung und der Bau der Gemeinde Jesu; um es mit Luther auszudrücken: das Reich zur Rechten. Aber das enthebt

uns nicht unserer Verpflichtung für das Reich zur Linken, die
Gesellschaft und den Staat, wo uns Gott hineingestellt hat. Oft
waren es einzelne Christen, die ihre Verantwortung wahrnahmen. Manche konnten, äusserlich gesehen, durch ihren Einsatz
die Entwicklungen nicht aufhalten. Denken wir nochmals an
Paul Schneider oder Dietrich Bonhoeffer. Auch ein beträchtlicher Teil von Offizieren und Personen, die zu den Widerständ-
lern des «20. Juli» und zum «Kreisauer Kreis» gehörten, waren
gottesfürchtige Menschen und sogar bekennende Christen, die
dem unsäglichen Morden und Töten ein Ende setzen wollten.
Diese Beteiligung von bekennenden Christen wird heute oft ausgeblendet, wenn es um den Widerstand im Dritten Reich geht.

Natürlich haben Schneider, Bonhoeffer, Busch und andere
auch viel bewegt. Paul Schneider wurde Tausenden von Häftlingen zu einem Zeugnis. Als er am 21. Juli 1939 in Dickenschied
beigesetzt wurde, zeigte nicht nur die Bekennende Kirche aus
ganz Deutschland grosse Anteilnahme. Auch die katholische
Kirchgemeinde mit ihrem Priester nahm Anteil, aus Respekt
und Achtung vor diesem bekennenden, bibelgläubigen evangelischen Christen.

Das Wahrnehmen gesellschaftlicher Verantwortung durch
bekennende Christen hatte in der Geschichte oft Auswirkungen.
Ob das Florence Nightingale (Krankenpflege) war, Georg Müller
(Waisenhäuser), Oberstleutnant Curt von Knobelsdorff (Blaues
Kreuz), William Wilberforce und John Newton (Abschaffung
der Sklaverei), Johann Heinrich Wichern (Häuser für Jugend-
liche und Pädagogik), Henry Dunant (Rotes Kreuz), William
Blackstone und William Hechler (Zionismus und Judenheim-
stätte), Friedrich von Bodelschwingh (Diakoniewerk Bethel)
und andere. Natürlich lebten sie in einer anderen Zeit mit ande-

ren Möglichkeiten. Vieles wurde damals noch nicht so sehr durch behördliche Vorschriften erschwert wie heute, wobei es dafür andere Widerstände gab. Weder sollen wir Vergangenes kopieren noch unsere Möglichkeiten überschätzen. Es geht aber darum, um Christi willen wieder neu unsere gesellschaftliche Schuldigkeit zu erkennen, in dem Wissen, dass es dabei um das Vorletzte und nicht das Letzte geht. Nehmen wir diese Verantwortung wahr, indem wir beten, unsere Stimme erheben und auch überlegen, wie und wo wir einen Auftrag zum Handeln haben. Es entspricht genau dem Plan unseres Herrn, dass Er uns in diese Zeit gestellt hat, mit all ihren Entwicklungen. Was die gesellschaftliche Verantwortung betrifft, lässt sich auch das Wort Jesu aus Lukas 19,13 anwenden:

«Handelt, bis ich wiederkomme!»

Paulus und das römische Bürgerrecht

«Festus aber, der sich die Juden zu Dank verpflichten
wollte, antwortete dem Paulus und sprach: Willst du nach
Jerusalem hinaufziehen und dich dort hierüber von mir
richten lassen? Aber Paulus sprach: Ich stehe vor dem
Richterstuhl des Kaisers, dort muss ich gerichtet werden!
Den Juden habe ich kein Unrecht getan, wie du selbst sehr
wohl weisst. Denn wenn ich im Unrecht bin und etwas
begangen habe, was den Tod verdient, so weigere ich
mich nicht zu sterben. Wenn aber ihre Anklagen nichtig
sind, so kann mich niemand ihnen preisgeben. Ich berufe
mich auf den Kaiser! Da besprach sich Festus mit seinem
Rat und antwortete: Du hast dich auf den Kaiser berufen;
zum Kaiser sollst du gehen!» (Apg 25,9-12).

In meiner Schulzeit waren Taschenrechner eine sensationelle
Neuheit. Die ersten Rechner waren noch etwas klobig. Dann ent-
wickelte sich die Technik weiter. Man war stolz auf ein solches
Gerät, das etwa die Grösse eines heutigen Smartphones hatte.
Die einfachen und erschwinglichen Geräte konnten anfangs
hauptsächlich in den vier Grundrechenarten rechnen. Es war
für uns etwas völlig Neues, als wir das erste Mal Taschenrechner als Hilfsmittel bei einer Prüfung gebrauchen durften. Der

Taschenrechner allein reichte natürlich bei weitem nicht aus, um die Prüfungsaufgaben zu lösen. Aber er war als ein Hilfsmittel für die Prüfung zugelassen.

Leid, Schmach und Verfolgung um Christi willen sind schwere Prüfungen für den Glauben. Und wir sind berufen, dieses Unrecht im Vertrauen auf den Herrn ertragen zu lernen und für Ihn zu leiden (1Petr 2,21-24). Von den Hebräern lesen wir, dass sie sogar mit Freuden Leiden, Bedrängnis und Zwangsenteignung um Christi willen erduldet haben (Hebr 10,32-34). Da stellt sich die Frage, ob wir als Jesusnachfolger allen Druck und sämtliche Verfolgung unwidersprochen hinnehmen und auf jede Inanspruchnahme von zustehenden Rechten verzichten müssen. Sollen wir bildlich gesprochen die Prüfung ohne Hilfsmittel durchstehen oder dürfen wir an der einen oder anderen Stelle auch den «Taschenrechner» gebrauchen? Ist es aus biblischer Sicht angebracht, dass der Bremer Pastor Olaf Latzel gegen seine Verurteilung wegen Volksverhetzung Rechtsmittel eingelegt hat,[66] oder entspricht dies nicht dem Willen Gottes?

Diese Fragestellung kann noch auf eine weitere Ebene angewendet werden, wo es nicht um Verfolgung im eigentlichen Sinn geht. Folgende Situation: Christen müssen sich der Obrigkeit unterordnen (Röm 13,1-7). Im Zusammenhang mit dem Corona-Lockdown hat es in Westeuropa auch Versammlungs- und Gottesdienstverbote gegeben. Darf nun von christlicher Seite gegen ein solches Verbot gerichtlich Einspruch erhoben werden? Ist es statthaft, sich auf die Verfassung und die darin zugesicherte Religionsfreiheit zu berufen, oder muss alles widerspruchslos hingenommen werden, weil wir uns der Obrigkeit unterzuordnen haben?

---

66 Vgl. dazu S. 117.

Schon bei seiner Bekehrung wurde Paulus gesagt, wie viel er um Christi willen leiden würde (Apg 9,16). Der Apostel wusste, dass Leid und Verfolgung um Christi willen ein fester Bestandteil der Nachfolge und des Dienstes sind. Von seinen zahlreichen Leiden lesen wir sowohl in der Apostelgeschichte als auch in seinen Briefen. Manche stellen sich den Apostel als eine Art unverwüstlichen frommen «Survival Man» vor, dem einfach nichts etwas anhaben konnte. Die Auflistung der Leiden in 2. Korinther 11,23-25 macht deutlich, was Paulus alles mitgemacht hat. Dabei gilt zu beachten, dass dieser Textabschnitt nicht alle Leiden des Apostels auflistet. Die vielen Schläge, Auspeitschungen und überlebten Steinigungen hatten einen vernarbten und gesundheitlich gezeichneten Körper zur Folge. Aus diesem Grund konnte Paulus an die Galater schreiben, dass er die Malzeichen des Herrn Jesus an seinem Leib trug (Gal 6,17). Man sah ihm äusserlich sofort an, wie viel er um Christi Willen gelitten hatte. Paulus fand zu diesem schweren Weg ein Ja, weil er wusste, dass sein Herr und das Evangelium diese schmerzhaften Leiden wert waren.

Wie wir bereits gesehen haben, hat Paulus deswegen aber nicht auf jegliche Inanspruchnahme seiner damaligen Rechte und Möglichkeiten verzichtet. Das zeigen uns die Apostelgeschichte und der 2. Timotheusbrief. Der Apostel machte wohl nicht bei jeder Gelegenheit von den ihm zustehenden Rechten Gebrauch, aber er griff dennoch mehrfach auf sie zurück.

Der Gefängnisaufenthalt in Philippi

Auf seiner zweiten Missionsreise wurden Paulus und Silas um des Evangeliums willen in Philippi mit Ruten geschlagen und ins Gefängnis geworfen (Apg 16,23-40). Nachdem sie Gottes machtvolles Eingreifen und die Bekehrung des Kerkermeisters und der Seinen erlebt hatten, versuchten die Stadtobersten, den Apostel möglichst schnell abzuschieben. Paulus bestand aber darauf, dass dies nicht heimlich ginge, da sie als römische Bürger ohne Urteil öffentlich geschlagen worden waren, was gegen das geltende Recht verstossen hatte. So mussten die Hauptleute kommen, um sie persönlich aus der Stadt zu geleiten. Wie wir aus dem späteren Philipperbrief wissen, litten auch die Jesusnachfolger in dieser Stadt für ihren Glauben, nachdem Paulus und Silas damals abgereist waren (Phil 1,29-30). Aber trotzdem war dieser rechtliche Einspruch des Paulus auch ein wichtiges Signal. Indem die Hauptleute sie offiziell freiliessen und geleiteten, wurde deutlich, dass es sich hier nicht um gesetzübertretende Kriminelle oder Aufrührer handelte. Warren Wiersbe schreibt dazu:

«Das war dann der Zeitpunkt, an dem Paulus Gebrauch von seinem römischen Bürgerrecht machte und gegenüber den Beamten die Rechtmässigkeit ihrer Behandlung in Frage stellte. Dies war keine persönliche Rache, sondern der Wunsch, der Gemeinde Schutz und Respekt zu verschaffen. Zwar sagt uns der Bericht nicht, ob sich die Stadtobersten offiziell und öffentlich entschuldigten, aber er gibt an, dass sie respektvoll auf Paulus und Silas zukamen, sie aus dem Gefängnis hinausbegleiteten und sie höflich baten, die Stadt zu verlassen.»[67]

---

67 Warren Wiersbe, *Kommentar NT, Band 1 – Matthäus bis Apostelgeschichte*, Christliches Verlagshaus Dillenburg 2017, S. 1043.

Alfred Christlieb merkt zum Verhalten des Paulus an:

«Paulus lehnte indessen die heimliche Ausstossung ab und
erbat öffentliches Geleit durch die Beamten. Weshalb? War
es gekränkter Stolz oder Eigenliebe? Dann hätte Paulus oft
vielerlei Geleit erbitten müssen. Ach nein. Er sah darauf,
was für die Hauptleute und vor allem für die junge Christen-
schar gut war. Ein guter Ruf, auch vor der Welt, machte dem
Wort Gottes Bahn. Nicht als fliehender Verbrecher, sondern
als tröstender Vater sollte Paulus die erste Station in Europa
verlassen. Wohl uns, wenn wir solche Spuren an den Orten
unserer Wirksamkeit zurücklassen!»[68]

Die Gefangennahme des Apostels in Jerusalem

Auf dem Rückweg von seiner dritten Missionsreise wusste der
Apostel Paulus, dass in Jerusalem Leid und Gefangenschaft
um des Evangeliums willen auf ihn warteten (vgl. Apg 20,22-
25; 21,4.10-12). Mit diesem Wissen war Paulus sogar bereit, für
den Namen des Herrn Jesus zu sterben (Apg 21,13). Er wich der
bevorstehenden Bedrängnis und dem Leiden nicht aus, wie es
anderen Glaubenden lieb gewesen wäre. Trotzdem gab er sich
aber nicht einem passiven Fatalismus hin.

Als es wegen Paulus in Jerusalem zum Aufruhr kam, wollte
der römische Befehlshaber ihn unter Auspeitschung verhören lassen. Auch das gehörte zweifelsohne zu den Leiden des
Paulus für Jesus. Aber Paulus berief sich wieder auf sein römisches Bürgerrecht und die damit zusammenhängende Rechts-

---

68 Alfred Christlieb, *Der Apostel Paulus*, Verlag der Francke-Buchhandlung Marburg 1975,
    S. 172.

lage (Apg 22,25-29). Stanley Toussaint weist darauf hin, dass ein römischer Bürger nur dann gegeisselt werden durfte, wenn seine Schuld zweifelsfrei erwiesen war.[69] Zwar wurde der Apostel deshalb nicht freigelassen, aber Folter und eine nach dem Gesetz Roms unrechtmässige Behandlung blieben ihm erspart. Paulus nahm also bei dieser Gelegenheit sein Recht als römischer Bürger in Anspruch, obwohl er bereit war, für den Herrn Jesus zu sterben. Das war noch nicht alles.

Nach seiner Gefangennahme in Jerusalem wurde der Apostel vor dem Hohen Rat verhört (Apg 23,1-11). Als er bei dieser Gelegenheit geschlagen wurde, nannte Paulus mit dem Verweis auf das alttestamentliche Gesetz das Unrecht beim Namen. Seine anschliessende Entschuldigung bezog sich auf die Bezeichnung des Hohepriesters als «getünchte Wand», aber nicht auf seinen Einspruch an sich (Apg 23,5). Also selbst als Paulus vor dem höchsten geistlichen Gremium geschlagen wurde, schluckte er dies nicht wortlos. Vielmehr verwies er auf das geschehene Unrecht im Zusammenhang mit dem Gesetz. Dasselbe lesen wir von dem Herrn Jesus, als Er vor den Hohepriestern Hannas und Kajaphas verhört wurde. Ein Diener des Hohepriesters schlug Ihn ins Gesicht, worauf der Herr sagte:

«Habe ich unrecht geredet, so beweise, was daran unrecht war; habe ich aber recht geredet, was schlägst du mich?» (Joh 18,23).

---

69 Stanley D. Toussaint in *Das Neue Testament erklärt und ausgelegt* – Band 4, *Matthäus – Römer*, Hänssler-Verlag 1992, S. 533, hrsg. v. John F. Walvoord und Roy B. Zuck.

Christus selbst, der wie ein Schaf vor seinem Scherer verstummte (Jes 53,7), nannte an dieser Stelle das Ihm geschehene Unrecht beim Namen und verwies auf das mosaische Gesetz. Er beliess es dabei, das Unrecht zu benennen, ohne für Sein Recht zu kämpfen.

Zurück zu Paulus: Als Nächstes erfuhr der Apostel durch seinen Neffen von dem gegen ihn geschmiedeten Mordkomplott. Er zog sich aber nicht einfach zum Fasten und Beten zurück (gebetet hat er in dieser Situation zweifellos). Er bat auch nicht zuerst die Jerusalemer Gemeinde um eine besondere Gebetsversammlung für sein Anliegen (aber sicher haben Christen in dieser Stadt für ihn gebetet). Nein, Paulus liess sofort einen römischen Hauptmann rufen und seinen Neffen zum römischen Befehlshaber bringen, um ihm vom geplanten Anschlag zu berichten (Apg 23,12-22). Wieder ergriff der Apostel damit die ihm zur Verfügung stehenden rechtlichen Möglichkeiten, um nicht einfach hinterhältig ermordet zu werden. Diese Inanspruchnahme des römischen Schutzes führte dazu, dass der Apostel mit einem gewaltigen staatlichen Sicherheitskonvoi von Jerusalem nach Cäsarea geleitet wurde (Apg 23,23-33).

Die Berufung des Apostels auf den Kaiser

Während seiner Gefangenschaft in Cäsarea kam es zu einem Wechsel des römischen Statthalters. Statthalter Felix trat ab und liess Paulus als Gefangenen zurück, um den Juden eine Gunst zu erweisen. Der neue Statthalter Festus sah in Paulus ebenfalls eine Möglichkeit, sich bei den Juden beliebt zu machen. So wollte er Paulus für den Prozess nach Jerusalem senden. Der Apostel wusste sehr wohl, dass die Sache nicht sauber war und von vornherein zu seinen Ungunsten ausgehen würde. Mit einem fairen und echten Prozess war in Jerusalem nicht zu rechnen. So berief sich Paulus als römischer Staatsbürger auf den Richterstuhl des Kaisers (Apg 25,10-11). Er wandte sich damit an die höchste rechtliche Instanz, die damals möglich war. Die Berufung auf den Kaiser können wir mit dem Zug vors Bundesgericht (Schweiz u. Österreich), Bundesverfassungsgericht (Deutschland) oder dem Gang vor den Supreme Court (Oberster Gerichtshof der Vereinigten Staaten) vergleichen. Der Mann, der um des Evangeliums willen einerseits auf so viele ihm persönlich zustehende Dinge verzichtete, konnte sich andererseits auf die höchste rechtliche Instanz im Römischen Reich berufen. Und dies, obwohl er ja bereit war, für Christus und das Evangelium zu leiden und sogar zu sterben.

Den Gang des Paulus bei seiner Gefangennahme – angefangen bei den römischen Hauptleuten über die Statthalter bis hin zur Berufung auf den Kaiser – können wir mit dem Ausschöpfen aller rechtlichen Möglichkeiten heute vergleichen. Gegen Ende seines Dienstes nahm Paulus diesen Weg in Anspruch, ohne dass das Unglauben oder mangelndes Gottvertrauen gewesen wäre.

Paulus in der Todeszelle in Rom

Es gibt eine Reihe von Indizien, die dafür sprechen, dass Paulus nach seiner ersten Gefangenschaft in Rom nochmals freikam. So genoss er am Ende der Apostelgeschichte in der ersten Gefangenschaft noch viele Freiheiten. In einem gewissen Sinn kann er als Freigänger bezeichnet werden (Apg 28,30-31), obwohl er Tag und Nacht an einen römischen Soldaten gekettet war. Im 2. Timotheusbrief finden wir dagegen ganz andere Umstände.

Seine zweite Gefangennahme fand möglicherweise in Troas statt (2Tim 4,13). Auch die Situation im Gefängnis ist eine andere als am Ende der Apostelgeschichte. Paulus sass wohl in einem feuchten und kalten Kerker (2Tim 1,9-13). Der Apostel spricht auch nicht mehr von der Hoffnung einer baldigen Freilassung wie in der ersten Gefangenschaft (vgl. Phil 1,25.26; 2,24; Phlm 1,22). Stattdessen hat er sein baldiges irdisches Ende vor Augen (2Tim 4,7.18). Im Gegensatz zu seiner ersten Gefangenschaft waren viele Christen und Gemeinden auf Distanz zu ihm gegangen (2Tim 1,15).

Paulus sass in der «Todeszelle» und sah dem Ende seines irdischen Lebens und Dienstes entgegen. Inzwischen hatte die erste öffentliche Verhandlung gegen den Apostel stattgefunden. Er stellte fest, dass ihm niemand beigestanden hatte und alle ihn verlassen hatten (2Tim 4,16). Fritz Grünzweig schreibt dazu Folgendes:

«Die Gerichtsverhandlungen waren öffentlich. Der neue Glaube war in Rom Stadtgespräch. Wahrscheinlich war bei dem Prozess gegen einen Wortführer der Christen eine grosse Zuhörerschaft zugegen. Im Prozess konnten Belastungs- und Entlastungszeugen auftreten. Und nun berichtete Paulus schmerzlicherweise: Bei der ersten Gerichtsverhandlung ‹stand mir niemand bei›. Er erwartete wohl, dass insbesondere Gemeindeglieder aus Rom für Paulus, zu seiner Entlastung, eintraten. Doch alle, die für ihn hätten reden können, schwiegen. [...] Wahrscheinlich hielten sie die Lage der Christen in Rom, sonderlich unter den Augen Neros, damals für so gefährlich, dass sie sich nicht vorwagten. Sie fürchteten, dass sie mit einem Eintreten für einen Mann wie Paulus ins offene Messer liefen.»[70]

Es war für den Apostel eine grosse Enttäuschung, dass niemand von der Gemeinde in Rom bereit war, für ihn auszusagen. Wie oft hatte Paulus buchstäblich seinen Kopf für das Evangelium und Christus hingehalten. Und nun waren die Jesusnachfolger Roms nicht bereit, die rechtlichen Möglichkeiten in Anspruch zu nehmen, um Paulus zu entlasten – unabhängig davon, ob dies zu einer Freilassung geführt hätte. Schliesslich ging es auch um das Evangelium und um böse Verleumdungen und Verdächtigungen gegen die Christen.

Damit noch nicht genug. Paulus sagt in Vers 17, dass er aus dem Rachen des Löwen gerettet wurde. Hätte er etwa nach dem ersten Prozess in die Arena mit den Löwen kommen sollen und war er davor gerettet worden? War mit dem Löwen der römische Diktator Nero gemeint? Bezieht sich diese Aussage auf Satan, der ihm und dem Evangelium schaden wollte? Oder geht es dabei um das römische Rechtssystem, das unter Nero weiter korrumpiert wurde? Da dieser letzte Sachverhalt nicht ausgeschlossen werden kann, dazu noch einmal Fritz Grünzweig:

«Paulus dachte wohl vielmehr an die römische Staatsmacht, die hier nicht Ordnungsmacht war (Röm 13,1-7), sondern in ihrem Vorgehen gegen die Christen, insbesondere unter Kaiser Nero, zur Macht der Willkür und der Ungerechtigkeit entartet war. Vor ihr und einer sensationslüsternen

---

70 Fritz Grünzweig, *2. Timotheusbrief, Titus- und Philemon-Brief – Edition C Bibelkommentar*, Band 19, Hänssler Verlag Neuhausen-Stuttgart 1990, S. 150.

Menge, die den Tod der Christen forderte, hatte Gott den Apostel Paulus noch einmal bewahrt.»[71]

Einige Schlussfolgerungen lassen sich nicht mit letzter Sicherheit ziehen. Dennoch machen die Verse über die Anhörung des Apostels deutlich, dass ihm auch bei diesem Prozess daran gelegen war, die zur Verfügung stehenden Rechtsmittel für die Wahrheit des Evangeliums und seine Wirkungsmöglichkeit in Anspruch zu nehmen.

Das heisst nicht, dass wir wegen jedem und allem Unrecht um des Evangeliums willen vor Gericht ziehen sollen. Gott verherrlicht sich auch durch das schweigende Ertragen und Dulden Seiner Kinder. Aus biblischer Sicht ist es aber möglich und gestattet, um des Evangeliums und der Freiheit willen die zur Verfügung stehenden Rechte in Anspruch zu nehmen. So versuchten beispielsweise die verfolgten Christen in der Sowjetunion auch, ihre rechtlichen Möglichkeiten auszuschöpfen, unabhängig von dem Ausgang der Entscheidungen. Als es am Anfang des Hitlerregimes zu Einschränkungen und Verboten in der Jugendarbeit kam, unternahm Pfarrer Wilhelm Busch alles, damit die Arbeit weitergehen konnte. Dasselbe Prinzip gilt für das erwähnte Gerichtsurteil gegen Pastor Olaf Latzel. Mit der Verurteilung wegen «Volksverhetzung» werden sowohl dem Evangelium, seinem Dienst als auch ihm persönlich falsche Motive und ein unzutreffender Tatbestand angehängt. Aus diesem Grund ist es um einer Klärung willen wichtig, dass er mit seinem Anwalt Rechtsmittel gegen das Urteil eingelegt hat.

---

71 Ebd. S. 152.

Wie schon angeklungen, geht es im Zusammenhang mit dem Evangelium auch um die Freiheit in einer Gesellschaft. Wenn diese Freiheit (wie die Versammlungsfreiheit) durch Verordnungen, gleich welcher Art, eingeschränkt wird, kann die Gemeinde Jesu sehr wohl alle ihr zur Verfügung stehenden rechtlichen Mittel bemühen, um beispielsweise die Zusammenkünfte weiter zu gewährleisten. Wenn sich Christen auf verfassungsrechtlich gewährleistete Grundrechte berufen, verletzen sie nicht die biblische Anordnung, der Obrigkeit untertan zu sein. Wenn schon Paulus unter einem Diktator sein Bürgerrecht in Anspruch nahm, dann dürfen wir dies zweifelsohne unter einer demokratisch-freiheitlichen Verfassung tun.

Bibeltreue Christen, die im Fall von Schmähung, Verfolgung, Einschränkungen usw. auf den Gebrauch der ihnen zustehenden Rechte verzichten, sollten nicht über andere richten, die wie Paulus ihre diesbezüglichen Möglichkeiten nutzen. Die Inanspruchnahme von Rechtsmitteln sollte in einer ausgewogenen Art erfolgen, dass über allem das Handeln Gottes gesehen wird. Tritt ein Christ als Prozesshansel auf, stärkt das sein Zeugnis nicht. Als Paulus sich auf sein römisches Bürgerrecht berief, verhinderte er damit ein vorzeitiges Ende seines Dienstes und Lebens. Trotz seiner vielen Leiden und der Gefangenschaft wurden ihm dadurch, zumindest stückweise, nochmals zusätzliche Leiden erspart. Und auch wenn er seine Rechte in Anspruch nahm, vertraute er trotzdem über allem auf seinen Herrn. Besonders wird dies daran deutlich, dass er nach seiner Enttäuschung über die fehlende Unterstützung der anderen Christen bei seiner ersten Verhandlung dennoch getrost war. Denn er schreibt weiter:

«Der Herr aber stand mir bei und stärkte mich, damit durch mich die Verkündigung völlig ausgerichtet würde und alle Heiden sie hören könnten; und so wurde ich erlöst aus dem Rachen des Löwen. Der Herr wird mich auch von jedem boshaften Werk erlösen und mich in sein himmlisches Reich retten. Ihm sei die Ehre von Ewigkeit zu Ewigkeit! Amen» (2Tim 4,17-18).

Kritisch wird es dann, wenn man unterstellt, Paulus hätte mit seiner Berufung auf das römische Bürgerrecht ungeistlich oder eigenwillig gehandelt. Die Apostelgeschichte berichtet uns an drei Stellen, dass Paulus seine Rechte in Anspruch nahm. Und die Bibel, als Gottes Offenbarung, gibt uns mit keinem Wort eine Kritik dieses Vorgehens. Aus diesem Grund sollten wir uns davor hüten, mit unserem Urteil über Gottes Wort hinauszugehen. So wie es Paulus sagt:

«Das aber, meine Brüder, habe ich auf mich und Apollos bezogen um euretwillen, damit ihr an uns lernt, in eurem Denken nicht über das hinauszugehen, was geschrieben steht, damit ihr euch nicht für den einen auf Kosten des anderen aufbläht» (1Kor 4,6).

TEIL II

DAS TROSTBUCH DER OFFENBARUNG

Das Buch mit den sieben Siegeln

«Offenbarung Jesu Christi, die Gott ihm gegeben hat, um seinen Knechten zu zeigen, was rasch geschehen soll; und er hat sie bekannt gemacht und durch seinen Engel seinem Knecht Johannes gesandt, der das Wort Gottes und das Zeugnis Jesu Christi bezeugt hat und alles, was er sah. Glückselig ist, der die Worte der Weissagung liest, und die sie hören und bewahren, was darin geschrieben steht! Denn die Zeit ist nahe» (Offb 1,1-3).

Das Buch der Offenbarung ist nicht nur im christlichen Bereich eines der bekanntesten Bücher. Sehr oft werden auch in der Gesellschaft oder in den Medien Bezüge zu diesem Buch hergestellt, wenn beispielsweise von apokalyptischen Ereignissen die Rede ist. Wie wir noch sehen werden, ist die Offenbarung ein sehr wichtiges Buch mit einer wunderbaren Botschaft für alle Jesusnachfolger. Leider wurde dies nicht immer so gesehen und der Offenbarung nicht immer mit der nötigen Ehrfurcht und Liebe gegenüber Gottes Wort begegnet. Darunter hat der Umgang mit diesem Buch in der Christenheit gelitten, und die falsche Handhabung der Offenbarung hat dazu geführt, dass manche am liebsten überhaupt nichts mehr mit diesem Buch zu tun haben wollen. Andere sehen darin tatsächlich ein Buch mit sieben Siegeln – in dem Sinn, dass man die Offenbarung ja sowieso nicht verstehen kann und sich deshalb am besten erst gar nicht damit beschäftigt.

Das Ziel der Offenbarung

Wahrscheinlich wurde keinem anderen Buch in der Bibel durch eine falsch verstandene Auslegung so viel Gewalt angetan und kein anderes so missbraucht wie das Buch der Offenbarung.

Die Offenbarung als ein Spekulationsobjekt
Für manche ist die Offenbarung ein reines Spekulationsobjekt geworden. Man hat versucht, in ihren Inhalt bestimmte Ereignisse hinein- oder herauszulesen und dies mit irgendwelchen Katastrophen und Ereignissen unserer Welt in Einklang zu bringen. Wie oft wurde schon spekuliert, ob dieses oder jenes eine Erfüllung der Offenbarung sein könnte (z. B. das Reaktorunglück in Tschernobyl 1986), wie oft wurden schon waghalsige Vorhersagen und Spekulationen mit dem Buch der Offenbarung verbunden? Es würde Bände füllen, wenn man nur die verkehrten und fragwürdigen Vorhersagen bis heute auflistete. Leider hat dieser oft leichtfertige Missbrauch durch eigenmächtige Propheten und selbsternannte Experten sowohl die Offenbarung als auch Teile der bekennenden Christenheit in Verruf gebracht.

Um es vorwegzunehmen: Unabhängig davon, wie und wann sich alles erfüllen wird, werden die Dinge bei ihrer Erfüllung so eindeutig sein, dass sich ein Spekulieren oder Unternehmen grossartiger Dehn- und Drückversuche in der Auslegung erübrigt. Genauso wie es mit der Staatsgründung Israels 1948 offensichtlich war, dass Gott Sein Volk sammelt und den Faden der Geschichte mit dem Land Israel wieder aufnimmt, wird dies

auch mit den Ereignissen der Offenbarung sein. Wenn beispielsweise in Offenbarung 6,8 davon die Rede ist, dass der vierte Teil
der Menschheit getötet wird, dann wird dies offensichtlich der
vierte Teil der Erdbevölkerung sein. Wir müssen nicht mit theologischer und mathematischer Akrobatik versuchen, die Zahlen
irgendwie so hinzudrehen (beispielsweise über einen längeren
Zeitraum kunstvoll zusammenzuzählen), dass am Ende das herauskommt, was wir in Gottes Wort hineinspekuliert oder -inter-
pretiert haben. Leider wird die Offenbarung bis heute – und dies
ändert sich auch in der Zukunft wohl kaum – als Spekulationsobjekt missbraucht.

Die Offenbarung als ein Sensations- und Angstobjekt
Dieser Punkt hängt mit dem bereits Geschilderten zusammen:
Das Buch der Offenbarung wurde und wird oft dazu missbraucht, in der Gemeinde Jesu fromme Sensationsmeldungen
zu verbreiten. Da werden dann irgendwelche besonderen Informationen und Hintergründe aufgebauscht dargelegt, die die
Zuhörer begierig aufnehmen.

Es gibt auch in der Gemeinde Jesu Leute, die, ähnlich wie die
Athener (vgl. Apg 17,21), nur auf der Jagd nach irgendwelchen
Neuigkeiten sind. Dadurch ist eine Art fromme Sensationslust
entstanden, und man ist ständig auf den nächsten Donner-
schlag und auf noch eine schockierendere Meldung aus. Damit
geht oft einher, dass mit dem frommen Sensationalismus und
dem damit verbundenen Missbrauch der Offenbarung eine
ungeheure Angst- und Panikmache verbunden sind.

Es ist richtig, dass die Offenbarung nicht schönfärbt, sondern uns bestürzende Vorgänge auf dieser Erde zeigt. Auch
der Prophet Daniel war zutiefst erschüttert, als er die zukünf-

tige Weltgeschichte mit ihren Abläufen sah (vgl. Dan 7,15.28; 8,27). Er sprach von schreckenerregenden Dingen. Die in der Offenbarung angekündigten Ereignisse dürfen nicht verharmlost werden. Die Frage aber ist, was durch den Umgang mit der Offenbarung erreicht wird. Hinterlassen wir nach entsprechenden Ausführungen verängstigte und eingeschüchterte Christen, die in Weltuntergangsstimmung, Zukunftsangst und einer finsterniszentrierten Nachfolge versinken? Oder wird der Blick trotz aller schrecklichen Vorgänge auf dieser Erde auf den Einen gerichtet, der alles fest in der Hand hält und dessen Herrschaft unerschütterlich feststeht? Werden die Jesusleute dazu ermutigt, mit dem Herrn weiterzugehen und mit Ihm zu rechnen, ganz gleich, was kommt? Wenn diese positive Auswirkung nicht erreicht ist, stimmt etwas nicht mit der Auslegung der Offenbarung.

Die Offenbarung als ein Streitobjekt

Leider ist das Buch der Offenbarung sehr oft zu einem Streitobjekt geworden, nicht nur in Bezug auf waghalsige Spekulationen, sondern auch wenn Verkündiger und Ausleger meinen, sich gegenseitig in den Entdeckungen und Erkenntnissen übertreffen zu müssen. Da wird manchmal mehr zwischen den Zeilen statt in den Zeilen der Offenbarung gelesen.

Viel Streit und Spaltung hat sich beispielsweise an der Entrückungsfrage entzündet. Ist die Entrückung nun vor, aus oder nach der Trübsal? Dadurch haben sich Christen entzweit und sind Trennungen entstanden. Führen solche Erkenntnisfragen zu Spaltung und Entzweiung, ist das ein Zeichen dafür, dass das eigentliche Anliegen der Offenbarung nicht verstanden und gesehen wurde. Eigentlich müsste es uns beschämen, wenn es über Fragen wie die nach der Entrückung zur Entzweiung unter bibelgläubigen Christen kommt. Es ist traurig, dass man das Buch der Offenbarung viel zu oft zu einem Streitobjekt missbraucht hat, um dann möglichst noch der eigenen Meinung und Erkenntnis Nachdruck zu verleihen, anstatt auf das Zentrum ihrer Botschaft zu achten.

Die Offenbarung als Buch mit sieben Siegeln
Wie bereits erwähnt, ist die Offenbarung für manche ein Buch mit sieben Siegeln in dem Sinn, dass man dieses Buch sowieso nicht verstehen kann. Sicher haben unnüchterne Spekulationen um dieses Buch dazu beigetragen, diesen Eindruck noch zu verstärken. Leider machen manche Christen einen grossen Bogen um dieses Buch und wollen sich erst gar nicht damit beschäftigen. Dabei geht es in der Offenbarung nicht darum, dass wir über alles Mögliche rätseln und spekulieren, was wir nicht verstehen. So oft wird der seelsorgerliche Charakter dieses Buches übersehen. Damit gehen wichtige Inhalte für die Nachfolge verloren, ganz gleich, zu welcher Zeit wir leben. Deshalb möchte ich Mut machen, dass wir uns mit dem Buch der Offenbarung beschäftigen und dieses Buch nicht links liegen lassen.

Die Offenbarung als Enthüllung der Grösse und Herrlichkeit Jesu
Wir reden oft von der Offenbarung des Johannes und meinen damit, dass Gott Seinem Apostel dieses Buch geoffenbart hat. Dies lesen wir ja auch im zweiten Teil von Offenbarung 1,1. Der erste Teil des ersten Verses zeigt uns das eigentliche Zentrum dieses Buches: «Offenbarung Jesu Christi». Es ist der erhöhte Herr selbst, der im Mittelpunkt dieses Buches steht, der in diesem Buch verherrlicht wird und der für uns vor und über allem

anderen an Bedeutung gewinnen soll. Dieses Hauptthema der Offenbarung als Überschrift des Buches wird so oft sträflich unterschlagen oder übersehen angesichts aller Willkür, die man mit diesem Buch treibt. Die Offenbarung ist nicht nur ein Buch für Theologen oder selbsternannte Propheten, sondern ein Buch für jeden Nachfolger Jesu. Christus in Seiner Herrlichkeit soll für uns noch mehr an Bedeutung gewinnen. – Schrecke deshalb nicht vor diesem Buch zurück, sondern lies es mit dem Anliegen, Christus noch mehr zu erkennen und von Seiner Grösse und Herrlichkeit erfüllt zu werden.

«Offenbarung Jesu Christi, die Gott ihm gegeben hat», kann auch in einem zweiten Sinn verstanden werden: Es ist Jesus Christus selbst, der offenbart, was in Zukunft geschieht. Damit wird deutlich, dass der lebendige Gott allein die Zukunft von uns Menschen präzise voraussagen kann. Wir sehen dasselbe im Buch Daniel. Nur der lebendige Gott selbst, der über Raum und Zeit steht, der souverän regiert und alles in Seiner Hand hält, kann die Zukunft der Weltreiche, aber auch ganz bestimmte Details dieser Weltreiche, bis ins Kleinste voraussagen. Dadurch wird einmal mehr die Kraft, Macht und Herrlichkeit des erhöhten Herrn deutlich. Und wenn Er voraussagen kann, was alles geschieht, wie viel mehr kennt Er dann mein Leben und die Zukunft meines Lebens. Das lässt einen aufatmen.

Das Buch macht deutlich, wie Christus durch alle Widerstände hindurch, in den grössten Feindschaften und in aller Auflehnung und Rebellion, zu Seinem Ziel kommt. Dies ist eine ermutigende Botschaft für uns.

Der geschichtliche Hintergrund und die Abfassung der Offenbarung

Über die Abfassungszeit der Offenbarung gibt es verschiedene Ansichten. Der Inhalt des Buches deutet darauf hin, dass die Offenbarung zwischen 92 und 96 n.Chr. durch den betagten Apostel Johannes abgefasst wurde.

Die Situation im Römischen Reich
Damals herrschte Imperator Caesar Domitianus Augustus Germanicus als Kaiser in Rom, kurz Domitian genannt. Dieser Mann versuchte, das innerlich morsch gewordene römische Weltreich durch die göttliche Verehrung seiner Person zusammenzuhalten. Wie schon seine Vorgänger liess er sich als Gott verehren. Aber Domitian trieb den Kaiserkult auf die Spitze, wie es noch kein Cäsar vor ihm getan hatte. Die Menschen durften damals glauben, was sie wollten, aber alle mussten den Kaiser verehren. Ausserdem beanspruchte der Kaiser den Titel «Herr» – auf Griechisch kyrios – für sich als höchste Autorität. Er beanspruchte für sich, Herr und Gott genannt zu werden.[72] Damit war der Konflikt mit den Gemeinden und Christen, die in Christus ihren alleinigen Gott und Herrn hatten, vorprogrammiert. Unter Domitian begann sich zum ersten Mal eine flächendeckende Christenverfolgung über Teile des Römischen Reiches zu erstrecken. Die Verfolgung nahm grössere Ausmasse an als einige Jahre zuvor unter Nero. Und die Gemeinden im östlichen Bereich des Reiches waren diesem Druck mehr und mehr ausgesetzt.

---

72 Vgl. H. Wayne House, *Chronologische Tabelle und Hintergrundinformationen zum Neuen Testament*, Verlag der Francke-Buchhandlung GmbH 1983, S. 65.

Die Situation der Gemeinden im Römischen Reich

Äusserlich gesehen war das Römische Reich noch nicht auf seinem Zenit angelangt. Erst unter dem späteren Kaiser Trajan erfuhr es seine grösste Ausdehnung. Das machte die Situation für die verfolgten Jesusnachfolger nicht leichter. Ein Ende des Römischen Reiches, mit dem sie wegen seiner gottlosen und antichristlichen Lebensart auch schon ohne Verfolgung in ständiger Auseinandersetzung standen, war nicht abzusehen. Vielmehr gewann es sogar noch äusserlich an Macht und Ausdehnung hinzu. Selbst nachdem später das Römische Reich an Stärke verlor, waren die Gemeinden den Verfolgungen durch die staatlichen Machthaber immer wieder hilflos und schutzlos ausgeliefert. Wie nötig hatte die Gemeinde in der menschlich so bedrückenden und ausweglosen Situation den Blick auf den, dem alle Macht gegeben ist.

Was noch viele Christenverfolger nach Domitian machten, praktizierte auch er: Der römische Imperator meinte, den Gemeinden einen Schlag versetzen zu können, wenn er ihre Führungs- oder Schlüsselpersonen verhaftete. Aus diesem Grund wurde wohl auch der Apostel Johannes auf die Insel Patmos verbannt.

Der Verfasser des Buches

Aus biblischer Sicht steht es ausser Frage, dass der Apostel Johannes, der Bruder des Jakobus und zugleich einer der beiden Zebedäussöhne, der Verfasser der Offenbarung Jesu Christi ist. Er war der letzte noch lebende Apostel und schon über neunzig Jahre alt. Von allen anderen Aposteln ist aus der Überlieferung bekannt, dass sie ihr Leben als Märtyrer beendet haben. Johannes ist wohl der einzige, der in diesem Sinn eines natürlichen

Todes starb. Aber auch ihm wurde im hohen Alter das Leiden um Christi willen nicht erspart. Wie erwähnt, versuchte Domitian, die Gemeinden zu lähmen, indem er ihre Führungspersonen gefangen nahm. So wurde Johannes auf die Insel Patmos verbannt. Das hohe Alter hat seine Verbannung noch zusätzlich erschwert. In Seiner absoluten Souveränität gebrauchte der lebendige Gott die Willkür und das scheinbar unbegrenzte Walten eines antichristlichen Kaisers, der sich mit dem Herrn aller Herren selbst anlegte, dazu, eines der gewaltigsten Bücher der Bibel zu offenbaren. So musste das Schreckensregime Domitians dazu dienen, damit die uneingeschränkte Herrschaft Christi, Seine absolute Souveränität und Macht in einer einmaligen Weise grossgemacht werden. Johannes wurde beauftragt, dieses chronologisch letzte Buch der Bibel niederzuschreiben. Der Apostel Johannes kam danach wohl aus seiner Verbannung in Patmos wieder frei, kehrte in die Gemeinde in Ephesus zurück und starb im hohen Alter.

Die Empfänger der Offenbarung

Die Empfänger der Offenbarung waren in erster Linie die sieben Gemeinden in Asia, von denen Johannes spricht (1,4.11). Aber die Einleitung dieses Buches macht ebenso deutlich, dass sich dieses Buch an alle Knechte Gottes, also an alle Kinder Gottes, richtet, die zu jeder Zeit auf dieser Erde leben werden. Jeder soll wissen, wohin die Weltgeschichte geht und wie Gott mit allem zu Seinem Ziel kommt (1,1-3).

Der Inhalt der Offenbarung

Das erste Buch der Bibel zeigt uns, woher wir kommen. Es zeigt auf, dass wir Menschen und mit uns die Schöpfung durch den

Sündenfall gefallen sind. Wir sehen in diesem Buch die katastrophalen Auswirkungen der Sünde und was es heisst, dass die Menschheit an das Böse und den Widersacher Gottes gebunden ist.

Im letzten Buch der Bibel offenbart der lebendige Gott das Wohin der ganzen Menschheit und Weltgeschichte. Wir sehen, dass Er über allem regiert und durch alle Finsternis hindurch mit starker Hand Seine Absichten und Pläne ausführt, bis Er zu Seinem Ziel gekommen ist. Zugleich macht die Offenbarung den Ernst des Gerichtes Gottes über alles Böse und die Sünde deutlich. Dieses Buch zeigt uns auch die Realität und Auswirkung der Erlösung und welches wunderbare Ziel der lebendige Gott für die Seinen bereithält.

Zugleich war die Offenbarung immer auch ein Trostbuch für die verfolgte und leidende Christenheit, aber auch für einzelne Nachfolger Jesu, die selbst durch dunkle Lebensabschnitte gingen. Dieses Buch zeigt uns, dass der Herr zu keinem Augenblick die Fäden aus der Hand gibt, die grössten Widerstände Seine Herrschaft nicht gefährden können und Er schliesslich durch alles hindurch zu Seinem Ziel kommt.

Im letzten Buch der Bibel laufen alle Linien der 65 anderen biblischen Bücher zusammen. Wir haben darin den grossen Schlussakt der Heilsgeschichte Gottes mit dem Blick, der in alle Ewigkeit hineinreicht. Besondere Parallelen zur Offenbarung finden wir in den alttestamentlichen Propheten Hesekiel und Daniel.

Die Verheissung der Offenbarung

Das Buch der Offenbarung beginnt in Vers 3 mit einer Seligpreisung. Das zerstreut etwaige Bedenken, die man gegen die

Beschäftigung mit der Offenbarung haben könnte. Wir dürfen davon eine Verheissung und einen Segen erwarten. Nun steht nicht da: «Glückselig ist, der die Worte der Weissagung liest und alles versteht und zu deuten weiss, was darin geschrieben steht.» Sondern: «Glückselig ist, der die Worte der Weissagung liest, und die sie hören und bewahren, was darin geschrieben steht!» Auf dem Lesen der Offenbarung und dem Bewahren dieser Worte liegt ein besonderer Segen. Bewahren können wir auch mit Behalten oder Festhalten wiedergeben. So wird das Wort zum Trost und kann in Zeiten der Anfechtung seine göttliche Kraft in uns entfalten. Dieses Bewahren beinhaltet aber auch, dass wir bereit sind, das Wort zu befolgen. Es geht um den entsprechenden Gehorsam. Das gilt für die ganze Offenbarung, wird in besonderer Weise aber auch in den sieben Sendschreiben deutlich. Wenn wir den Trost der Offenbarung, die Verheissungen, aber auch die Ermahnungen und Bussrufe befolgen, ist uns das zum Segen.

Die Seligpreisung schliesst mit dem Satz: «Denn die Zeit ist nahe.» Durch das Befolgen und Bewahren Seiner Worte werden wir bei der Entrückung als wachende Knechte erfunden. Wichtig ist, dass wir nicht nur die Verse aus der Offenbarung und im Besonderen aus den sieben Sendschreiben betonen, die uns gefallen, sondern das ganze Buch der Weissagung befolgen und bewahren. Wir stehen in der Gefahr, selektiv zu lesen (z.B.: Die Gemeinde in Philadelphia sind wir, die in Laodizea die anderen). Wenn wir aber alles in den sieben Sendschreiben bewahren und Ihm gehorsam sind und uns selbst im Licht Gottes prüfen und korrigieren lassen, dann werden wir den Segen dieser Verheissung empfangen. Trotz aller äusseren Umstände, die vielleicht sehr dunkel sein mögen, werden wir aus der Fülle des Christus schöpfen und Ihm freudig entgegengehen.

Es gilt zu beachten, dass wir die Offenbarung nur vor dem Hintergrund der ganzen Bibel verstehen. Je besser ich die Heilige Schrift kennen- und verstehen lerne, umso mehr tut sich mir auch das Buch der Offenbarung auf. Es kommt nicht darauf an, was ich mir vorstelle, wie ich interpretiere oder was ich meine, sondern der Zusammenhang der ganzen Heiligen Schrift ist entscheidend.

Auch für das Buch der Offenbarung ist das Alte Testament als Grundlage unumgänglich. Die Offenbarung knüpft in vielen Punkten an die alttestamentliche Bildersprache und die alttestamentlichen Inhalte an (z. B. Psalmen, Jesaja, Jeremia, Hesekiel, Daniel, Joel, Sacharja). Dabei werden verschiedene Gegenstände und Personen aus der alttestamentlichen Bildersprache aufgegriffen (z. B. Sonne, Mond, Erde, Braut, Hure, Meer). Die Aussagen der Offenbarung können sowohl bildhaft und symbolisch sein (z. B. Leuchter = Gemeinde, Offb 1,20) als auch wörtlich verstanden werden. Dabei gilt zu beachten, dass Johannes möglicherweise auch Dinge in der Zukunft gesehen hat, die er mit den Bildern der damaligen Zeit umschreibt.

Die Offenbarung kann sich nicht durchgehend wie ein Terminkalender lesen lassen (chronologisch), sodass ein Kapitel nach dem anderen zeitlich abfolgt. An einigen Stellen sehen wir bildlich gesprochen ein Panorama, von dem dann wieder die Einzelstationen ins Scheinwerferlicht genommen werden. Zwischendurch geht der Blick ans Ziel, dann kommt wieder eine Rückblende usw.

Nicht umsonst steht das Buch der Offenbarung am Ende der Bibel. Hier laufen alle Linien der Heilsgeschichte zusammen, die im ersten Buch Mose beginnen. Sowohl die Linie einer verlorenen Menschheit als auch die Linie des göttlichen Rettungsplans werden zu ihrem Ziel kommen. Auf der einen Seite kommt die widergöttliche Linie zur Ausreifung (Satan, Völker, Antichrist, Verdammnis), während auf der anderen Seite der göttliche Rettungsplan vollendet wird (Gemeinde, Israel, Tausendjähriges Reich, neue Erde und neuer Himmel).

Die Grösse und Herrlichkeit Jesu Christi
In einzigartiger Weise stellt dieses Buch dem damals grössten menschlichen Herrscher mit seinem ganzen Glanz, seiner ganzen Macht und Brutalität den wahren Herrn aller Herren und König aller Könige gegenüber. Für die Verfolgten war dies ein ungeheurer Trost, besser gesagt: der einzig wahre Trost. Ohnmächtig den Druckmitteln des römischen Kaisers ausgeliefert, wussten sie, dass über allem ein anderer steht, der regiert und ohne dessen Einwilligung dieser böse römische Tyrann ihnen kein Haar krümmen konnte. Zugleich wurde mit der Offenbarung aber auch deutlich, dass alle Verfolgung und alles Leid um Christi willen nur ein Durchgang sind, bis der Tag kommt und die Herrschaft Jesu auch unwiderruflich auf dieser Erde anbricht.

In diesem Buch sehen wir Christus als einen vierfachen Herrn. Zunächst ist Er in Kapitel 1 der persönliche Herr des Apostels. Dann sehen wir Ihn in Kapitel 1 bis 3 als den Herrn Seiner Gemeinde und ab Kapitel 4 bis 20 als den Herrn der Weltgeschichte. Ab Kapitel 21 sehen wir Ihn als den Herrn in alle Ewigkeit. Ernst Aebi macht in seiner Bibelkunde deutlich, dass uns Christus in diesem Buch auf eine achtfache Weise gezeigt wird.[73]

---

73 Ernst Aebi, *Kurze Einführung in die Bibel*, 8. Aufl., Winterthur: Bibellesebund 1985 [1949], S. 280–281.

- In Seiner Menschlichkeit als Menschensohn (1,13), als Löwe von Juda (5,5), als Wurzel des Geschlechts David (22,16).
- In Seiner Göttlichkeit als der Anfang der Schöpfung Gottes (3,14), als Anfang und Ende (1,8), als Erster und Letzter (1,17; 2,8), als Sohn Gottes (2,18), als Gott der Herr (1,8), als der Gesalbte (11,15; 12,10), als der Allmächtige (1,8; 4,8), als der Heilige (3,7), als der Wahrhaftige (3,7; 19,11), als das Amen Gottes (3,14).
- In Seinem Erlösungswerk als der, der uns geliebt hat (1,5), als der, der uns gewaschen hat in Seinem Blut (1,5), als das würdige Lamm, das geschlachtet worden ist (5,12).
- In Seiner Auferstehung als Erstgeborener von den Toten (1,5), als der ewig Lebendige (1,18), als der da tot war und wieder lebendig geworden ist (2,8).
- In Seiner Wiederkunft als der da bald kommt (1,7; 22,7), als der da war, der da ist und der da kommt (1,4.8; 4,8), als der helle, aufgehende Morgenstern (22,16), als der das Reich einnehmen wird (19,6).
- In Seinem Gericht: Er hat den Schlüssel der Hölle und des Totenreichs (1,18), Sein Wort ist ein zweischneidiges Schwert (1,16), Seinen Augen ist nichts verborgen (2,18; 19,12), Er prüft die Nieren und durchforscht die Herzen (2,23), Seine Gerichte sind wahrhaftig und gerecht (19,2) – die Zeugnisse dafür: die himmlischen Rechenschaftsbücher (20,12), die Massstäbe: Seine Gebote (22,7.14), die Beweise: unsere Werke (22,12).
- In Seinen Beziehungen zur Gemeinde: Er hält sie in Seiner rechten Hand (1,16; 2,1), Er wandelt in ihrer Mitte (2,1), Er kämpft mit ihr um dieselbe Sache (17,14), Er amtet in ihr als der treue Zeuge (3,14; 22,16).

- In Seiner Beziehung zur Welt: Er ist der Fürst der Könige auf Erden (1,5), Er ist der Herr aller Herren (17,14), Er ist der König aller Könige (19,16).

Wenn wir das Buch mit dem Fokus auf Gottes Macht und die Herrlichkeit Jesu lesen, entfaltet es als Trostbuch seine ganze Kraft. Wir wollen uns im nächsten Kapitel noch mehr damit beschäftigen.

Die Offenbarung Jesu Christi

«Offenbarung Jesu Christi, die Gott ihm gegeben hat, um seinen Knechten zu zeigen, was rasch geschehen soll; und er hat sie bekannt gemacht und durch seinen Engel seinem Knecht Johannes gesandt» (Offb 1,1).

Offenbarung (*apokalypsis*) bedeutet «Enthüllung», «einen Schleier hinwegziehen». Ein Beispiel: Wenn die neuen Rennboliden der Formel-1-Saison vorgestellt werden, lädt ein Rennteam die Medien in einen Präsentationsraum ein. Vorne auf der Bühne oder inmitten des Raumes steht, unter einer grossen Decke verhüllt, das neue Rennauto. Und alle warten darauf, dass die Decke weggezogen und der Blick auf den neuen Boliden freigegeben wird. Sobald der Renner sichtbar ist, setzt das Blitzlichtgewitter ein. In einer unvergleichlich grösseren Art und Weise enthüllt der lebendige Gott in der Offenbarung nicht nur die wahren Hintergründe, Zusammenhänge und Konfrontationen in der Weltgeschichte: Zugleich offenbart Er in einmaliger Weise auch die Macht und Herrlichkeit Jesu Christi.

Genau das haben wir heute in all dem Durcheinander der Weltgeschichte, in den Wirren der Gemeinde Jesu, in der zunehmenden Verführung und dem damit verbundenen Abfall so nötig: den Blick auf die einmalige Grösse und Herrlichkeit unseres Herrn, trotz aller zunehmenden Finsternis, froh und gewiss im Aufblick zu Christus weiterzugehen.

Christus als Herr des persönlichen Lebens

Im Buch der Offenbarung wird uns Christus auf ganz unterschiedliche Weise in Seiner ganzen Grösse und Macht gezeigt. Als Erstes sieht Ihn der Apostel Johannes als seinen persönlichen Herrn. Wir können auch sagen: als Herrn des persönlichen Lebens.

In Vers 1 finden wir zweimal das Wort Knecht. Es gibt im Neuen Testament verschiedene Begriffe, die im Deutschen mit «Knecht» übersetzt werden. Wörtlich übersetzt steht hier eigentlich «Sklave». Das ist nochmals eine andere Bezeichnung. Zunächst redet Johannes von den «Sklaven» in der Mehrzahl. Damit sind alle erretteten Kinder Gottes gemeint. Dann nennt er sich am Ende dieses Verses selbst so. Was möchte dieser Begriff «Sklave» aussagen? Wir dürfen ihn auf keinen Fall so verstehen, dass Gott ein Despot wäre, der wie ein grausamer Sklavenhalter mit Seinen Kindern umgeht. Vielmehr ist damit angezeigt, wem ein Kind Gottes gehört und was seine Bestimmung ist: den Willen seines Herrn zu tun und zu Seiner Ehre zu leben. Damit wird auch deutlich, was es heisst, ein Christ zu sein. Eben nicht, «sich mal für Christus entscheiden» oder «sich zu Ihm hinwenden», wie man heute so leichtgängig sagt, sondern Jesus zu gehören und, damit untrennbar verbunden, Ihm die komplette Herrschaft über das Leben zu überlassen.

John MacArthur macht in seinem Buch *Sklave Christi*[74] darauf aufmerksam, dass es im Römischen Reich neben allen Miss-

---

74 John MacArthur, *Sklave Christi*, Betanienverlag Oerlinghausen 2011.

ständen im Sklaventum auch Sklaven gab, für die es eine Ehre war, zu ihrem Herrn zu gehören. Durch die Stellung ihres Herrn waren sie sogar noch besser gestellt als manche freie Bürger im Römischen Reich. Während Johannes nach Patmos verbannt war, herrschte der Christenverfolger Domitian in Rom. Er hatte Johannes von seinem Dienst in Kleinasien, besonders in der Gemeinde in Ephesus, durch die Verbannung abgeschnitten. Die Gemeinden waren scheinbar hilflos seiner Willkür und der um sich greifenden Verfolgung ausgeliefert. Und nun spricht der Herr aller Herren und König aller Könige im ersten Vers dieses Buches von Seinen Knechten und von Seinem Knecht Johannes. Was für ein Trost muss dies für die bedrängten Christen und für den Apostel gewesen sein. Menschlich gesehen zogen sie den Kürzeren. Ihre Nachfolge und das Zeugnis Jesu Christi, um diese Formulierung aus der Offenbarung aufzugreifen, war mit grossem Leid verbunden. Das konnte sie sogar ins Gefängnis oder bis in den Tod führen, wie wir in den sieben Sendschreiben lesen. Trotz allem gehörten sie aber einem anderen, einem viel grösseren Herrn.

Das gab damals Mut, und das gibt auch heute Mut, weiterzugehen in der Nachfolge, nicht zu verzagen, trotz schwerer Lebensführung oder grosser Hindernisse und Leid. Wir benötigen diesen Blick auf den Herrn unseres Lebens auch angesichts des zunehmenden Drucks in unserer Gesellschaft auf die bekennende Gemeinde Jesu. Er ist Christus, der über allem steht, der über den Seinen wacht und dem nichts von unserem Ergehen verborgen und gleichgültig ist. In Vers 5 wird der Herr Jesus der Fürst «über die Könige der Erde» genannt. Denken wir noch einmal an den übermächtigen Diktator Domitian, vor dessen Launen und Willkür die Menschen im Römischen Reich zusammenzuckten. Auch die Christen waren ihm scheinbar hilflos ausgeliefert. Aber Christus erinnert sie daran, dass Er selbst über Domitian steht. Er bewacht und hält Seine Kinder in all den Nöten, und Er trägt sie durch. Paul Gerhard hat dies auf so wunderbare Weise in seinem Lied «Befiehl du deine Wege» zum Ausdruck gebracht (EG 361): «Der Wolken, Luft und Winden gibt Wege, Lauf und Bahn, der wird auch Wege finden, da dein Fuss gehen kann.»

Jesus Christus als Herr des persönlichen Lebens am Anfang der Offenbarung, das ist aber nicht nur Trost, was es zweifelsohne in erster Linie war, sondern auch eine Verpflichtung. Die Jesusnachfolger werden daran erinnert, wem sie gehören. Denken wir nochmals an Domitian und seine Verfolgung. Damit verbunden war der Kaiserkult und das Kaiseropfer. Natürlich bestand damit die Gefahr oder Verlockung zu einem Kompromiss, beispielsweise äusserlich dem Kaiser zu opfern und sich zu sagen: «Innerlich glaube ich ja trotzdem, auf das Äussere kommt es nicht so an!» Sklave Christi zu sein, bedeutet aber, den Willen seines Herrn zu suchen und sich zu Ihm zu bekennen, ganz gleich was es kostet und wie die anderen darüber denken sollten.

Es ist so wichtig in der heutigen Zeit, in der wir alle mehr oder weniger vom Individualismus geprägt sind, zu erkennen, wem wir gehören und wer unser Herr ist. Christus ist eben nicht dazu da, um uns mit einigen frommen Wellness-Packungen das Dasein zu erleichtern oder als spiritueller Sozialarbeiter unsere Probleme zu lösen. Als Seine Sklaven gehören wir Ihm, und es ist unser Lebensauftrag, über allem Seinen Willen und Seine Ehre zu suchen, so wie Paulus es gesagt hat, dass unser Leben etwas zum Lob Seiner Herrlichkeit ist (Eph 1,12).

Johannes schreibt weiter: «Ihm, der uns geliebt hat und uns von unseren Sünden gewaschen hat durch sein Blut, und uns zu Königen und Priestern gemacht hat für seinen Gott und Vater ...» (Offb 1,5-6). Was für ein Trost für die bedrängte und verfolgte Gemeinde im Osten des Römischen Reiches, was für ein Trost für den Apostel Johannes, der im hohen Alter auf der schroffen Insel Patmos interniert ist: Der Herr liebt die Seinen! Und dies, obwohl wir Ihm ja nichts vorzuweisen haben. Eigentlich ist seit dem Sündenfall nichts Liebenswertes mehr an uns. Dem zum Trotz hat Er Seine Liebe erwiesen, indem Er uns erlöst hat durch Sein Blut. Das ist unbegreiflich. Der sündlose, reine Gottessohn, der Fürst der Könige auf Erden, wie Er nach Seiner Erhöhung genannt wird, hat sich für uns selbst hingegeben!

Inmitten der notvollen Situation des Johannes und der Christen, im Angesicht des Kaisers Domitian, wird der Blick auf das Eigentliche gelenkt. Alle Umstände, in welchen sich die Kinder Gottes auch immer befinden mögen, ändern nichts daran, dass Er uns liebt und uns das Wichtigste geschenkt hat, was es gibt: die Erlösung durch Sein Blut. Notvolle Umstände sind für die Einzelnen immer schwer zu tragen. Wir sehen an dem sinkenden Petrus, wie schnell der Blick auf die Wellen und nicht mehr auf Christus gerichtet ist (vgl. Mt 14,30-33). Je grösser die Wellen werden, umso grösser ist auch die Gefahr, nicht mehr auf Jesus zu sehen. Deshalb werden Johannes und die Jesusnachfolger daran erinnert, dass der Herr sie liebt und ihnen das Grösste geschenkt hat, was es überhaupt geben kann: erlöst zu sein durch Sein Blut. Hier klingt Römer 8,35-39 an, dass keine Mächte und Gewalten, weder in der sichtbaren noch in der unsichtbaren Welt, den Erretteten von der Liebe Gottes in Christus Jesus trennen können.

Christus als Herr Seiner Gemeinde

In Offenbarung 1 wird uns der erhöhte Christus als Herr Seiner Gemeinde gezeigt. Vers 13 sieht Ihn wandeln mitten unter den goldenen Leuchtern, die die sieben Gemeinden sind. In Seiner rechten Hand hält Er die sieben Sterne (V. 20). Das sind die sieben Engel, wahrscheinlich Gemeindeleiter, was aber nicht zwingend bedeutet, dass die Gemeinden von nur einer Person geleitet wurden. Der erhöhte Herr wandelt mitten unter Seinen Gemeinden und hält auch die Gemeindeleiter in Seiner Hand. Äusserlich waren die Gemeinden stark bedrängt. Ein Teil von ihnen war innerlich durch Irrlehren und eine falsche Toleranz gegenüber der Sünde bedroht. Eine Gemeinde stand in der Gefahr, in einem strenggläubigen Traditionalismus zu erstarren, die Gemeinde in Ephesus. Die Gemeinde in Sardes drohte, sich in einem frommen Aktionismus ohne Leben zu verlieren. Fünf der sieben Gemeinden bekamen einen Bussruf. Aber dennoch wandelt der Herr inmitten Seiner Gemeinden. Nicht Domitian oder die römischen Behörden hatten die Oberhand, sondern der Herr, der Seine Gemeinden nicht vergessen hatte.

Auch in der Gegenwart ist diese biblische Wahrheit wichtig. Es ist der erhöhte Herr selbst, der mitten unter Seinen Gemeinden wandelt. Was für das persönliche Leben gilt, gilt ebenso für die Gemeinde Jesu. Der äussere Druck mag zunehmen, die Gemeinde mehr und mehr an den Rand der Gesellschaft gedrängt werden. Aber trotzdem ist es der Herr aller Herren selbst, der mitten in Seiner Gemeinde wandelt und dem sie gehört. Denken wir nur daran, wie sehr dies die bekennenden Christen in der ehemaligen Sowjetunion trotz aller Verfolgung und Bedrückung verspürt haben. Manche Jesusnachfolger bezahlten für ihr Bekenntnis mit dem Leben. Andere wurden in Straflager verbracht und trugen gesundheitliche Schäden davon. Die Gemeinde wuchs trotz aller Verfolgung weiter. Dadurch wurde deutlich, wem die Gemeinde gehört und wer ihr Herr ist.

Wenn wir den Zustand der bibeltreuen Bewegung anschauen, gibt es nicht immer Grund zum Jubeln. Auch wir kennen viele Nöte, Spaltungen und Schwierigkeiten. Zudem besteht die Gefahr, dass sich zunehmend eine tote Strenggläubigkeit ausbreitet, die kein Leben mehr verändert, sondern sich mit rein verstandesmässigen Erkenntnisfragen befasst. Vergessen wir aber nicht, trotz aller Mängel, die wir in den Gemeinden sehen, leider oft nur an den Glaubensgeschwistern und sehr viel weniger an uns selbst: *Es ist Seine Gemeinde.* Sie gehört dem erhöhten Herrn, den uns die Offenbarung in Seiner ganzen Grösse und Herrlichkeit vorstellt. Das sollte uns auf der einen Seite mit einer tiefen Ehrfurcht erfüllen, wie wir die Gemeinde sehen und wie wir über sie reden, aber auf der anderen Seite auch mit einer tiefen Liebe zur Gemeinde und zu den Geschwistern. Damit ist noch eine Wahrheit verbunden: Es ist nicht wichtig, wie wir die Gemeinde sehen und beurteilen. In den sieben Sendschreiben unterscheidet sich die Beurteilung des erhöhten Christus zum Teil von dem Ruf, den die Gemeinden damals unter den Christen hatten, oder von dem, wie sie sich selbst sahen. Deshalb sollten wir nicht dem Irrtum verfallen, unsere Beurteilung und Sichtweise sei der des erhöhten Christus gleichwertig. Vermutlich unterscheidet sich Sein Urteil auch oft von unserer Beurteilung der Gemeinde und der anderer Christen sowie von unserer Selbsteinschätzung.

Der erhöhte Christus als Herr der Gemeinde macht deutlich, dass die Gemeinde nicht uns oder sich selbst gehört und wir deshalb nicht nach Belieben damit verfahren können. Sie gehört

Ihm. Das vergessen wir in der Praxis des Gemeindelebens oft, dass es nicht um uns und unsere Ansichten geht, sondern um Ihn und Seinen Willen. Die Gemeinde ist um Christi willen da, so wie es in Offenbarung 5,9 deutlich wird: Als das würdige Lamm hat Er Menschen aus jeder Nation für Gott erkauft. Es geht um Seine Ehre und Seine Herrlichkeit. Schliesslich wird uns in Offenbarung 19,7-10 gezeigt, wie der erhöhte Christus mit der Hochzeit des Lammes Seine Gemeinde ihrem eigentlichen Ziel und ihrer damit verbundenen wunderbaren Bestimmung zuführt: Christus kommt mit Seiner Gemeinde zu Seinem Ziel. Auch die grössten Hindernisse und Widerstände können Ihn daran nicht hindern.

Christus als Herr über das Weltgeschehen

Die Offenbarung stellt uns hervorstechend Jesus Christus als den Herrn des Weltgeschehens vor. Im Alten Testament liegt uns mit dem Propheten Daniel das Buch der Souveränität Gottes vor. Dort leuchtet ganz besonders die unantastbare Herrschaft Gottes über alle Weltreiche auf, bis Er zu Seinem Ziel kommt. Im Neuen Testament ist es die Offenbarung, die uns den erhöhten Christus und Seine Herrschaft in einmaliger Weise aufzeigt. Er regiert inmitten der grössten Widerstände und führt Seine Pläne unwiderstehlich durch. Selbst im antichristlichen Reich, dem letzten Generalaufstand der Finsternis und der gefallenen Menschheit, übt Er die Kontrolle aus. Das wird ab Offenbarung 13,5 ganz deutlich. Dort lesen wir mehrfach: «es wurde ihm gegeben» im Zusammenhang mit der Entfaltung des antichristlichen Reichs. Es ist unser erhöhter Herr selbst, der bestimmt, wie weit der Antichrist bei seinem letzten Aufstand gehen darf.

Es gibt eine neue Lehrrichtung, die behauptet, dass Gott nicht souverän regiert, sondern auf Ereignisse und Vorkommnisse in dieser Welt reagiert. Interessanterweise ist solch ein Denken auch oft unter bekennenden Christen verbreitet. Ich möchte dies an einem Beispiel deutlich machen. Direkt vor unserem Haus werden oft Kuhherden vorbeigetrieben, sei es beim Alplauf oder Alpabtrieb, der Viehschau oder eben nur, um im Tal die Weide zu wechseln. Dann passiert es manchmal, dass die Kühe nach links und rechts in irgendwelche Gärten, Einfahrten oder auf die Gegenfahrbahn ausbrechen. Und die Bauern haben alle Hände voll zu tun. Sie rennen nach links und nach rechts und müssen irgendwo die Kühe und Rinder zurückholen, um sie in die gewünschte Richtung zu bringen. Genauso denken viele Christen über die Weltgeschichte. Der Teufel und die Finsternis treiben hier willkürlich ihr Unwesen, und wie ein Kuhtreiber ist Gott ständig damit beschäftigt, zu reagieren und vom einen zum anderen zu springen, damit die Weltgeschichte in den von Ihm gewünschten Bahnen verläuft.

Die Offenbarung zeigt uns, mit welcher Macht und welcher Boshaftigkeit die Finsternis am Werk ist und was für Kräfte sich gegen den lebendigen Gott entfalten. Aber Er ist in diesem Buch nicht damit beschäftigt, immer nur darauf zu reagieren, sondern trotz aller Finsternis gibt Er die Richtung vor und den Takt an. In Offenbarung 5 übernimmt der erhöhte Christus das Buch mit den sieben Siegeln aus der Hand dessen, der auf dem Thron sitzt. Von dort an führt Er mit mächtiger Hand die Weltgeschichte dem Ziel Gottes entgegen. Ab Offenbarung 6 beginnen sich die Gerichte Gottes über eine sündige Menschheit zu entfalten: zuerst die Siegelgerichte, dann die Posaunengerichte und schliesslich die Zornschalengerichte. So oft wird dabei übersehen, dass diese furchtbaren Gerichte, beispielsweise die Entfesselung der Finsternismächte am Anfang von Offenbarung 9, alle vom Thron Gottes ausgehen und nach Seinem Kommando in Gang kommen.

Einerseits spricht die Offenbarung deutlich von der furchter-regenden Finsternis in der Völkerwelt und ihrer letzten Rebellion gegen den lebendigen Gott. Aber es sind nicht das Pentagon, die UNO, die EU oder die Freimaurer, die die totale Weltkontrolle ausüben, beliebig walten und schalten und Katastrophen her-beirufen. Es ist der erhöhte Herr, das Lamm, der Löwe aus Juda, der das Buch mit den sieben Siegeln bricht und die Gerichte vom Thron Gottes ausgehen lässt.

Hier leiden heute so viele Jesusnachfolger Not. Man sieht nur noch auf die zunehmende Finsternis und die Gefahr, die von ihr ausgeht. Tatsächlich ist uns der Teufel mit seinem Machtpoten-zial bei Weitem überlegen, und wir dürfen nicht der Versuchung erliegen, dies zu unterschätzen oder alles harmloser zu sehen, als es wirklich ist. Aber wenn darüber der Blick auf den Herrn verloren geht, der alles kontrolliert, lenkt und steuert, dann hat sich die Gewichtung verschoben. Es gibt doch Mut, weiterzu-gehen und weiter zu vertrauen, weil über allem Bedrohlichen unser Herr steht und zu Seinem Ziel kommt. Somit entfaltet die Offenbarung nur noch mehr dieses Wort aus Matthäus 28,18.20, dass Ihm «alle Macht im Himmel und auf Erden» gegeben und Er jeden Tag bei uns ist, «bis an das Ende der Weltzeit», komme, was kommen mag. Diesen Blick brauchten Johannes und die Christen angesichts ihrer Ohnmacht und der Bedrohung durch das gewaltige Römische Weltreich. Und diesen Blick benötigen wir auch heute. Lasst uns deshalb mit Freuden und mit erho-benem Haupt in der Nachfolge weitergehen, weil wir einen so wunderbaren Herrn haben.

Christus als Herr über die Finsternismächte

In der Offenbarung sehen wir Christus als den Herrn über die Finsternismächte, die unsichtbaren Akteure im sichtbaren Weltgeschehen. Er hat den Sieg schon längst errungen (Kol 2,15). Nicht wir müssen diesen Sieg in einer schwärmerischen «geistlichen Kampfführung» erringen. Jesus hat, bildlich gesprochen, das Terrain erobert, und wir sollen fest darauf stehen und uns mit der geistlichen Waffenrüstung gegen die listigen Angriffe des Feindes verteidigen. In der Offenbarung wird uns gezeigt, wie die Menschheit am Ende von einer «okkulten Invasion» heimgesucht wird. Offenbarung 6: Wir sehen das fahle Pferd, dem das Totenreich, der Hades folgt. Offenbarung 9: Der Abgrund wird geöffnet. Offenbarung 13: Der Drache, der Satan, überträgt dem Tier aus der Völkerwelt seine ganze Macht. Und schliesslich Offenbarung 16: Die unreinen Geister, die Dämonen, gehen von dem Tier aus, um die Könige der Erde zum letzten Aufstand gegen den lebendigen Gott zu verführen. Angesichts einer solch geballten Finsternis und Dämonie kann es einem schwindlig werden. Für die gottlose Menschheit werden diese letzten Gerichte und die Verführung gravierende Folgen haben.

Über allem steht aber im Bericht der Offenbarung der erhöhte Christus. Die Finsternismächte können Seine Herrschaft nicht verhindern. Trotz aller Versuche können sie sie nicht einmal anfechten. Er bestimmt Zeit und Stunde. Er setzt auch den Finsternismächten ihre Grenzen. Aus diesem Grund hat schon Martin Luther den Teufel als den «Kettenhund Gottes» bezeichnet. Er kann nicht weiter springen, als der erhöhte Herr ihm die Kette lässt. Trotz allen Aufruhrs kann er an dem vollbrachten Sieg nichts mehr ändern und die Wiederkunft Jesu in keiner Weise verhindern.

Angesichts der zunehmenden Finsternis heute gibt es in der Christenheit unter solchen, die den Teufel ernst nehmen, zwei unbiblische Extreme. Da sind die einen, die nur noch über die Finsternis reden und Angst und Schrecken in der Gemeinde Jesu verbreiten. Ein Teil der Nachfolger Jesu lässt sich dadurch einschüchtern. Wie das vor Angst zitternde Kaninchen auf die Schlange, so starren sie auf den Teufel und die Finsternis. Und sie vergessen dabei völlig den, der auch diesbezüglich alle Macht hat. Auf der anderen Seite sind solche, die aus einer mangelnden Selbst- und Christuserkenntnis heraus, auch aus einer mangelnden Wortkenntnis, selbst den Kampf mit der Finsternis aufnehmen wollen, die aus einem schwärmerischen Übereifer heraus Herrschaften lästern, wie es in Judas 1,8 steht. Nicht wir sind es, sondern Christus wird uns in der Offenbarung als Herr über die Finsternismächte gezeigt. Er hat den Sieg errungen, der über dem ganzen Buch steht und mit Seiner Wiederkunft endgültig sichtbar wird. So wie Luther gedichtet hat (EG 362):

«Mit unsrer Macht ist nichts getan,
wir sind gar bald verloren;
es streit' für uns der rechte Mann,
den Gott hat selbst erkoren.
Fragst du, wer er ist?
Er heisst Jesus Christ,
der Herr Zebaoth,
und ist kein andrer Gott,
das Feld muss er behalten.»

Die Souveränität des erhöhten Christus

Schon im ersten Vers der Offenbarung Jesu Christi sehen wir Seine Grösse und Macht. Es heisst: «was rasch geschehen soll». Das Wort «rasch» (*tachos*) kann auch mit «Schnelligkeit», «in kurzer Frist», «ohne Verzug» oder «in schneller Abfolge» übersetzt werden. Es kann auf eine zeitliche Nähe bezogen werden (morgen, in einem Monat ...), aber auch auf eine rasche Abfolge der Ereignisse von ihrem Beginn an. Aus der Sicht der Ewigkeit ist der Zeitraum bis zum Eintreffen der Verheissungen kurz. Petrus spricht davon, dass vor Gott tausend Jahre wie ein Tag sind (2Petr 3,8). In Offenbarung 1,1 geht es wohl hauptsächlich darum, dass sich die göttlichen Vorhersagen schnell und gewiss erfüllen, wenn ihr Eintreffen erst einmal begonnen hat. Darin wird die Souveränität des erhöhten Christus deutlich. Alles erfüllt sich gewiss, ohne Abstriche und schnell, wenn der Zeitpunkt in Gottes Zeitplan gekommen ist.

Dass es «rasch geschehen soll», macht deutlich, dass es dabei ausschliesslich um Gottes Willen und Plan geht. Nicht die entartete Menschheit, der Antichrist oder der Teufel drückt diesem letzten Buch ihren Stempel auf, sondern der erhöhte Christus. Alles soll so geschehen, wie es vom Vater bestimmt ist. Alles geschieht entsprechend der mächtigen Hand, mit der Christus regiert. Auch der Teufel, die Finsternis und die gottfeindliche Menschheit bekommen nur so viel Raum, wie es ihnen der Herr zugesteht. Und dieses göttliche «Soll» ist so souverän, dass sogar das gegen Gott Gerichtete dazu dient, dass Er zu Seinem Ziel kommt. Obschon das Böse von Gott überwaltet wird, muss es trotzdem gerichtet werden. Es ist damit keinesfalls entschuldigt.

Mit der Aussage «was rasch geschehen soll» wird ausserdem deutlich, dass in der Offenbarung die Fäden aller anderen biblischen Bücher zusammenlaufen. Hier sehen wir die Erfüllung aller noch ausstehenden Verheissungen. Auch die schrecklichen Folgen und Konsequenzen des Sündenfalls treten in Erscheinung. Vor diesem Hintergrund leuchtet aber in wunderbarer Weise auch das Erlösungswerk und die Bedeutung Jesu auf. Das Hauptthema dieses Buches sind nicht irgendwelche spektakulären Endzeitfahrpläne, Weltverschwörungstheorien oder Weltuntergangsstimmung, sondern die Grösse und Herrlichkeit unseres Herrn. Er selbst wird offenbart als der, dem der Name über allen Namen gegeben ist, vor dem sich alle Knie beugen und bekennen werden, dass Jesus Herr ist, zur Ehre Gottes, des Vaters (vgl. Phil 2,9-11).

Wir müssen wieder neu die göttliche Absicht mit der Offenbarung als Quelle der Freude, Hoffnung und des Trostes entdecken. Statt Angst und Verzagtheit werden dann Mut und Hoffnung unsere Herzen erfüllen. Selbst manche Erkenntnisfragen (z. B. Zeitpunkt der Entrückung) werden im Anschauen Seiner souveränen Herrschaft nicht mehr im Vordergrund stehen.

Eine wunderbare Wirklichkeit

«Johannes an die sieben Gemeinden, die in Asia sind: Gnade sei mit euch und Friede von dem, der ist und der war und der kommt, und von den sieben Geistern, die vor seinem Thron sind, und von Jesus Christus, dem treuen Zeugen, dem Erstgeborenen aus den Toten und dem Fürsten über die Könige der Erde. Ihm, der uns geliebt hat und uns von unseren Sünden gewaschen hat durch sein Blut, und uns zu Königen und Priestern gemacht hat für seinen Gott und Vater – Ihm sei die Herrlichkeit und die Macht von Ewigkeit zu Ewigkeit! Amen. Siehe, er kommt mit den Wolken, und jedes Auge wird ihn sehen, auch die, welche ihn durchstochen haben; und es werden sich seinetwegen an die Brust schlagen alle Geschlechter der Erde! Ja, Amen. Ich bin das A und das O, der Anfang und das Ende, spricht der Herr, der ist und der war und der kommt, der Allmächtige» (Offb 1,4-8).

Der Apostel Johannes schreibt im hohen Lebensalter an die sieben Gemeinden in Asia. Er gebraucht in Vers 4 zwei Wörter, die wir an vielen Stellen im Neuen Testament finden. Sie klingen uns so vertraut, dass wir uns oft gar keine Gedanken über ihre

Bedeutung mehr machen: «Gnade sei mit euch und Friede von dem, der ist und der war und der kommt ...»

Die Gemeinden befanden sich in einer schwierigen Situation. Denken wir beispielsweise an die Gemeinde in Smyrna oder an Antipas, den treuen Jesuszeugen, der in Pergamon sein Leben gelassen hatte. Dazu kam die innere Bedrohung der Gemeinden durch falsche Lehren oder Kompromisse mit der Sünde und dem gottlosen Umfeld. Es ging auch um die Gefahr frommer Aktivitäten ohne Leben. In dieser Situation war auch noch der Apostel Johannes durch seine Verbannung nach Patmos vom aktiven Dienst in den Gemeinden abgeschnitten worden; und das in einer Lage, in der die Gemeinden den Dienst dieses geistlichen Hirten so sehr benötigt hätten.

Sowohl der Apostel als auch ein Teil der Christen wurden dadurch in tiefe Unruhe und Sorge versetzt. Mit Sicherheit wollte sich auch die Angst bei manchen Nachfolgern Jesu breitmachen. Innere Unruhe, Angst, Sorgen, sich aufgrund der Umstände elend fühlen: Das ist eine Sache, die wir deutlich häufiger in den Psalmen finden, als wir vermuten. All das gehört zur Nachfolge, zum Kampf des Glaubens, zu den Anfechtungen, wodurch der Herr uns reifen lässt. Wer meint, dass es einen anderen Weg in der Nachfolge Jesu gäbe, wo man nur noch von einem geistlichen Highlight zum nächsten gelangt, von einem emotionalen Höhenflug in den nächsten übergleitet, hat keine Ahnung von dem, was in der Bibel steht.

Wegen der Unruhe, der Angst und den notvollen Umständen war dieser Gruss für die Jesusleute von grosser Bedeutung. Sie benötigten ganz neu die Gnade Gottes, die sie bewahrte und durch die notvollen Umstände weitergehen liess, und Seinen Frieden in all der inneren und äusseren Unruhe. Die Gnade und der Friede Gottes bedeuten eben nicht, dass wir in eine geistlich kugelsichere Weste eingepackt sind und unantastbar und ohne jeden Kratzer selig dem Himmel entgegengehen. Nein. Die Gnade und der Friede Gottes entfalten ihre Kraft dort, wo wir durch innere Unruhe durchgeschüttelt werden, die Angst nach uns greift und wir erkennen, dass die Elenden mit ihren Nöten in den Psalmen leidgeprüfte Menschen waren, in deren Gebeten wir viele eigene Lebenssituationen wiedererkennen. Johannes spricht den Gemeinden die Gnade und den Frieden Gottes zu. In den nächsten Versen entfaltet er dann, worin sich diese Gnade zeigt und dieser Friede begründet ist. Diese wunderbare Wirklichkeit können wir in drei Punkte fassen.

Ein wunderbarer Herr

Die Gnade und der Friede kommen «von dem, der ist und der war und der kommt» (Offb 1,4). In Vers 8 lesen wir von Jesus als dem Alpha und Omega, der erste und der letzte Buchstabe des griechischen Alphabets. Ausserdem ist Er der Allmächtige.

Der Blick wird hier am Anfang der Offenbarung auf den Herrn gelenkt, der über Raum und Zeit steht, der längst vor allen notvollen Umständen da war, der heute immer noch da ist und auch da sein wird, während der Tyrann Domitian nur noch aus den Geschichtsbüchern bekannt ist. Johannes zeigt den, der über Raum und Zeit steht, der immer derselbe bleibt und ist, unabhängig davon, wie die Situation Seiner Gemeinde aussieht, und ob wir selbst gerade durch einen dunklen oder hellen Lebensabschnitt gehen. Das gilt aber nicht nur für den Herrn selbst, sondern auch für die Gnade und den Frieden, die von Ihm kommen. Es gibt bestimmte Medikamente, auch Antibiotika, die wirken nur gegen bestimmte Bakterien. Kommt dann etwas anderes hinzu oder werden die Bakterien resistent, dann nützen sie nichts mehr. Wir Menschen kennen in dieser Welt auch nur begrenzten Frieden: die Zeit zwischen zwei Kriegen. Was sind schon fast acht Jahrzehnte Frieden, den wir nun in Europa haben, im Vergleich zu Jahrtausenden Weltgeschichte. Familien hatten lange Zeit Frieden und eine gute Beziehung untereinander. Dann kam plötzlich etwas, ein Erbschaftsstreit oder sonstige Auseinandersetzungen, und alles war wie weggeblasen – eben ein Friede, der jederzeit zerbrechen kann.

Laut unserem Text kommen die Gnade und der Friede von dem, der über Raum und Zeit steht, von unserem Herrn, der der Erste und der Letzte ist. Das bedeutet: Seine Gnade ist nicht nur wie ein Medikament, das gegen manches, aber doch nicht in jedem Fall hilft oder nur für einige Zeit wirkt. Seine Gnade genügt, ganz gleich, wie die Lebensumstände und die Zukunft auch aussehen mögen. Seine Gnade kann uns auch dann hindurchtragen, wenn alles dunkler und schwieriger wird, wenn wir kein Licht am Ende des Tunnels sehen. Es war der Herr selbst, der Seinen Apostel Paulus wieder tröstete, als dieser am Leben verzagte. Es war Christus selbst, der Seine Gemeinde durch die Wirren der römischen Verfolgung bewahrte. Er hat auch Gnade genug, uns durchzutragen und ans Ziel zu bringen. Sein Friede ist nicht begrenzt auf die Zeit, in der die Lebensumstände für uns stimmen und wir von Schwierigkeiten verschont bleiben. Vielmehr entfaltet Er dort Seine Kraft, wo die Stürme toben, die innere Unruhe uns durchschüttelt und die Zeichen auf Sturm stehen. Das geht in den meisten Fällen nicht von jetzt auf gleich, wie wenn man auf einen Lichtschalter drückt und es nächsten Augenblick hell ist. Es ist oft mit einem geistlichen Prozess verbunden, bis wir wieder zur Ruhe kommen, den Frieden Gottes ganz neu erfahren. Diesen Prozess von der Unruhe zum Frieden und Lob Gottes finden wir auch in vielen Psalmen geschildert. Aber Er schenkt Seinen Frieden immer wieder neu da, wo wir meinen, es sei alles verloren.

Wie nötig hatten die Gemeinden damals die Gnade und den Frieden Gottes. Wie wichtig ist das für unser persönliches Leben, aber auch in Bezug auf das, was die Offenbarung schon an notvollen Entwicklungen in den Gemeinden und dann an weltweiten Abläufen beschreibt. Wir dürfen uns in der Gnade und dem Frieden Gottes geborgen wissen, ganz gleich, was kommt. Seine Gnade und Sein Friede sind grösser als alles und haben die Kraft, uns in allem zu bewahren.

Manchmal wird die Offenbarung auch als fromme Geisterbahn missbraucht, um Christen durch Spekulationen und Ausschmückungen in Furcht und Schrecken zu versetzen. Am Anfang dieses Buches wird uns gezeigt, dass die Gnade und der Friede von dem ewigen, unveränderlichen Herrn Jesus Christus kommen. Dadurch werden wir auch befähigt, uns in richtiger Weise mit dem ernsten und an manchen Stellen furchteinflössenden Inhalt des Buches zu beschäftigen. Er ist der Allmächtige, im Griechischen «pantokrator»: Einer der alles beherrscht, der die höchste Autoritätsperson ist, der alle Macht in Händen hält und kontrolliert. Dieser Blickwinkel ist so wichtig, wenn uns später gezeigt wird, welches furchteinflössende Potenzial die Finsternismächte entfesseln. Selbst das hat der Allmächtige ständig unter Kontrolle, Ihm entgleitet nichts – wie viel mehr dann auch nicht die Umstände in unserem Leben! Und diese Allmacht wird daran deutlich, dass Er der «Fürst über die Könige der Erde» (Offb 1,5) genannt wird. Das griechische Wort für Fürst «archon» bedeutet, der Oberste, der Herrscher.

Im Alten Testament sehen wir den Pharao, der sich selbst für Gott hielt. Dann kam es zur Konfrontation mit dem lebendigen Gott: «Wer ist der Herr, dass ich auf seine Stimme hören sollte, um Israel ziehen zu lassen?» (2Mo 5,2), fragte der ägyptische König. «Ich mache doch, was ich will.» – Schliesslich wurde die Situation für ihn so unerträglich, dass er, durch eine starke Hand gezwungen, Israel ziehen lassen musste. Nebukadnezar war der Herrscher des Neubabylonischen Reiches, der einen ungeheuren militärischen und politischen Erfolg hatte, der das grosse Babylon noch bombastischer ausbauen liess. Und dann wurde er wahnsinnig und so sehr gedemütigt, bis er erkannte, dass die Herrschaft des Höchsten ewig ist und Er Macht und das Königtum unter den Menschen so verleiht, wie Er es möchte (Dan 4,29).

Die Gemeinden und der alte Apostel Johannes litten damals unter der Verfolgung des Tyrannen Domitian. Christen wurden gefoltert, einige liessen ihr Leben, andere würde es auch noch treffen. Aber trotzdem gehörten sie dem Gebieter der Könige auf Erden, der auch über Domitian die Macht hatte und sie fest in Händen hielt. Dasselbe gilt für alle späteren Tyrannen, ob sie Mao, Stalin, Hitler oder wie auch immer hiessen, die auf grausamste Weise wüteten. Auch sie konnten nichts dagegen tun, dass der erhöhte Christus über ihnen stand. Sie konnten keinen Zentimeter weiter gehen, als Er ihnen Raum gab. In Offenbarung 13 kommt es dann unter dem Antichrist zum letzten Generalangriff gegen Gott, die Christusbekenner und Israel. Er wird in seiner Radikalität, seinem Geschick, seinem Charisma und seiner Grausamkeit all die anderen Tyrannen in den Schatten stellen. Hocherhaben aber steht Jesus über ihm, als der «Fürst der Könige der Erde», der auch in der antichristlichen Zeit die

Macht fest in Händen hält. Das lässt uns in den beängstigenden Entwicklungen der heutigen Zeit aufatmen.

Er ist der treue Zeuge. Er steht treu zu Seinen Verheissungen – selbst Domitian, der die Gemeinden durch die Verfolgung durchschüttelte, konnte daran nichts ändern –, und Er ist der Erstgeborene aus den Toten. Auch wenn Menschen ihr Leben für Christus lassen, hingerichtet und verfolgt werden, ändert das nichts daran, dass sie Ihm gehören und Er sie fest in Seiner Hand hält. Er ist ein wunderbarer Herr. Aber das ist noch nicht alles. Nun wird diesen durchgerüttelten Gemeinden, die von Verfolgung und Verführung bedroht waren, ihre wunderbare Berufung vor Augen gestellt.

Eine wunderbare Berufung

«Dem, der uns liebt», steht in Offenbarung 1,5, Schlachter 2000 übersetzt: «der uns geliebt hat». – Wenn hier auch die Lesart je nach Textvariante unterschiedlich ist, können wir beides stehen lassen. Er hat die Seinen geliebt, und Er liebt sie auch in der Gegenwart.

Die Verbannung des Apostels Johannes wurde nicht verhindert – für Domitian möglicherweise noch eine Bestätigung seiner Macht und der Ohnmacht des Gottes der Christen. Die Gemeinden in Asia wurden nicht verschont. Verfolgung und Verführung schüttelten sie. Bekennende Christen wurden hingerichtet, andere fielen der Verführung anheim. Hatte der Herr Jesus die Seinen vergessen? Liess Er sie in ihrer Not allein? Er liebte sie nicht nur, als es um die Errettung ging. Er liebte sie immer noch und achtete genau auf sie. – Auch wenn es damals äusserlich ganz anders aussah. In den sieben Sendschreiben wird deutlich, dass Ihm nichts entgangen und nichts gleichgültig ist.

Der treue Zeuge hat verheissen, die Seinen zu lieben. Nichts und niemand kann sie aus Seiner Hand reissen. Es ist Ihm nicht gleichgültig, wie es ihnen geht. Was für ein Trost, wenn wir so manche Nöte in den Gemeinden sehen. Welch eine Wahrheit angesichts unverständlicher und schwerer Lebensführungen. Er liebt die Seinen immer noch, auch wenn wir die Dinge nicht zusammenbekommen und alles ganz anders aussieht. Zugleich ist dieser Satz ein Wunder. Wir stehen damit bei der unerfassbaren Liebe Gottes. Wir haben Ihm nichts zu bringen, nichts vorzuweisen, was Seine Liebe verdient hätte. Die Errettung ist ein Wunder der unerklärbaren Liebe Gottes. Er kennt Seine Kinder, Seine Gemeinde mit allem Versagen, allen Macken und aller Schuld. Trotzdem liebt Er sie, auch dann, wenn Er ernsthaft ermahnen und zur Umkehr rufen muss, wenn Er sogar für eine unbussfertige Haltung Sein Gericht androht. Er liebt auch uns, obwohl Er unsere sündigen Marotten und Charaktereigenschaften noch viel besser kennt als wir selbst. All unser Versagen und Schuldigwerden in der Nachfolge. Manche Personen findet man ja aus einer gewissen Distanz ganz in Ordnung. Wenn man mit ihnen eng zusammenarbeitet, gibt es Anlass, unsere Meinung zu ändern. Gemeinsam zu leben und den Alltag zu teilen, ist ein ergebnissicherer, bewährter Test. So war das auf der Bibelschule. In den ersten drei Jahren immer für ein Jahr mit einem anderen auf dem Zimmer, den wir uns nicht aussuchen konnten. Er wurde uns zugeteilt. In einigen Fällen ging das sehr gut, in anderen wurde es aufgrund grosser Unterschiedlichkeiten schwieriger. Das war eine gute Lebensschule in «praktischer

Theologie». Der erhöhte Christus kennt uns durch und durch. Trotzdem liebt Er uns. Welch ein Wunder.

Seine Liebe zeigt sich darin, dass Er die Seinen durch Sein Blut von der Sünde erlöst oder gewaschen hat. James Allen macht darauf aufmerksam, dass durch die Auslassung nur eines Buchstabens im Grundtext aus «gewaschen» «lösen» wird.[75] Die Gewissheit, durch Jesus Christus Vergebung der Sünden zu haben, ist das Wichtigste überhaupt. Waschen, Erlösung, Reinigung und Vergebung sind in der Bibel Begriffe, die untrennbar miteinander verbunden sind. Reinigung hat immer mit Vergebung zu tun und umgekehrt. Das wird schon in den Opfergesetzen und Reinheitsgeboten deutlich. Beispielsweise erkennen wir dies auch in Psalm 51, als David nach seinem Ehebruch und Mord um die Tilgung und Reinigung seiner Sünden betet. Das, was diesbezüglich den Jesusnachfolgern in Asia durch Christus geschenkt war, konnte ihnen Domitian trotz aller Schikanen nicht nehmen.

Die Offenbarung zeigt uns eine Welt voller Sünde und Finsternis. All das endet am Schluss im Gericht Gottes. Christen sind in sich selbst nicht besser als andere. Wir wurden alle als verlorene Menschen geboren, als solche, die das gerechte Gericht Gottes in seiner ganzen Wucht verdient hatten. In der Offenbarung wird uns das Gericht Gottes bis in die Ewigkeit hinein geoffenbart. Was für ein Geschenk ist es, durch die Gnade Gottes davon errettet zu sein, um die Vergebung und Waschung der eigenen Schuld zu wissen.

Diese Waschung von den Sünden ist aber kein Selbstzweck. Sie steht im Zusammenhang mit der hohen Berufung jedes

---

75 James Allen, *Was die Bibel lehrt*, Bd. 17 – *Offenbarung*, CV Dillenburg 1999, S. 41.

Jesusnachfolgers. Johannes schreibt den so umkämpften Gläubigen: «Er hat uns gemacht zu einem Königtum, zu Priestern, seinem Gott und Vater.» Die Christen waren dem Kaiser Domitian scheinbar hilflos ausgeliefert. Nun werden sie daran erinnert, dass sie Teilhaber am Königtum des Fürsten der Könige auf Erden sind. Wenn auch noch heute verborgen, haben sie eine viel höhere Berufung. Momentan geht es unten durch, aber am Ende werden sie einmal mit Christus regieren und an Seinem ganzen Sieg und Seiner Herrlichkeit teilhaben. Diese Teilhabe am Königtum befähigt sie, das Evangelium und die Botschaft des Königs aller Könige zu proklamieren, Seine standhaften Zeugen zu sein, auch wenn es durch Leid geht.

Er hat uns zu Priestern gemacht. Die Aufgabe der Priester war, das Volk vor Gott und Gott vor dem Volk zu vertreten. Im Buch der Offenbarung sehen wir immer wieder, welche Auswirkungen die Gebete der Kinder Gottes haben. Uns kommen sie oft so ärmlich und hilflos vor. Manchmal beten wir auch nicht oder viel zu wenig und sind nur noch mit den schwierigen Umständen beschäftigt. Aber die Erretteten sind zu Priestern gemacht. Wir dürfen im Gebet Gott nahen, direkt vor den Thron Gottes kommen. Und nicht nur dies: Die Gemeinde hat durch ihr Gebet Anteil an der Herrschaft Gottes. Sie trägt durch die Gebete dazu bei, dass der Herr mit der Heilsgeschichte zu Seinem Ziel kommt und Er am Ende über allem verherrlicht wird. Die Offenbarung spricht ja von dem kommenden Gericht Gottes über diese Menschheit. Heute noch tragen die priesterlichen Gebete dazu bei, dass Menschen herausgerettet, aus Feinden des Evangeliums Nachfolger Jesu werden. In Offenbarung 1,4 ist von den sieben Geistern Gottes die Rede. Das ist der Heilige Geist in Seiner ganzen Fülle, wie wir dies in Jesaja 11,2 lesen. Er ist vor dem

Thron Gottes. Das lesen wir auch in Offenbarung 5. Und zugleich hat jeder Errettete das Geschenk des Heiligen Geistes. Auch das gehört zur wunderbaren Berufung und bleibt völlig unbetroffen von den notvollen äusseren Umständen.

Eine wunderbare Zukunft

Die Gemeinden waren in einer notvollen Situation. Verfolgung gab es nicht nur durch Domitian. Wie Wellenbewegungen gingen sie noch über 200 Jahre im Römischen Reich durch verschiedene Kaiser weiter. Deshalb war im Rückblick damals, zur Zeit der Abfassung der Offenbarung, für die Gemeinden noch längst nicht das Licht am Ende des Tunnels sichtbar. Dasselbe gilt für die verfolgte Gemeinde Jesu zu jeder Zeit. Aus diesem Grund richtet der Apostel den Blick auf das wunderbare Ereignis in der Zukunft, die sichtbare Wiederkunft Jesu, der Augenblick, wenn für alle Menschen, ob Atheisten, Agnostiker oder Anhänger irgendeiner anderen Religion, in einem Augenblick sichtbar wird, was die Bibel über die Macht und Herrlichkeit Jesu sagt: Er wird kommen, und jedes Auge wird Ihn sehen. Das können wir uns heute noch gar nicht vorstellen. Für den Schöpfer ist es kein Problem, die von Ihm erschaffenen Naturgesetze ausser Kraft zu setzen. In diesem Augenblick gibt es auch keine Diskussionen mehr, ob die Bibel wahr ist oder nicht. Alle werden mit dieser überwältigenden Realität konfrontiert werden. Alle werden ihre Knie beugen müssen, ganz gleich, welche Machtposition sie innehaben.

«Siehe, er kommt mit den Wolken», schreibt Johannes (Offb 1,7). Das ist ein Ausdruck dafür, dass in Jesus Christus Gott selbst kommt, wie es an verschiedenen Stellen des Alten Testamentes vorausgesagt ist. Die Wolkensäule und Wolke standen immer im Zusammenhang mit dem Erscheinen der Herrlichkeit Gottes, die darin verhüllt war. Auf dem Berg der Verklärung waren nur drei Augenzeugen dabei, Johannes, Jakobus und Petrus, als die eigentliche Herrlichkeit Jesu sichtbar war und sie von einer Wolke umgeben wurden (vgl. Mt 17,1-6).

Augenzeugen der Himmelfahrt Jesu, als Er in einer Wolke aufgenommen wurde, waren nur die elf Apostel. Damit erfüllte sich zugleich die Prophezeiung aus Daniel 7,13. Die Ihn umgebenden Wolken sind ein Zeichen, dass Er Gott ist. Nach 1. Thessalonicher 4,17 wird die entrückte Gemeinde auch in den Wolken mit ihrem Herrn vereinigt. Dieses Ereignis findet vor den Augen der Menschheit verborgen statt. Bei der Himmelfahrt Jesu sagten die zwei Engel, dass Er auf dieselbe Weise wiederkommen wird, nämlich mit den Wolken. Johannes richtet den Blick in die Zukunft und spricht von diesem wunderbaren Ereignis der sichtbaren Wiederkunft Jesu. Davon wird dann nicht nur ein kleiner Jüngerkreis oder die Gemeinde Augenzeuge sein. Wenn Er mit den Wolken wiederkommt, wird Ihn jedes Auge sehen. Die Medienberichterstattung spielt dann keine Rolle mehr, weil alle Ihn sehen. Jeder Mensch wird mit dieser Realität ganz persönlich konfrontiert.

Der Apostel fügt an: «auch die, welche ihn durchstochen haben» (Offb 1,7). Das ist eine Bezugnahme auf die Prophetie aus Sacharja 12,10 und auf Israel. Die Angehörigen des jüdischen Volkes werden in dem wiederkommenden Messias und Retter Den erkennen, den sie einst durchstochen haben. Die damit verbundene Wehklage Israels finden wir auch in Sacharja 12. Es wird eine Wehklage der Busse und Umkehr sein. Die Völker dagegen werden klagen, weil nun das Gericht unausweichlich über sie kommt. Die Bibel spricht von einer Realität, und deshalb wird dieser Vers mit einem «Ja, Amen» unterstrichen: «So soll es sein», «wahrlich», «so ist es» (Offb 1,7).

Gehen wir noch einmal zurück zu den bedrängten und durchgeschüttelten Gemeinden in Asia. Johannes richtet ihren Blick auf dieses wunderbare, zukünftige Ereignis, wenn der Fürst der Könige auf Erden sichtbar kommt und sich Ihm alles beugen muss. Das gibt Mut, weiterzugehen. Das gibt Kraft, auch zum Leiden. Bei der Wiederkunft Jesu geht es nicht um eine fromme Wunschvorstellung, von der man nicht genau weiss, ob sie auch eintrifft. Es geht nicht um kluge Fabeln oder sonst etwas (vgl. 2Petr 1,16). Es geht um die Realität der göttlichen Herrschaft, die heute schon existiert und die dann sichtbar für alle Menschen aufgerichtet wird.

Obwohl die zukünftige Herrlichkeit noch viel mehr umfasst, können wir an diesem wunderbaren Ereignis in der Zukunft schon erahnen, was Paulus meinte, als er schrieb, dass die Leiden dieser Zeit nicht ins Gewicht fallen gegenüber der zukünftigen Herrlichkeit, die an uns offenbart werden soll (Röm 8,18). In einer äusserst notvollen und bedrängten Situation stellt Johannes den Gemeinden und sich selbst einen wunderbaren Herrn vor Augen. Er zeigt die wunderbare Berufung der Jesusnachfolger auf, die ihren Grund allein in Christus und Seiner Gnade hat. Und er richtet den Blick auf das wunderbare Ereignis der Wiederkunft Jesu, wenn die ganze Herrlichkeit und Grösse Gottes als sichtbare Realität über der Menschheit in Erscheinung tritt – der niemand mehr etwas entgegenzustellen vermag. Das verspricht der, «der ist und der war und der kommt, der Allmächtige» (Offb 1,8). Wer zu Jesus gehört und dies erkennt, kann nicht anders, trotz aller Nöte und schweren Lebensführungen heute, als mit dem Apostel in den Lobpreis Gottes einzustimmen: «Ihm sei die Herrlichkeit und die Macht von Ewigkeit zu Ewigkeit! Amen» (Offb 1,6).

Teilhaber woran?

«Ich, Johannes, der ich auch euer Bruder bin und mit euch Anteil habe an der Bedrängnis und am Reich und am standhaften Ausharren Jesu Christi, war auf der Insel, die Patmos genannt wird, um des Wortes Gottes und um des Zeugnisses Jesu Christi willen. Ich war im Geist am Tag des Herrn, und ich hörte hinter mir eine gewaltige Stimme, wie von einer Posaune, die sprach: Ich bin das A und das O, der Erste und der Letzte!, und: Was du siehst, das schreibe in ein Buch und sende es den Gemeinden, die in Asia sind: nach Ephesus und nach Smyrna und nach Pergamus und nach Thyatira und nach Sardes und nach Philadelphia und nach Laodizea!» (Offb 1,9-11).

In den letzten Jahren bildeten sich eine Anzahl von neuen Bewegungen, die sich selbst zu neuen Aposteln mit Zeichen und Wundern ausrufen oder ein neues apostolisches Zeitalter ankündigen. Das Ganze ist mit viel Euphorie, schwärmerischem Getöse und leider auch einem Mangel an Schriftkenntnis verbunden. Die Zeit der Apostel ist abgeschlossen. Wir sind aufgebaut auf ihrer Grundlage und nicht ein Teil von ihr (vgl. Eph 2,20). Diese heilsgeschichtliche Epoche können wir nicht einfach wiederholen oder zu neuem Leben erwecken. Die Offenbarung wurde von dem damals noch letzten lebenden Apostel geschrieben. Nach der geschichtlichen Überlieferung waren inzwischen alle anderen Apostel hingerichtet oder getötet worden. Nur Johannes lebte noch in hohem Alter. Im oben zitierten Abschnitt zeigt er uns, woran er mit uns teilhat und wir mit ihm teilhaben, und das sind nicht etwa apostolische Zeichen, Wunder und Machttaten, sondern er ist Mitgenosse an der Bedrängnis.

Interessanterweise wird nicht von Bedrängnis geredet, wenn man eine neue Apostelwelle möchte. Es bleibt auch ohne Erwähnung, dass alle Apostel bis auf Johannes für ihren Glauben ihr Leben lassen mussten. Das passt nicht zur schwärmerischen Zeichen- und Wundereuphorie. Aber der Apostel Johannes nennt sich hier Teilhaber oder Mitgenosse an der Bedrängnis.

Teilhaber an schwierigen Umständen

An dem hochbetagten Apostel Johannes erkennen wir eine ganz andere Haltung als bei denen, die sich heute als neue Apostel sehen oder gerne wieder ein apostolisches Zeitalter hätten. Er nennt sich schlicht und einfach «Bruder» und stellt sich so mit den für uns namenlosen Christen in Asia auf eine Stufe. Ausserdem bezeichnet er sich als Mitgenosse oder Mitteilhaber (*synkoinonos*) mit allen anderen Nachfolgern Jesu. Man kann auch übersetzen: Teilhaber. Trotz seiner herausragenden Stellung und Bedeutung betrachtet er sich nicht als etwas Besonderes, der über den einfachen Christen stünde. Und denen, die gerne wieder apostolische Zeichen und Wunder hätten, um damit zu irgendwelchen geistlichen Höhenflügen anzusetzen, stellt der Apostel eine ganz nüchterne und harte Bodenständigkeit gegenüber. Denn als Erstes nennt er sich Teilhaber an den Bedrängnissen oder Trübsalen – etwas, um das wir uns eher nicht reissen.

Diese Bedrängnis und Trübsal kam für die Gemeinden damals von zwei Seiten. Auf der einen Seite war es die Verfolgung durch

Domitian. Auf der anderen Seite die prinzipielle Verachtung und Feindschaft von ihrem gesellschaftlichen Umfeld. Dies wird in den Sendschreiben an Smyrna, Pergamon und Philadelphia deutlich. Nun stehen wir in der Gefahr zu meinen, dass dies die Situation der armen Christen damals war. Aufgrund unserer langen Glaubensfreiheit und des Wohlstands neigen wir dazu zu denken, dass unsere Situation die Regel und die Verfolgung der Christen wie in Nordkorea und den islamischen Ländern die Ausnahme sei. Wie wir aber gesehen haben, hat unser Herr Bedrängnisse als festen Bestandteil der Nachfolge vorausgesagt: «In der Welt habt ihr Bedrängnis» (Joh 16,33). Hier steht im Grundtext genau dasselbe Wort wie in Offenbarung 1,9: Trübsale um Jesu willen. Für unsere Glaubensfreiheit, die wir immer noch haben, können wir von Herzen dankbar sein. Die Gefahr der Leidensscheue bleibt aber bestehen. Zu oft versuchen wir alles, um keine Bedrängnis zu haben, um gesellschaftlich anerkannt zu werden – so wie die Gemeinden in Pergamon und Thyatira falsche Kompromisse mit ihrer Umgebung eingingen. Der erhöhte Christus musste sie deshalb zur Umkehr rufen.

Das Evangelium wollen wir immer liebevoll und taktvoll bezeugen. Aber wir müssen der Gefahr widerstehen, der intoleranten Toleranz unserer Gesellschaft und dem multireligiösen Wischiwaschi unserer Kultur nachzugeben und die Botschaft anzupassen und zu verwässern. Wenngleich wir unsere Bedrängnisse mit denen im Römischen Reich oder in den islamischen Ländern heute keineswegs vergleichen können, so beobachte ich doch mit Sorge eine zunehmende Weichspülung in der westlichen Christenheit. Ein zunehmender Teil bekennender Christen versucht, die markanten Klippen der biblischen Botschaft elegant zu umschiffen oder das polarisierende Wort

Gottes zu verwässern. Dass der grosse Apostel Johannes sich als Bruder mit uns in eine Reihe stellt, dagegen haben wir wohl nichts, aber Teilhaber an den Bedrängnissen um Christi willen zu sein, da lesen wir doch am liebsten schnell weiter. Mit der Reihenfolge in Offenbarung 1,9 macht Johannes zugleich den Weg in der Jesusnachfolge deutlich. Er nennt sich zuerst Teilhaber in den Bedrängnissen und dann am Königtum. Diese Teilhabe am Königtum der Erretteten ist schon heute eine geistliche Realität, die noch vor den Augen der Menschheit verborgen ist. Wenn wir aber künftig mit Jesus Herrlichkeitsgemeinschaft haben wollen, gehört heute die Leidensgemeinschaft dazu. Das ist die Botschaft der Offenbarung.

Der Weg geht für die Heiligen durch Trübsal in die Herrlichkeit. Das finden wir auch in den sieben Sendschreiben: zuerst die Bedrängnis, der Kampf, das Überwinden und dann die Verheissungen der zukünftigen Welt. Obwohl uns in Christus heute schon der ganze göttliche Reichtum geschenkt ist, haben wir nicht den Himmel auf Erden, wie manche meinen. Gehören wir unserem Herrn, sind wir immer auch Teilhaber an der Trübsal. Das bezieht sich nicht nur auf Verfolgung und Verachtung. Dazu können Anfechtungen, schwere Lebensführungen und andere Nöte gehören, auch die geistlichen Nöte und das Ringen in den Gemeinden um den entschiedenen Glaubensstand. Paulus spricht im 2. Korintherbrief von solchen Trübsalen und Bedrängnissen auf allen Ebenen, die er zu durchleiden und durchkämpfen hatte.

Teilhaber an der göttlichen Wirklichkeit

Sowohl in Bezug auf die Bedrängnisse als auch auf das Königtum nennt sich Johannes Teilhaber am Ausharren. Wie beschwerlich musste für einen etwa Neunzigjährigen diese Verbannung gewesen sein. Wie muss ihm in dieser Situation das Herz geblutet haben, als er von den Gemeinden und Christen abgeschnitten war. Und trotzdem hatte er ein Ja zu dieser schweren Wegführung, dabei zu bleiben, nicht verbittert zu werden, nicht ausbrechen zu wollen. Wir finden das Ausharren, das Aushalten, immer wieder in der Bibel als einen ganz wichtigen und grundlegenden Charakterzug für unser geistliches Leben und Wachstum. Dabei dürfen wir nie vergessen, dass wir bei diesem Ausharren nicht auf uns und unsere eigene Kraft angewiesen sind. Vielmehr ist es der Herr, der uns trägt, der uns durch Seine göttlichen Verheissungen ermutigen möchte.

Zweimal ist in Offenbarung 1 vom Königtum der Jesusnachfolger die Rede (V. 6 u. 9). Das griechische Wort basileia, wörtlich Regentschaft, liegt den im Neuen Testament an vielen Stellen vorkommenden Ausdrücken «Reich Gottes» und «Reich der Himmel» zugrunde. Wir können auch von der «Königsherrschaft» oder vom «Königreich Gottes» sprechen. Das ganze Alte Testament lehrt uns, dass Gott König ist. Der Begriff des Königtums in Offenbarung 1 und 5 steht in einem besonderen Zusammenhang mit Daniel 7,13-14.18:

«Ich sah in den Nachtgesichten, und siehe, es kam einer mit den Wolken des Himmels, gleich einem Sohn des Menschen; und er gelangte bis zu dem Hochbetagten und wurde vor ihn gebracht. Und ihm wurde Herrschaft, Ehre und Königtum verliehen, und alle Völker, Stämme und Sprachen dienten ihm; seine Herrschaft ist eine ewige Herrschaft, die nicht vergeht, und sein Königtum wird nie zugrundegehen. ‹... aber die Heiligen des Allerhöchsten werden die Königsherrschaft empfangen, und sie werden die Königsherrschaft bis in Ewigkeit behalten, ja, bis in alle Ewigkeit!›»

Es geht bei Daniel um das Königtum Jesu, genauso wie in der Offenbarung. Das sichtbare Reich Gottes wird auf dieser Erde in einem untrennbaren Zusammenhang mit Israel und dem davidischen Königtum aufgerichtet, wenn Jesus wiederkommt. Daniel sah damals dieses Königtum in der Verbindung mit Israel. Im Neuen Testament wird deutlich, dass alle Kinder Gottes zu diesem Königtum gehören und daran Anteil haben, wenn auch heute auf dieser Erde noch nicht in sichtbarer Weise, so wie Israel in der Zukunft. Die Gemeinde wurde ja durch Domitian verfolgt und bedrückt. Sie stellte äusserlich alles andere als ein Königtum dar. Dieser Niedrigkeitsstand blieb durch die Jahrtausende erhalten. Und wenn Christen oder solche, die das Christentum missbrauchten, irgendwie versuchten, ein sichtbares Königreich Gottes auf dieser Erde aufzurichten, dann scheiterte das immer und endete oft in einer Katastrophe. Das hat auch heute eine Bedeutung, wo man im Zug der transformatorischen Theologie meint, das sichtbare Reich Gottes auf dieser Erde aufrichten und die Gesellschaft und Weltbevölkerung umgestalten zu können.

Was gehört schon heute zu diesem Königtum?

Für uns geht es darum, dass wir für Christus und zu Seiner Ehre leben. Im Gemeindeleben geht es darum, dass die örtliche Gemeinde bestrebt ist, jenes Wesen anzunehmen, das Christus für sie bestimmt hat und das Er in ihr sehen möchte, unabhängig von den Massstäben und Wertvorstellungen der Gesellschaft. Zu diesem Königtum heute gehört die Verkündigung des Evangeliums mit dem Ziel, dass Menschen zum Glauben an Jesus Christus kommen und gerettet werden.

Im Buch der Offenbarung können wir sehen, wie die Gebete der Erretteten vor Gott wertgeachtet sind, beispielsweise in Kapitel 8,3. Durch das Gebet nehmen die Gläubigen an Gottes Weltherrschaft teil. Es geht auch um das Gebet für die Wiederkunft Jesu, so wie wir im «Unser Vater» um das Kommen Seines Reiches beten. Es besteht ein Spannungsfeld zwischen der Souveränität Gottes und unseren Gebeten. Gott kommt zum Ziel, aber möchte von uns gebeten sein. Während Domitian dachte, er könnte machen, was er wollte, waren in Wirklichkeit die Gebete der scheinbar ohnmächtigen Jesusnachfolger vor dem Thron Gottes wertgeachtet und gehört, dort, wo alle Fäden zusammenlaufen.

Paulus schreibt, dass die Menschheit bei der Wiederkunft Jesu in Seinen Heiligen, das heisst in der verherrlichten Gemeinde, die zusammen mit Christus zurückkommt, die Herrlichkeit Gottes sehen und bestaunen wird (2Thess 1,10). Auch das gehört zum Königtum.

Sowohl im Sendschreiben an Thyatira (Offb 2,18-28: V. 26-27) als auch an Laodizea (Offb 3,14-21: V. 21) gibt Christus den Überwindern die Verheissung, mit Ihm zu herrschen. In diesem Zusammenhang werden sich wohl auch die Gleichnisse von den anvertrauten Pfunden erfüllen. Das gehört in gleicher Weise zum Königtum. – In Korinth hatten die Gemeindeglieder nichts Besseres zu tun, als wegen irgendwelcher Streitigkeiten untereinander vor Gericht zu ziehen. Paulus musste sie deshalb scharf zurechtweisen und erinnerte sie daran, dass die Erretteten einmal die Welt und sogar die Engel richten würden. Wie konnten sie dann mit Streitfragen untereinander vor Gericht ziehen? Die vollendete Gemeinde wird Christus in alle Ewigkeit dienen. Auch in der Neuschöpfung, dem neuen Himmel und der neuen Erde, die Gott schaffen wird, hat sie teil an Seinem Königtum. Das sind nicht irgendwelche Spekulationen oder Wunschträume. Das ist schon heute eine geistliche Wirklichkeit, die einmal für alle sichtbar werden wird. Die Gemeinde war äusserlich geschunden und zog den Kürzeren gegen Domitian. Um neuen Mut zu bekommen und nicht zu resignieren, erinnerte sie Johannes daran, dass sie auch Teilhaber des Königtums sind, obwohl alle Umstände scheinbar dagegensprachen.

Teilhaber an Gottes Ratschlüssen und Plänen

Dieser Punkt steht in einem engen Zusammenhang mit dem vorhergehenden. Es gehört zum Königtum der Kinder Gottes, dass wir Teilhaber an Gottes Ratschlüssen und Plänen sind. Im Alten Testament wurde Abraham ein Freund Gottes genannt. Damit kommt seine enge Beziehung zum Ausdruck, die er durch den Glauben zu Gott hatte. In 1. Mose 18 sagt der Herr zu Abraham: «Sollte ich Abraham verbergen, was ich tun will?» (V. 17). Und dann offenbart ihm Gott Seinen Plan über die Zerstörung von Sodom und Gomorra. In Offenbarung 1,11 befiehlt der erhöhte Christus Seinem Knecht Johannes: «Was du siehst, das schreibe in ein Buch und sende es den Gemeinden, die in Asia sind: nach Ephesus und nach Smyrna und nach Pergamus und nach Thyatira und nach Sardes und nach Philadelphia und nach Laodizea!»

Der Apostel Johannes bekommt dieses letzte Buch der Bibel geoffenbart. Aber nicht nur er. Die leidende Gemeinde soll an den Plänen und Ratschlüssen Gottes Anteil haben, an diesem letzten Buch der Bibel, in dem alle Fäden der vorangehenden 65 Bücher zusammenlaufen. Und das Wissen um Gottes Pläne und

Ratschlüsse soll ihr Mut in ihrer schweren Situation machen, damit sie nicht von der aussichtslosen Froschperspektive der Gegenwart erdrückt wird, sondern aus der göttlichen Vogelperspektive sieht, dass Er alles zu Seinem Ziel führt und Ihm nichts entgleitet.

Wir sind Teilhaber an Gottes Ratschlüssen und Plänen. Diese Teilhabe ist nicht nur einem Kreis von Experten oder Spezialisten vorbehalten, sondern sie steht jedem Jesusnachfolger offen. Der ehemalige Bundespfarrer des deutschen EC-Verbandes (Jugendverband «Entschieden für Christus») Christopher Pfeiffer sagte einmal: «Gott weiss alles, manche Prediger wissen alles besser.» Teilhaber an Gottes Plänen zu sein, heisst nicht, dass wir zwischen den Zeilen zu lesen versuchen und uns in grossartigen Spekulationen verlieren. Teilhaber an Gottes Ratschlüssen zu sein, dürfen wir auch nicht mit der Beschäftigung und dem Propagieren von irgendwelchen fragwürdigen Verschwörungstheorien verwechseln. Teilhaber an Gottes Plänen sind wir durch das Aufnehmen von Gottes Wort. Es offenbart uns die letzten Zusammenhänge und Hintergründe der Weltgeschichte. Es zeigt uns, wie Christus völlig unangefochten über allem regiert und am Ende die Weltgeschichte zu Seinem Ziel führt.

Zum einen bewahrt dieses Teilhaben an Gottes Plänen vor Resignation und geistlicher Depression. Die Gemeinden damals hatten nicht viel zu lachen, und die Zukunft sah alles andere als rosig aus. Aber das Wissen um Gottes Pläne gab ihnen die Kraft zum Ausharren in der Bedrängnis. Zum anderen bewahrt das Teilhaben an Gottes Plänen aber auch vor jeder falschen menschlichen Zukunftserwartung und Euphorie. Die Offenbarung zeigt, dass es trotz aller äusseren Fortschritte mit der Menschheit, geistlich gesehen, bergab geht. Diese Welt reift trotz aller Ideologien und Selbstrettungsversuche zum Gericht aus. Das, was für die Menschheit scheinbar der letzte grosse Rettungsanker und die Wende in ein neues Zeitalter sein wird, entlarvt die Offenbarung jedoch als die letzte Rebellion und den letzten Aufstand gegen den lebendigen Gott. Schliesslich macht Offenbarung 19 deutlich, dass kein anderes Ereignis als die sichtbare Wiederkunft Jesu, verbunden mit Seinem göttlichen Gericht, die Welt wirklich verändern kann.

Johannes spricht davon, dass er am «Tag des Herrn» «im Geist» war (Offb 1,10). Der «Tag des Herrn» oder «Herrentag» ist der Tag der Auferstehung Christi, der erste Tag in der Woche, lange bevor Kaiser Konstantin auf die Idee kam, diesen Tag als Ruhetag zu bestimmen. Wörtlich ist es eigentlich «der dem Herrn gehörende Tag». Dieses «im Geist»-Sein bezieht sich auf den besonderen Umstand, dass Christus Seinem Jünger Johannes dieses Buch geoffenbart hat, ganz ähnlich wie bei Daniel oder Hesekiel im Alten Testament. Daraus können wir keine Regel für Offenbarungsempfang bei Erretteten ableiten.

Mit diesem «im Geist»-Sein werden leider auch schwärmerische und sogar heidnische Vorstellungen verbunden. Das reicht von der Ekstase bis zu einem weggedrehten, die Persönlichkeit und den Willen flachlegenden, medialen Zustand. Nach Römer 12,2 werden wir verändert durch die Erneuerung unseres Sinnes, unserer Wahrnehmung und durch das aktive Prüfen, was Gottes Wille ist. Dies ist das Gegenteil einer passiven Bewusstseinsveränderung des Menschen. «Im Geist» sind wir dann, wenn uns der Geist Gottes leitet, wir aus dem neuen Leben mit Christus leben und über dem Wort Gottes und im Gebet Gemeinschaft mit unserem Herrn haben. Und so werden wir nur durch eine intensive Beschäftigung mit der Heiligen Schrift und dem Gehorsam ihr gegenüber zu Teilhabern an Gottes Plänen. Je mehr wir die ganze Schrift kennenlernen und befolgen, umso verständlicher wird sich uns auch das Buch der Offenbarung aufschliessen. Hier gibt es keine Abkürzungen, weder durch Träume oder Visionen noch indem man die Offenbarung aus ihrem biblischen Zusammenhang reisst und allerhand Spekulationen entwickelt.

Jesus betont, dass Seine Worte Geist und Leben sind (Joh 6,63). Je mehr wir uns selbst mit Gottes Wort beschäftigen, davon prägen und verändern lassen, umso mehr werden wir auch ein Leben im Geist führen. Dass uns der allmächtige Gott in Seinem Wort Seine Pläne und damit die wahren Hintergründe und Ziele der Welt- und Heilsgeschichte offenbart hat, sollte für uns ein Ansporn sein, noch mehr in der Bibel zu leben. Hätten wir im Voraus einen Einblick in die Entwicklung der politischen und wirtschaftlichen Ereignisse in den nächsten Jahrzehnten, ich bin mir sicher, wir würden unser Leben entsprechend planen und einrichten. Auch würden wir genau die Abläufe studieren. In der Bibel und im Buch der Offenbarung gibt uns der lebendige Gott Einblick in die zukünftigen Entwicklungen und Abläufe des Weltgeschehens. Alles, was für uns wichtig ist zu wissen, hat Er uns offenbart. Wir dagegen sind oft mit ganz anderen Dingen beschäftigt. Dieses Teilhaben an Gottes Ratschlüssen und Plänen soll uns dazu bringen, dass wir unser Leben danach ausrichten, unsere Prioritäten und unser Ziel von dort her setzen lassen. Die Absicht Gottes mit dem Offenbaren Seines Ratschlusses wird nur dann in unserem Leben verwirklicht, wenn das Geoffenbarte zu praktischen Konsequenzen führt. Es gibt Leute, die aus der Offenbarung Spekulationen oder theoretische Überlegungen gewinnen. Aber sie selbst werden davon nicht verändert und leben im Alltag nach ihren eigenen Vorstellungen. An ihnen hat die Offenbarung ihr Ziel nicht erreicht.

Als Abraham, der Freund Gottes, vom Herrn Einblick in dessen Pläne und das kommende Gericht über Sodom und Gomorra erhielt, hatte dies für ihn, den Vater des Glaubens, sofort praktische Auswirkungen. Er betete für eine Verschonung der Städte, um der Gerechten willen. Mit fünfzig Gerechten begann er, und bei zehn endete sein Gebet. Es waren keine zehn, und das Gericht kam. In 1. Mose 19,29 lesen wir, dass das Gebet Abrahams für Lot und seine Töchter Rettung vor dem Gericht bewirkt hat. Das Teilhaben an Gottes Plänen und Ratschlüssen möchte immer Auswirkungen auf unser Gebetsleben haben. Einerseits beten wir um die Ausführung Seines Willens und die Verherrlichung Seines Namens, andererseits aber auch um die Rettung von Menschen, solange noch Zeit ist und bevor das göttliche Gericht hereinbricht.

Aufgrund unseres Wohlstands und der Wellness-Gesellschaft laufen wir Gefahr zu meinen, wir könnten das sichtbare Reich Gottes jetzt schon aufrichten. Aber der Apostel erinnert uns als Mit-Teilhaber daran, dass zur Nachfolge heute Leid und Bedrängnis gehören, dass der Herrlichkeitsgemeinschaft mit dem Herrn die Leidensgemeinschaft vorausgeht, so wie es der Apostel Paulus in Römer 8,18 schreibt:

«Denn ich bin überzeugt, dass die Leiden der jetzigen Zeit nicht ins Gewicht fallen gegenüber der Herrlichkeit, die an uns geoffenbart werden soll.»

Der erhöhte Christus

«Und ich wandte mich um und wollte nach der Stimme sehen, die mit mir redete; und als ich mich umwandte, da sah ich sieben goldene Leuchter, und mitten unter den sieben Leuchtern Einen, der einem Sohn des Menschen glich, bekleidet mit einem Gewand, das bis zu den Füssen reichte, und um die Brust gegürtet mit einem goldenen Gürtel. Sein Haupt aber und seine Haare waren weiss, wie weisse Wolle, wie Schnee; und seine Augen waren wie eine Feuerflamme, und seine Füsse wie schimmerndes Erz, als glühten sie im Ofen, und seine Stimme wie das Rauschen vieler Wasser. Und er hatte in seiner rechten Hand sieben Sterne, und aus seinem Mund ging ein scharfes, zweischneidiges Schwert hervor; und sein Angesicht leuchtete wie die Sonne in ihrer Kraft. Und als ich ihn sah, fiel ich zu seinen Füssen nieder wie tot. Und er legte seine rechte Hand auf mich und sprach zu mir: Fürchte dich nicht! Ich bin der Erste und der Letzte und der Lebende; und ich war tot, und siehe, ich lebe von Ewigkeit zu Ewigkeit, Amen! Und ich habe die Schlüssel des Totenreiches und des Todes. Schreibe, was du gesehen hast, und was ist, und was nach diesem geschehen soll: das Geheimnis der sieben Sterne, die du in meiner Rechten gesehen hast, und der sieben goldenen Leuchter. Die sieben Sterne sind Engel der sieben Gemeinden, und die sieben Leuchter, die du gesehen hast, sind die sieben Gemeinden» (Offb 1,12-20).

Am Tag des Herrn hört der Apostel hinter sich eine laute Stimme, wie eine Posaune. Er bekommt den Auftrag, das, was er sieht, für die sieben Gemeinden in ein Buch zu schreiben. Dann lesen wir: «Und ich wandte mich um und wollte nach der Stimme sehen, die mit mir redete ...» (Offb 1,12). Johannes musste sich umdrehen, um den zu sehen, der mit ihm sprach. Es war der erhöhte Christus in Seiner Herrlichkeit. Zusammen mit Offenbarung 19,11-16 haben wir hier die gewaltigste Beschreibung unseres erhöhten Herrn.

Der Apostel musste sich umdrehen. Benedikt Peters machte auf diesen Blickwechsel in einer Bibelarbeit aufmerksam. Johannes benötigte eine neue Blickrichtung, um den Herrn in Seiner ganzen Grösse und Macht zu sehen. Weg von der felsigen Insel und seinen bedrückenden Umständen, die ihn umgaben, weg von der fernen Küste Asias und der bedrückenden Situation für die Gemeinden, die damit verbunden war, und hin auf den erhöhten Christus, dem alle Macht vom Vater übertragen ist. Er sah Christus nicht in der Niedrigkeitsgestalt, die Er nach Seiner Menschwerdung hatte, so, wie Er in der katholischen Kirche oft als das süsse Jesuskind dargestellt wird. Er sah Ihn auch nicht als Mensch, wie Er diente und auf jede Demonstration Seiner Macht verzichtete. Johannes sah seinen Herrn auch nicht am Kreuz hängen, wie Er die Schuld der ganzen Welt sühnte. (Sein vollkommenes Opfer steht allerdings im Zentrum der Bibel. Die Offenbarung zeigt, dass wir Christus bis in alle Ewigkeit als das Lamm Gottes, das uns für den Vater erkauft hat, anbeten werden.) Doch hier, am Anfang der Offenbarung, sieht Johannes den erhöhten Christus in Seiner ganzen Macht und Grösse. Das ist der Herr, dem wir gehören und mit dem wir es heute zu tun haben. Das ist der erhöhte Christus als Haupt Seiner Gemeinde.

Sind wir uns dessen bewusst? Oder haben wir im Hinterkopf immer nur das Bild des kleinen Jesuskinds oder des Gekreuzigten, der alles stumm erleidet und erduldet?

Johannes musste seine Blickrichtung wechseln, um den erhöhten Herrn zu sehen. Genau dies ist das grosse Anliegen der Offenbarung. Wie oft sehen wir nur noch schwarz vor lauter Problemen und Schwierigkeiten, die sich auftun. Oder wir schauen auf unsere eigene Unfähigkeit. Unsere Blicke bleiben deprimiert an der Finsternis und Gottlosigkeit, die uns zunehmend umgibt, kleben. Oder wir stehen in der Gefahr, zurückzuschielen in die frühere Zeit, in der scheinbar manches besser war. Wir müssen uns immer wieder neu zu diesem Blickwechsel durchringen, den Johannes am Anfang der Offenbarung vornahm. Es geht nicht darum, dass wir so tun, als ob es keine Probleme gäbe, indem wir einfach die Augen vor der Realität verschliessen. Vielmehr geht es darum, Christus über allem zu sehen, dem alle Macht gegeben ist, der unwiderstehlich regiert und Gottes Pläne zum Ziel bringt. Es geht darum, den Herrn zu sehen, der Seine Gemeinde gegründet hat, der sie baut und der sie vollendet, auch dann, wenn wir nicht alles verstehen und einordnen können.

Vor vielen Jahren befanden wir uns in unserem Dienst in einer sehr, sehr schwierigen Situation. Eine Schwierigkeit kam nach der anderen. Damals sagte mir die mit uns freundschaftlich verbundene Ruth Frey am Telefon: «Johannes, du musst nicht über den Dingen stehen. Es genügt, wenn du weisst, dass unser Herr darübersteht.»

Zurück nach Patmos. Der Apostel dreht sich um und sieht den erhöhten Christus in Seiner Macht und Herrlichkeit. Er bekommt eine völlig neue Perspektive. Es ist beachtenswert: Die Insel Patmos, die niederdrückenden Umstände, in denen er sich befand, werden am Ende des Buches nicht mehr erwähnt. Stattdessen ruft Johannes am Ende aus: «Ja, komm, Herr Jesus! Die Gnade unseres Herrn Jesus Christus sei mit euch allen!» (Offb 22,20-21).

Der erhöhte Christus und Sein Apostel Johannes

Zu Beginn dieses Buches sieht Johannes den erhöhten Christus, dem nach Seiner Rückkehr zum Vater alle Macht übertragen ist. Er sieht Ihn in einer Herrlichkeit und Grösse, die nur mit bildhaften Vergleichen beschrieben werden kann. Diese Realität ist für uns von grosser Bedeutung. Johannes versucht, den erhöhten Christus in menschlich verständliche Bilder zu fassen. Er kann dabei nur eine schemenhafte Beschreibung abgeben. Dies wird daran deutlich, dass in seiner Beschreibung die Worte «gleich wie» oder «wie» vorkommen. Die Realität Seiner Herrlichkeit und Macht übersteigt alles, was wir uns vorstellen können.

Johannes hatte eine Christuserscheinung. Wir sollten für uns festhalten, dass uns an keiner Stelle des Neuen Testaments eine Erscheinung oder Vision von Christus verheissen ist. Paulus betont, dass wir jetzt im Glauben und noch nicht im Schauen leben (2Kor 5,7). Petrus erinnert die Nachfolger Jesu daran, dass sie ihren Herrn lieben, obwohl sie Ihn nicht sehen (1Petr 1,8). Ihn zu sehen, verheisst uns der 1. Johannesbrief erst auf den Tag der Entrückung (1Joh 3,2).

Nach der Himmelfahrt Christi berichtet uns das Neue Testament bis zur Abfassung der Offenbarung über einen Zeitraum von ca. 60 Jahren. In dieser Zeit wurde der erhöhte Christus nur von drei Personen in Seiner Herrlichkeit gesehen. Das erste Mal von Stephanus (Apg 7,56). Er liess als erster Märtyrer sein Leben für seinen Herrn. Die zweite Person war Paulus, der als einziger

Apostel kein Augenzeuge der Auferstehung des Herrn Jesus war. Deshalb musste auch er den Auferstandenen sehen (1Kor 15,8). Und das letzte Mal hier von Johannes im Zusammenhang mit der Offenbarung Jesu Christi. Aus diesen drei aussergewöhnlichen Ereignissen lässt sich keine Regel, im Sinne weiterer möglicher Erscheinungen ableiten.

In sogenannten Erscheinungen und Visionen wurde Christus schon in unterschiedlichster Weise angeblich gesehen. Man meinte, Ihn als Kindlein oder mit der Dornenkrone zu sehen. Andere sprachen von blutenden Wunden oder irgendeiner menschlichen Pose, zum Beispiel als Motorradfahrer, der den Lenker fest in der Hand hatte. Er wurde angeblich als Mensch gesehen oder als erhöhter Hirte der Gemeinde mit einem Hut und purpurrotem Mantel. Der Herr Jesus ist jetzt aber nicht mehr der Träger der Dornenkrone. Er ist der erhöhte Herr, dem alle Macht gegeben ist. Die einzige detaillierte Beschreibung von Ihm finden wir in Offenbarung 1.

Der Apostel Johannes sieht den erhöhten Christus. Er war der Jünger, den Jesus lieb hatte, wie uns das Evangelium berichtet. Johannes gehörte zu den Dreien, die mit auf dem Berg waren, als Jesus verklärt wurde. Da wird uns von einem unbeschreiblichen Glanz berichtet, den Jesus hatte. Johannes begegnete dem auferstandenen Herrn auch vor Seiner Rückkehr zum Vater. In seinen drei Briefen legte er besonders viel Wert auf eine Nachfolge in der Lebensgemeinschaft mit Jesus. Als aber der Jünger, der seinen Herrn lieb hatte, den erhöhten Christus sah, fiel er wie ein Toter zu Boden (Offb 1,17). Der Eindruck der Herrlichkeit und Majestät war für ihn überwältigend.

Ich habe die Sorge, dass wir uns gar nicht mehr bewusst sind, wer unser Herr eigentlich ist. Man spricht wohl vom erhöhten

Christus, dem alle Macht gegeben ist. Aber wer ist der, dem alle Macht gegeben ist? Der erhöhte Christus hat eine Majestät, Reinheit, Heiligkeit, Erhabenheit, die wir uns nicht vorstellen können. Bin ich mir dessen auch bewusst, im Umgang mit Ihm und in der Art und Weise, wie ich über Ihn rede? Er ist mein Retter, Er hat uns Seine Freunde genannt. Er ist mein Hirte, und ich darf Ihm alles sagen, was mir unter den Nägeln brennt. Aber Er ist der erhöhte Christus, und das ist etwas anderes als der Kumpel von der Strasse.

Wir lesen im Neuen Testament an verschiedenen Stellen von der Gottesfurcht oder Furcht des Herrn. Paulus und Petrus sprechen von der Gottseligkeit (*eusebeia*). Man kann auch Gottesverehrung, Frömmigkeit oder Gottesfurcht übersetzen. Nach Titus 1,1 ist die Erkenntnis der Wahrheit untrennbar mit Gottseligkeit verbunden. In 1. Timotheus 6,11 ruft Paulus uns auf, nach der Gottseligkeit oder Gottesfurcht zu streben. Das übersehen wir so leicht in unserer coolen und lässigen Zeit. Diese Wahrheiten sind der Gemeinde Jesu aber auch deshalb teilweise verloren gegangen, weil man sich so wenig mit dem erhöhten Christus beschäftigt. Je mehr wir erkennen, wer unser Herr wirklich ist, welche Macht und Herrlichkeit Ihm nach Seiner Erhöhung vom Vater übertragen wurde, umso mehr werden wir in der Gottesfurcht und in der Gottseligkeit wachsen und wird unser praktisches Leben davon geprägt werden.

Du wirst ganz neu zur Anbetung kommen, wenn du dir dessen bewusst wirst, wer es ist, zu dem wir im Gebet kommen können. Du wirst zum dankbaren Staunen kommen, wenn du dich damit beschäftigst, was das einmal sein wird, an Seiner ganzen Herrlichkeit teilzuhaben. Er hat mich geliebt und ist mir nachgegangen, einem verlorenen Sünder und Taugenichts. Und dann hat Er mich völlig unverdient zu einem Heiligen, zu einem Kind Gottes und zum Miterben Seiner Herrlichkeit gemacht (Röm 8,17). Was das bedeutet und beinhaltet, werden wir erst voll erfassen können, wenn wir bei Ihm sind.

Johannes konnte vor dem erhöhten Christus nur noch wie ein Toter zu Boden sinken. Dieses Hinfallen vor der Grösse Gottes und der Herrlichkeit des Herrn Jesus ist ein Vorgang, der in der Bibel selten erwähnt ist. Das war keine allgemeine Erfahrung. Wenn wir nach dem nächsten ähnlichen Ereignis in der Bibel schauen, müssen wir rund 50 Jahre zurückgehen. Saulus fiel vor dem erscheinenden Herrn auf die Erde. Im Alten Testament wissen wir von einigen Propheten, die bei ihrer Schau der Herrlichkeit Gottes zu Boden sanken. Daraus darf man keine Regel ableiten.

Interessant ist, dass uns an einigen Stellen die Körperhaltung näher beschrieben wird. Dabei ist immer die Rede vom Fallen auf das Angesicht (vgl. Ri 13,20; Hes 1,28; 3,23; 43,3; Dan 8,18; 10,9 etc.). Aufs Angesicht zu fallen, ist ein Zeichen der Ehrfurcht und Verhüllung vor dem lebendigen Gott. Die Bibel nennt an drei Stellen aber auch ein Rückwärtsfallen von Menschen (1Mo 49,17; 1Sam 4,18; Jes 28,13). Im Gegensatz zur Ehrfurcht vor Gott geht es an diesen drei Schriftstellen um ein Zeichen des Gerichtes Gottes. Auf den Rücken fallen entblösst und entwürdigt den Menschen. Das Neigen nach vorn dagegen ist ein Ausdruck der Ehrfurcht.

Johannes sinkt vor der Herrlichkeit und Heiligkeit Jesu wie ein Toter zu Boden. Aber der erhöhte Herr begegnet Seinem Jünger in liebevoller Weise. Er legt Seine rechte Hand auf Johannes. Das ist ein Zeichen der Gemeinschaft. Nichts steht zwischen dem Herrn und Seinem Jünger. Es ist auch ein Zeichen dafür, dass Johannes Sein Eigentum ist. Dann spricht Er Johannes Seinen Trost zu: «Fürchte dich nicht!» (Offb 1,17). Wer sich vor dem Herrn Jesus gebeugt hat und Ihn als seinen Herrn kennt, ist untrennbar mit Ihm verbunden. Auch der Tod, den die Bibel unseren letzten Feind nennt, hat für das Kind Gottes seinen Schrecken verloren. Nichts kann uns scheiden «von der Liebe Gottes, die in Christus Jesus ist, unserem Herrn» (Röm 8,39).

Der erhöhte Christus und Seine Bedeutung für uns

Im Neuen Testament wird Christus und Seine Bedeutung für uns in vielfältiger Weise gezeigt. Da ist die Rede vom guten Hirten, der sein Leben für die Schafe lässt. Er kümmert sich in liebevoller Weise um jedes Einzelne. Der Herr Jesus wird als der Weinstock gezeigt und wir als die Reben. Die Reben können nur in Verbindung mit dem Weinstock fruchtbar sein. Oder das Neue Testament zeigt uns Christus als das Lamm Gottes. Er bringt das Opfer und stirbt stellvertretend für deine und meine Schuld. Sein Blut fliesst zur Vergebung der Sünden. So könnte noch manches von der Bedeutung Jesu für unser Leben angeführt werden.

Zu Beginn der Offenbarung sehen wir den erhöhten Christus. Der erhöhte Herr steht hier als unbestechlicher und gerechter Richter vor uns. Die Offenbarung spricht von dem kommenden Gericht Gottes über die Menschheit. Christus wird uns aber auch als Richter Seiner Gemeinde vorgestellt. Er steht mitten zwischen sieben goldenen Leuchtern, die die sieben Gemeinden sind.

Bevor das Gericht über eine gottlose Welt kommt, muss zuerst die Gemeinde vor ihrem Herrn bestehen. Sie wird zu Beginn der Offenbarung auf den Prüfstand vor den erhöhten Christus gestellt. Der Apostel Petrus schreibt: «Denn die Zeit ist da, dass das Gericht beginnt beim Haus Gottes; wenn aber zuerst bei uns, wie wird das Ende derer sein, die sich weigern, dem Evangelium Gottes zu glauben?» (1Petr 4,17). Auch Paulus spricht davon, dass wir über unser Leben in der Nachfolge einmal Christus Rechenschaft ablegen werden vor dem Richterstuhl (vgl. Röm 14,10; 1Kor 3,12-15; 2Kor 5,10).

Der erhöhte Christus als der Richter ist eine Realität, der man heute nicht mehr gerne ins Auge sieht. In einer Zeit, die vom Individualismus und einer grenzenlosen Toleranz geprägt ist, scheint der Gedanke an Gericht keinen Platz mehr zu haben. Unser Herr als der Richter Seiner Gemeinde muss in der richtigen Weise verstanden werden. Die Bibel sagt, dass die Welt ohne Jesus zur Bestrafung und zur Verdammnis gerichtet wird. Beim Gericht über die Gemeinde geht es dagegen um Reinigung, Erziehung, wir können auch sagen: um Züchtigung und Belohnung.

Der Herr Jesus ist der unbestechliche, heilige und gerechte Richter, auch Seiner Gemeinde. Aus diesem Grund erkennt Er in Offenbarung 2 und 3 in liebevoller Weise das geistliche Wachstum Seiner Gemeinden an. Er gibt auch Trost, Verheissungen und Ermutigung, wo dies notwendig ist. Er fällt aber ein klares Urteil, wenn Gemeinden sich von Ihm entfernt haben. Dort ruft Er mit einer ernsten Gerichtsandrohung zur Reinigung und zur Umkehr.

Was mich an dem unbestechlichen Richter bewegt, ist Sein Urteil über die sieben Gemeinden. Es weicht völlig von dem ab, wie die damaligen Christen die verschiedenen Gemeinden beurteilten. Da gab es zwei Gemeinden, die sowohl in ihrem gesellschaftlichen Umfeld als auch unter den Christen keine grosse

Beachtung fanden, Smyrna und Philadelphia. Philadelphia finden wir in der Kirchengeschichtsschreibung nicht einmal ausdrücklich erwähnt. Für diese beiden Gemeinden hatte der unbestechliche Richter nur Lob und Anerkennung. Er forderte sie auf, so weiterzumachen und durchzuhalten.

Es gab aber auch andere Gemeinden. Die Gemeinde in Sardes galt als lebendig, wie die damalige Christenheit dachte, doch der erhöhte Herr stellte genau das Gegenteil fest. Für Sardes fand Er keine Anerkennung, sondern nur einen Ruf zur Umkehr. Oder Laodizea. Eine Gemeinde, in der scheinbar alles rund lief, der es an nichts zu mangeln schien. Sie wurde von den anderen wohl beneidet. Doch Jesus richtete Seine schärfste Gerichtsandrohung an sie. Der Massstab des erhöhten Christus ist ganz anders als unsere gewohnte Einschätzung. Daneben gab es Gemeinden, an denen der Herr viel Gutes sah, das gewachsen war. Er lobte und ermutigte sie dafür. Aber das blendete dem unbestechlichen Richter nicht den Blick für geistliche Defizite. Er machte darauf aufmerksam und mahnte in diesen Punkten eindringlich zur Umkehr.

Wie andere Menschen über unsere Gemeinden oder über uns selbst denken und urteilen, ist zweitrangig. Ganz gleich, ob es Lob oder Tadel ist. Entscheidend ist, wie der erhöhte Christus alles sieht und beurteilt. Allein vor Ihm haben wir uns einmal zu verantworten. Indem wir die Bedeutung des erhöhten Christus erkennen, können wir von der Menschenfurcht befreit werden. Das sollte uns ein wichtiges Anliegen sein, von Ihm aus korrigiert und verändert zu werden, und in allem, was wir denken und tun, in erster Linie vor Ihm zu stehen, dem unbestechlichen Richter für Seine Gemeinde.

Als Johannes sich umwandte, sah er inmitten der goldenen Leuchter den erhöhten Herrn, «der einem Sohn des Menschen glich» (Offb 1,13). Damit ist der direkte Bezug zu Daniel 7,13-14 gegeben: «Ich sah in den Nachtgesichten, und siehe, es kam einer mit den Wolken des Himmels, gleich einem Sohn des Menschen; und er gelangte bis zu dem Hochbetagten und wurde vor ihn gebracht. Und ihm wurde Herrschaft, Ehre und Königtum verliehen, und alle Völker, Stämme und Sprachen dienten ihm; seine Herrschaft ist eine ewige Herrschaft, die nicht vergeht, und sein Königtum wird nie zugrunde gehen.» Der Prophet Daniel sah, wie dem Christus nach Seiner Rückkehr alle Macht vom Vater übertragen wurde. Und nun sieht Johannes seinen Herrn als den Menschensohn nach Seiner Erhöhung. Vor ihm steht der Herr aller Herren und König aller Könige.

Johannes versucht, den erhöhten Christus in Bildern zu beschreiben, die für uns fassbar sind. Er beschreibt das bis zu den Füssen reichende Gewand, das mit einem goldenen Gürtel umgürtet ist. Das erinnert an den Hohepriester, der das Volk Israel vor Gott vertrat. Der erhöhte Herr ist nicht ein kalter und distanzierter Richter. Er vertritt Seine Gemeinde und jedes Seiner Erlösten als der wahre Hohepriester vor dem Vater. Damit stehen wir vor einer göttlichen Wahrheit, über die man nur staunen kann. Der heilige und unbestechliche Richter tritt zugleich als Fürsprecher beim Vater ein. In dieser Beschreibung findet sich auch ein Hinweis auf Jesaja 11,5: «Gerechtigkeit wird der Gurt seiner Lenden sein und Wahrheit der Gurt seiner Hüften.» Wir haben einen gerechten und treuen Herrn, der die Seinen kennt, sieht und hält.

Das Haupt und die Haare werden als «weiss, wie weisse Wolle» oder «wie Schnee» beschrieben (Offb 1,14). Damit stehen wir bei dem zweiten Bezug zu Daniel 7: «Ich schaute, bis Throne aufgestellt wurden und ein Hochbetagter sich setzte. Sein Gewand war schneeweiss, und das Haar seines Hauptes wie reine Wolle ...» (V. 9). Daniel beschreibt zunächst Gott, den Vater. Wir sehen sogar einen zweifachen Bezug zu Offenbarung 1: Zum einen das weisse Gewand und zum anderen die Haare wie reine Wolle (in Offb 1,14 weiss wie Wolle). Der Herr Jesus trägt die Merkmale Gottes an sich, so wie Er es zu Philippus sagte: «Wer mich gesehen hat, der hat den Vater gesehen» (Joh 14,9). Unserem Herrn ist nicht nur vom Vater alle Macht übertragen, so wie dies ein Firmenchef mit seinem Prokuristen tut, sondern Er ist ewiger Gott. Das kommt in dem engen Zusammenhang zwischen Daniel 7 und Offenbarung 1 klar zum Ausdruck.

Die strahlend weisse Farbe steht sowohl für Seine Ewigkeit als auch Seine Herrlichkeit. Wir finden sie auch auf dem Berg der Verklärung. Die Haare weiss wie Wolle sind zudem ein Ausdruck Seiner göttlichen Reinheit. Er ist der wahrhaftige und unbestechliche Richter.

Daniel 7,9: Der Thron Gottes besteht aus Feuerflammen. Offenbarung 1,14: Der Sohn Gottes hat «Augen wie eine Feuerflamme». Auch hier sehen wir wieder den engen Zusammenhang. Vor dem erhöhten Christus gibt es nichts zu verbergen. Er kennt wirklich die letzten Zusammenhänge und Beweggründe in unseren Gemeinden und unserem Leben. Ihn können wir nicht durch eine scheinheilige Fassade blenden. Wir stehen in der Gefahr, anderen etwas vorzuspielen, uns mit einem Schein zu umgeben, der nicht mit unserem Sein übereinstimmt. Es gibt so viele fromme Masken, hinter denen man sich verstecken kann. Man spielt vielleicht den «Smiley»-Christen, der immer nur fröhlich durch die Gegend geht. Oder man inszeniert sich als «Zündkerzen»-Christ, der nur so vor neuen Ideen und Impulsen sprüht. Man kann auch versuchen, den coolen Alltagschristen vorzugeben, den nichts aus der Bahn wirft. Oder man tritt als missionarischer Jagdbomber auf, um andere zu beeindrucken. Vielleicht hängt man sich auch gern das Etikett Demut als Attrappe um.

Wie oft stehen wir in der Gefahr, uns hinter frommen Fassaden zu verstecken? Dem erhöhten Herrn können wir nichts vormachen. Er kennt unsere Beweggründe durch und durch. Er kennt uns besser, als wir uns zu kennen meinen. Paulus war sich dessen bewusst und konnte sagen: «Denn ich bin mir nichts bewusst; aber damit bin ich nicht gerechtfertigt, sondern der Herr ist es, der mich beurteilt. Darum richtet nichts vor der Zeit, bis der Herr kommt, der auch das im Finstern Verborgene ans Licht bringen und die Absichten der Herzen offenbar machen wird; und dann wird jedem das Lob von Gott zuteilwerden» (1Kor 4,4-5).

Seine Füsse werden uns als glühendes Erz beschrieben.. Glühendes Erz hat bei Berührung eine unangenehme Auswirkung. Das ist ein Ausdruck des Gerichts. Der erhöhte Herr züchtigt und erzieht die Seinen. Er möchte uns damit Seiner Heiligkeit teilhaftig machen. Er kann Sünde und Ungehorsam nicht einfach übersehen oder übergehen.

Dann redet Johannes von der Stimme als gewaltigem Wasserrauschen. Wir finden diese Beschreibung auch bei Hesekiel, als er in Kapitel 1,24 und 43,2 die Herrlichkeit Gottes, die *Schechina*, beschreibt. Ihre Bewegung oder ihr Kommen verursacht ein Rauschen wie von viel Wasser. Diese Stimme ist ein Zeichen für die Allmacht des erhöhten Christus. Wenn Er etwas spricht, dann geschieht es auch und hat absolute Autorität. Allein Sein gesprochenes Urteil über die Gemeinden ist bindend. Aber das ist auch eine Ermutigung in der Nachfolge Jesu. Egal, was uns, äusserlich gesehen, in der Zukunft erwarten mag, auch wenn es uns angst und bange werden möchte: Nichts kann die Gültigkeit und Autorität der Worte Jesu beeinträchtigen.

In Seiner rechten Hand hält der erhöhte Herr sieben Sterne. Im selben Kapitel wird uns gesagt, dass die sieben Sterne die sieben Engel der Gemeinden sind. Das lässt auf die sieben Gemeindeleiter schliessen. Jesus selbst hält Seine Gemeinde in Seiner rechten Hand. Damit steht sie unter Seinem Schutz und in Seiner Bewahrung. Niemand kann sie von dort wegreissen. Aber die rechte Hand steht auch für die aktive Hand. Der erhöhte Herr handelt durch Seine Gemeinde auf dieser Erde. Er rettet dadurch Menschen. Er möchte sich durch sie verherrlichen, selbst wenn sie von ihrer Umwelt mitleidig belächelt, abschätzig beurteilt oder gar verfolgt wird.

Aus Seinem Mund sieht Johannes ein scharfes, zweischneidiges Schwert hervorgehen. In Hebräer 4,12 wird Gottes lebendiges und wirksames Wort als schärfer als jedes zweischneidige Schwert bezeichnet: «es dringt durch, bis es scheidet sowohl Seele als auch Geist, sowohl Mark als auch Bein, und es ist ein Richter der Gedanken und Gesinnungen des Herzens.» Das Schwert war damals ein Gerichtswerkzeug und Symbol für die richterliche Macht. Es trennt klar, was göttlich und was menschlich ist, auch zwischen geistlichem Leben und menschlich frommem Schein. Das macht das Urteil über die sieben Gemeinden deutlich. Die Schärfe von Gottes Wort wirkt sehr schmerzhaft, wenn es im eigenen Leben aufdeckend und wirksam ist. Aber zugleich bewirkt es echte Heilung und grundlegende Veränderung von innen heraus. Jesus hat selbst gesagt: «Wenn ihr in meinem Wort bleibt, so seid ihr wahrhaftig meine Jünger, und ihr werdet die Wahrheit erkennen, und die Wahrheit wird euch freimachen!» (Joh 8,31-32).

Wo ich Gottes Wort die Schärfe nehme, verhindere ich gleich zwei Dinge: Zum einen sehe ich meinen Zustand nicht mehr der göttlichen Wahrheit gemäss, zum anderen kann es zu keiner echten Erneuerung und Veränderung in meinem Leben von innen heraus kommen. Die Nachfolge wird dann höchstens zu einer billigen Oberflächenkosmetik. Dieses Schwert verteidigt die scheinbar hilflose und bedrängte Gemeinde und bringt Gericht über ihre Bedränger.

«Sein Angesicht leuchtete wie die Sonne in ihrer Kraft» (Offb 1,16). Damit wird noch einmal Seine ganze Majestät und göttliche Herrlichkeit zum Ausdruck gebracht. Das Alte Testament vergleicht Gott selbst in Seiner Herrlichkeit mit der Sonne (vgl. Ps 84,12). Als Christus mit Seinen drei Jüngern auf dem Berg der Verklärung war, begann Sein Angesicht zu leuchten wie die Sonne (Mt 17,2). Seine göttliche Herrlichkeit überstrahlte Sein menschliches Aussehen. Die drei Jünger sahen den Herrn in jener messianischen Herrlichkeit, die Ihn bei Seiner Wiederkunft umgeben wird, so wie es der Prophet Maleachi vorausgesagt hatte: «Euch aber, die ihr meinen Namen fürchtet, wird die Sonne der Gerechtigkeit aufgehen, und Heilung [wird] unter ihren Flügeln [sein] ...» (Mal 3,20). Petrus wollte dieses Ereignis konservieren und drei Hütten bauen. Das Laubhüttenfest mit seinen Hütten hat eine grosse Bedeutung im Tausendjährigen Reich (Sach 14,16). Als Petrus das Angesicht seines Herrn wie die Sonne leuchten sah, dachte er wohl, dass nun das messianische Reich angebrochen wäre.

Das Angesicht des erhöhten Christus strahlt wie die Sonne. Vor Ihm muss alle Finsternis weichen. So, wie es ohne Sonnenlicht kein Leben gibt, kommt alles Leben allein von Ihm. Wir brauchen Ihn so sehr für unser Leben, für unsere Gemeinden, wie geschrieben steht: «O Gott, stelle uns wieder her, und lass dein Angesicht leuchten, so werden wir gerettet!» (Ps 80,4).

Lasst uns darauf achten, dass unsere Gemeinden nicht zu christlichen Fabriken werden, in denen sich nur noch ein mechanischer frommer Aktivismus abspielt, auch nicht zu christlich aufgemotzten Schaufenstern, mit denen wir andere beeindrucken möchten, was wir doch für tolle und lebendige Gemeinden sind. Passen wir auf, dass wir die Gemeinde auch nicht zu einer Art Modenschau machen, bei der irgendwelche Vorzeige-Christen oder Nachfolge-Models im Zentrum stehen. Wir wollen alles daransetzen, dass unsere Gemeinden Orte sind, an denen immer mehr die Sonne scheint, in denen vor dem zunehmenden Sonnenlicht die Schatten weichen müssen. Ich meine damit, dass es in unseren Gemeinden wirklich um Christus und Seine Herrlichkeit gehen soll. Sie sollen zu Stätten werden, wo Christus gross gemacht wird, Menschen Ihn erkennen und von Ihm und Seiner Herrlichkeit erfasst werden. Mögen unsere Gemeinden immer mehr das Wesen annehmen, das Christus in ihnen sehen möchte und das Seinem Bauplan entspricht. Sein Angesicht leuchtet wie die Sonne. In Ihm ist uns alles gegeben, was wir und unsere Gemeinden brauchen.

Am Anfang der Offenbarung Jesu Christi wird uns Christus als der erhöhte Herr, als der Richter Seiner Gemeinde vorgestellt. Diese Tatsache möchte uns ganz neu zu ehrfürchtigem Staunen und zur Anbetung bringen. Lasst uns auf Ihn schauen, in Seiner ganzen Liebe, Gnade und Barmherzigkeit, aber auch in Seiner Macht und Grösse, Ihn, dem alle Dinge untertan sind. Weil Er der Erhöhte ist, wird Er Seine Gemeinde bauen und zu Seinem

Ziel kommen, trotz aller Probleme und Schwierigkeiten, die uns heute so oft entmutigen und niederdrücken. Fürchten wir Ihn und suchen deshalb über allem Seine Ehre. Ihn, der der unbestechliche Richter unserer Gemeinde und unseres Lebens und Dienstes ist, Ihn noch mehr zu erkennen, Ihn noch mehr zu lieben, Ihn noch mehr zu ehren und Ihm zu dienen, soll das Ziel unserer Nachfolge sein. Wenn wir den erhöhten Christus vor Augen haben, verstehen wir noch besser, was Luther in seiner Auslegung zum ersten Gebot in so wunderbarer Weise zusammengefasst hat:

«Wir sollen Gott über alle Dinge fürchten, lieben und vertrauen.»

Der erhabene Thron

«Siehe, ein Thron stand im Himmel, und auf dem Thron sass einer. Und der darauf sass, war in seinem Aussehen einem Jaspis- und einem Sardisstein gleich; und ein Regenbogen war rings um den Thron, der glich in seinem Aussehen einem Smaragd. Und rings um den Thron waren 24 Throne, und auf den Thronen sah ich 24 Älteste sitzen, die mit weissen Kleidern bekleidet waren und auf ihren Häuptern goldene Kronen hatten. Und von dem Thron gingen Blitze und Donner und Stimmen aus, und sieben Feuerfackeln brennen vor dem Thron, welche die sieben Geister Gottes sind. Und vor dem Thron war ein gläsernes Meer, gleich Kristall; und in der Mitte des Thrones und rings um den Thron waren vier lebendige Wesen, voller Augen vorn und hinten. Und das erste lebendige Wesen glich einem Löwen, das zweite lebendige Wesen glich einem jungen Stier, das dritte lebendige Wesen hatte ein Angesicht wie ein Mensch, und das vierte lebendige Wesen glich einem fliegenden Adler. Und jedes einzelne von den vier lebendigen Wesen hatte sechs Flügel; ringsherum und inwendig waren sie voller Augen, und unaufhörlich rufen sie bei Tag und bei Nacht: Heilig, heilig, heilig ist der Herr, Gott der Allmächtige, der war und der ist und der kommt!» (Offb 4,2-8).

Auf einer Bibelfreizeit in Arosa war eine Tageswanderung geplant. Einige der Teilnehmer hatten die betreffende Tour schon einmal gemacht. Sie schwärmten von der wunderbaren Aussicht auf dem Gipfel des Parpaner Rothorns in über 2800 Meter Höhe. Obwohl ich nicht frei von Höhenangst bin, gaben diese Schilderungen für mich den Ausschlag, auch mitzugehen. Die einmalige Aussicht wollte ich mir nicht entgehen lassen. Auf der Wanderung machte sich an zwei oder drei Stellen der «Wackelpudding» in meinen Knien bemerkbar. Je näher wir dem Gipfel kamen, umso anstrengender wurde der Aufstieg. Als wir auf dem Gipfel standen, war alles vergessen. Es war ein einmaliger Panoramaausblick, wie ich ihn nie zuvor hatte. An diesem klaren Sommertag sah man Bergspitzen von Graubünden bis ins Berner Oberland und sogar noch vom Wallis einige Gipfel. Wie war ich froh und dankbar, dass mir einige Mut gemacht hatten mitzugehen. Der für mich schwierige Weg hatte sich gelohnt, trotz aller Anstrengung und der weichen Knie.

Die Offenbarung ist das Buch, das sich besonders mit den letzten Etappen der Weltgeschichte vor der Wiederkunft Jesu befasst. In eindrücklicher Weise macht sie deutlich, dass diese Welt sich nicht aufwärtsentwickelt, sondern zunehmend von Gottes Gerichten erschüttert wird. Seien es Katastrophen, Kriege oder politische Umwälzungen. In diesem Buch sehen wir auch, welches Potential an Finsternismächten in dieser Welt am Werk ist und entfesselt wird. Angesichts dieser gewaltigen Entwicklungen könnte es einem vor Furcht und Schrecken schwindlig werden.

Der Sinn der erwähnten Bergwanderung war nicht, an den abgründigen Stellen stehen zu bleiben und voller Furcht und Angst solange in den Abgrund zu starren, bis man entmutigt umkehrt oder vor Schwindel kollabiert. Das Ziel war, am Ende diese einmalige Aussicht zu haben. So möchte das Buch der Offenbarung uns auch nicht vor Furcht und Zittern erstarren lassen. Vielmehr soll alles dazu führen, dass wir über allen Gerichten und Abgründen der Menschheitsgeschichte Gottes erhabene und unerschütterliche Herrschaft sehen. Das versetzt dann nicht in Furcht und Schrecken, sondern führt zur Anbetung Gottes.

Eine geöffnete Tür

Der Apostel Johannes sieht in Kapitel 4,1 eine geöffnete Tür zum Himmel. Mit dem Himmel ist hier nicht der astronomische Himmel oder der Bereich der unsichtbaren Mächte gemeint, sondern der Wohnort Gottes. Durch diese Tür darf Johannes im Geist eintreten. Ab Offenbarung 6 erfahren wir von furchterregenden Vorgängen und Ereignissen, die unsere Erde und die Menschheit treffen werden. Durch diesen Blick in den Bereich der Herrschaft Gottes in Offenbarung 4 sieht Johannes aber die späteren Erschütterungen in einem völlig anderen Licht. Diese geöffnete Tür können wir in einer dreifachen Perspektive sehen.

Einmal macht diese Tür deutlich, dass der Zugang zu Gott und Seiner Herrlichkeit für uns Menschen versperrt war. Durch unsere Sünde haben wir Menschen die Gemeinschaftsfähigkeit mit dem lebendigen Gott verloren. Von uns aus gibt es keine Möglichkeit, in den Himmel zu kommen. Deshalb bezeichnet die Bibel den Zustand der Nationen als ein Leben in der Finsternis und entfremdet von Gott (vgl. Eph 4,18). Durch das Leiden, Sterben und die Auferstehung Jesu wurde diese verschlossene Tür zurück ins Vaterhaus wieder geöffnet, so wie es in dem alten Lied heisst:

«Der Himmel steht offen; Herz, weisst du, warum? Weil Jesus gekämpft und geblutet: darum.»

Nur durch Ihn ist diese Tür in die Herrlichkeit und den Wohnort Gottes geöffnet. In Johannes 14,2 sagt der Herr Jesus: «Im Haus meines Vaters sind viele Wohnungen; wenn nicht, so hätte ich es euch gesagt. Ich gehe hin, um euch eine Stätte zu bereiten.» Aus diesem Grund ist die wichtigste Frage, ob du Christus als deinen persönlichen Retter kennst. Denn durch Ihn hast du Zugang zu Gott. Weisst du, wo du hingehen wirst, wenn für dich der Schritt aus dieser Zeit in die Ewigkeit kommt? Nur durch den Glauben an den Herrn Jesus erhalte ich Eintritt in den Himmel, den Wohnort und die Herrlichkeit Gottes.

Die geöffnete Tür bedeutet aber auch ein Zweites. Johannes schreibt in Offenbarung 4,2, dass er im Geist war, als er durch diese Tür einging. Die sich ihm öffnende himmlische Sicht ermöglichte es ihm, die letzten Abläufe der Weltgeschichte aus einer völlig neuen Perspektive zu sehen. Gottes Herrschaft steht über allem. Durch den Glauben an den Herrn Jesus bekommt jeder Jesusnachfolger den innewohnenden Heiligen Geist. In der Bibel erhalten wir Gottes abgeschlossene Offenbarung. Durch den Heiligen Geist schliesst uns Gott Sein Wort auf. Alle, die zu Christus gehören, besitzen eine Perspektive, die diese Welt nicht hat. Sie erkennen, dass Gott in Seiner Erhabenheit über allem regiert und Er Seinen Plan unwiderstehlich ausführt. Welch ein Trost in unserer ungewissen und angsterregenden Zeit! Welch eine lebendige Hoffnung angesichts der ungewissen Zukunft und der Umwälzungen, die wir erleben. Es hat sich mir eingeprägt, wie anlässlich der Terroranschläge vom 9.11. eine weinende Mutter in einem Interview sagte: «In was für eine Welt habe ich meine Kinder gesetzt?» Am Ende steht aber nicht der Triumph des globalen Terrorismus, der totale Atomkrieg, der Klimakollaps oder eine sich unaufhaltbar ausbreitende Virenmutation. Am Ende steht der lebendige Gott, der unaufhaltsam Seinen Plan zu Seinem Ziel führt.

Die geöffnete Tür kann noch eine dritte Bedeutung haben. Sie könnte ein Hinweis darauf sein, dass die Entrückung der Gemeinde vor den letzten Ereignissen ab Offenbarung 6 stattfindet. Interessanterweise wird nämlich die Gemeinde ab der Beschreibung der Gerichte von Kapitel 6 an bis zur sichtbaren Wiederkunft Jesu in Offenbarung 19 nicht mehr namentlich auf der Erde erwähnt. Mit denen, die das Zeugnis Jesu haben und Heilige genannt werden (in Offb 6-19), können auch Menschen aus Israel und den Nationen gemeint sein, die nach der Entrückung zum Glauben an Christus finden.

Nun tritt Johannes im Geist durch die geöffnete Tür in den Himmel.

Ein erhabener Thron

Was der Apostel sieht, ist so gewaltig, dass er es teilweise nicht einmal richtig beschreiben kann. Er veranschaulicht das Gesehene in Vergleichen. Im Himmel steht ein Thron (Offb 4,2). Das hört sich so einfach an, hat aber eine grosse Aussagekraft. Egal, was auf dieser Erde geschieht, am Wohnort Gottes steht ein Thron. Dieser Thron kann nicht erschüttert werden, auch nicht durch die Macht- und Verwirrspiele der Weltgeschichte. Der Thron steht fest, ungestört von dem Chaos und den angstmachenden Wirren auf dieser Erde. Der Thron ist unerreichbar für das Toben und die geballte Macht der Finsternis. An diesem Thron kann auch die Rebellion der gesamten Menschheit gegen

Gott nicht rütteln. Der Thron ist ein Ort des göttlichen Friedens, der Ruhe und Ewigkeit selbst. So entsteht zwischen dem, was im Himmel ist, und den Ereignissen auf der Erde ein Kontrast, wie er grösser nicht sein könnte.

Der erhabene Thron, von dem Johannes spricht, ist zugleich der Ort, an dem die Fäden der Weltgeschichte in einer Hand zusammenlaufen, von ihrem Anfang bis zum Ende. Und nicht nur sie. Auch die Fäden der Geschichte Israels, der Gemeinde Jesu und des persönlichen Lebens jedes einzelnen Erretteten sind fest in Gottes Hand.

Im Leben bekennender Christen gibt es viele schwere Wegführungen, die wir nicht verstehen. Seien es Leid um Jesu Willen, gesundheitliche Nöte, familiäre Schwierigkeiten oder schwere und dunkle Lebensabschnitte. Am Thron Gottes ist die Macht- und Herrschaftsfrage ein für alle Mal geklärt. Von dort erfüllt Er Seine Heilsgeschichte und Seinen Plan mit jedem Seiner Kinder. In Seiner göttlichen Souveränität regiert Er ohne jede Panne, ohne Hektik, ohne dass Ihn jemand aus dem Konzept bringen könnte. Nichts kann Ihn an Seiner Herrschaft und der Durchführung Seines Willens hindern. Da ist auch nichts, was Ihn nur im Geringsten gefährden könnte, ganz gleich, wie gross das Chaos und die Angst der Menschheit ist.

Unabhängig davon, ob wir mit Gottes Lebensführung im persönlichen Leben noch klarkommen – Gott hat die Fäden der Weltgeschichte und die für das Leben Seiner Erretteten nicht aus der Hand gegeben. Was für ein Trost ist das in unserer ungewissen Zeit! Welche Ruhe und welchen Frieden können wir aus dieser Wahrheit schöpfen. Gottes Thron steht absolut fest, erhaben und unerreichbar für allen Tumult und Aufruhr auf dieser Erde. Selbst das schwergesicherte Gebäude des Pentagon trug beim Flugzeugattentat 2001 schwere Schäden davon. Einigen Demonstranten und Krawallmachern gelang es 2021, ins Innere des US-Kapitols vorzudringen. Der Thron Gottes dagegen ist unerreichbar und unerschütterlich. Das bringt der Psalmbeter in Psalm 2,1-4 eindrucksvoll zum Ausdruck:

«Warum toben die Heiden und murren die Völker so vergeb-lich? Die Könige der Erde lehnen sich auf, und die Herren halten Rat miteinander wider den Herrn und seinen Gesalb-ten: ‹Lasst uns zerreissen ihre Bande und von uns werfen ihre Stricke!› Aber der im Himmel wohnt lachet ihrer und der Herr spottet ihrer» (Lut 1984).

Jeder, der Christus als seinen Retter kennt, darf im Gebet direkt vor Gottes Thron kommen, an den Ort, an dem die Macht und Herrschaftsfrage ein für alle Mal gelöst ist und alle Fäden in der Hand Gottes zusammenlaufen! Dieser Zugang steht für alle Erretteten 24 Stunden am Tag offen. Da müssen wir nicht erst um einen Termin oder eine Audienz bitten. Es wäre auch jede Sorge unbegründet, dass wir aus Zeitmangel oder wegen Geringfügigkeit des Anliegens abgewiesen werden könnten. Sind wir uns bewusst, was Gebet wirklich bedeutet? Dieses ein-zigartige Vorrecht, im Namen Jesu direkt vor den unerschütter-lichen Thron Gottes zu treten. Dort werden die Bitten der Kinder Gottes gehört (vgl. Offb 8,3-4)! Von diesem Thron aus antwor-tet Gott und von dort aus handelt Er. Über 40-mal begegnet uns im Buch der Offenbarung der Thron als Zeichen der souveränen Herrschaft Gottes.

Johannes versucht den, der auf dem Thron sitzt, zu beschrei-ben. In Kapitel 1 hat er uns den menschgewordenen Gottessohn nach Seiner Erhöhung als Richter der Gemeinden geschildert und vergleichende Bilder verwendet, um die Majestät und Herrlichkeit des Herrn Jesus auszudrücken. Das sprengt unsere Vorstellungskraft. Als Johannes den Vater selbst in Seiner Herrlichkeit wohl nur schemenhaft sieht, kann er das nicht mehr in Worte fassen. Der Anblick der Herrlichkeit Gottes macht ihn unfähig, den Namen Gottes auszusprechen. Das Einzige, was Johannes noch sagen kann, ist, dass Seine Herrlichkeit vergleichbar ist mit zwei Edelsteinen: Jaspis und Sardis.

Jaspis ist ein Edelstein, der das Licht durchlässt und dabei wie ein Diamant funkelt. Ein Ausleger macht darauf aufmerksam, dass es diesen Edelstein damals in einer Reinheit gegeben hat, die heute so nicht mehr bekannt ist. Dadurch werden das überwältigende Licht und die Herrlichkeit deutlich, die vom Thron Gottes ausgehen. Paulus sagt uns, dass Gott in einem unzugänglichen Licht wohnt. Wir Menschen sind nicht einmal fähig, in die Sonne zu sehen. Die Sonne ist nur ein erschaffener Himmelskörper. Wievielmal heller ist erst die Herrlichkeit dessen, der selbst das Licht ist und in dem keine Finsternis wohnt! Johannes sieht eine Schönheit und Reinheit, die wir uns nicht einmal annähernd vorstellen können.

Der zweite Edelstein ist ein Sardisstein. Dabei handelt es sich um einen wunderschönen, rubinroten Edelstein. Das ist wohl ein Symbol für die heilige göttliche Gerechtigkeit und für Seinen Zorn. Rot ist auch die Farbe des Blutes. Das kann als Hinweis gesehen werden, dass der gerechte Zorn Gottes im Blut des Lammes gestillt ist. So zeigt sich in dieser Farbe sowohl die Heiligkeit als auch das Erbarmen Gottes.

Im Alten Bund sind diese beiden Steine der erste und der letzte Edelstein, die die zwölf Stämme Israels auf dem Brustschild des Hohepriesters symbolisieren. Der Jaspis steht für den Stamm Ruben mit der Bedeutung: *«siehe ein Sohn»*. Der Sardis steht für den Stamm Benjamin mit der Bedeutung: *«der Sohn meiner Rechten»*. Das ist ein Hinweis, dass in Christus alle Wesensarten Gottes in vollkommener Weise sichtbar werden.[76]

Rings um den Thron ist ein Regenbogen, gleich einem Smaragd, einem grünlich schimmernden Edelstein. Den Regenbogen finden wir als Zeichen aus dem Noahbund (vgl. 1Mo 9,12-17). Er steht für die unverdiente Gnade und Barmherzigkeit Gottes und als Zeichen für die lange Zeit ohne ein weltumfassendes Endgericht. Dass Gott noch nicht richtend eingegriffen hat, ist nicht etwa ein Zeichen von Schwachheit oder Desinteresse. Es ist die Folge Seiner grossen Geduld und Barmherzigkeit und Seines Werbens um Menschen, die Ihm den Rücken zugewandt haben. Darum macht Er noch kein Ende. Selbst die schmerzhaften Erschütterungen in der Offenbarung hängen nicht nur mit dem ausreifenden Bösen zusammen. Sie sind auch ein letzter Weckruf Gottes zur Umkehr an eine gegen Ihn rebellierende Menschheit. Der Regenbogen zeigt zudem, wie der Herr mitten in Seinem Gerichtshandeln bereit ist, Gnade zu üben.

Dann werden die vierundzwanzig Ältesten beschrieben, die rings um den Thron versammelt auf Thronen sitzen. Sie tragen weisse Kleider und Kronen oder Siegeskränze. Manche Ausleger sehen darin zwölf Vertreter des Alten Bundes und der zwölf Stämme Israels sowie zwölf Repräsentanten des Neuen Bundes bzw. der Gemeinde Jesu. In Hebräer 11 lesen wir, dass es derselbe Glaube ist, der die Glaubensvorbilder im Alten Testament und auch uns errettet. So repräsentieren die vierundzwanzig

---

76 James Allen, *Was die Bibel lehrt*, Bd. 17 – *Offenbarung*, CV Dillenburg 1999, S. 177.

Ältesten die Glaubenden aus dem Alten und dem Neuen Bund. Andere Ausleger sehen in ihnen nur die vollendete Gemeinde, die an Gottes Macht und Weltherrschaft teil hat. Von der symbolischen Bedeutung der Ältesten abgesehen, ist die Wirklichkeit, die Johannes schaut, aber auch so zu nehmen, wie sie wörtlich beschrieben ist. Selbst in der Herrlichkeit Gottes, wenn Gott einmal alles in allem sein wird, finden wir vierundzwanzig Älteste rund um den Thron Gottes. Wie das sein wird und warum dies so ist, können wir nicht sagen. Aber diese Ältesten sind da.

Noch etwas können wir erkennen. Die Gemeinde Jesu nimmt in grossem Mass an der Weltherrschaft Gottes teil. Schon heute erhalten wir durch unsere Gebete Anteil an Gottes Weltregierung. Nicht, indem wir Ihm unsere Wünsche diktieren, sondern nach Seinem Willen beten. Die durch das Preisgericht gegangene und vollendete Gemeinde wird aber noch in einer unvorstellbaren Weise an Gottes Herrschaft teilhaben, so wie es in Offenbarung 3,21 verheissen ist: «Wer überwindet, dem will ich geben, mit mir auf meinem Thron zu sitzen, so wie auch ich überwunden habe und mich mit meinem Vater auf seinen Thron gesetzt habe.» Was für eine Zukunft wird das sein!

Nachdem Johannes einen Blick auf den Thron Gottes und Seine Herrlichkeit erhalten hat, sieht er nun, was von diesem Thron ausgeht: Blitze, Donner und Stimmen. Das ist Gottes machtvolles und unwiderstehliches Handeln. Im Folgenden, ab Kapitel 6, werden die erschreckenden Ereignisse auf dieser Erde beschrieben und diese sind keineswegs ein Triumph der Finsternis, die Gott und Christus gegenüber Boden gut machen würde. Im Gegenteil: Sie werden nicht nur von Gott zugelassen, sondern gehen von Seinem Thron aus. Sie gehören zu Gottes Plan und Seinem gerechten Gericht, das über die Menschheit hereinbricht. Dies macht schon Vers 1 deutlich: «was nach diesem geschehen muss ...» Alles, was diese Erde trifft, geht letztendlich von Gott aus. Damit sind die Finsternismächte und die sündige Menschheit nicht gerechtfertigt, aber Gottes Herrschaft steht über allem.

Dasselbe gilt für die Gemeinde heute. Alles, was sie trifft, steht letztendlich unter der Kontrolle Gottes. Auch die Angriffe der Finsternis können Seinen Plan nicht verhindern. Alles gebraucht Er, um die Gemeinde auf Sein Kommen vorzubereiten und sie ihrer eigentlichen Berufung entgegenzuführen. Dies sehen wir auch in Bezug auf die 2020 ausgebrochene Corona-Situation. Wenn wir an die verfolgte Gemeinde Jesu denken, so verherrlicht sich der Herr und wirkt auch in besonderer Weise durch dieses Leiden.

So ist es auch im persönlichen Leben. Alles, was Jesusnachfolger an Schwierigkeiten und Nöten trifft, geht letztendlich vom Thron Gottes aus. Am Beispiel Hiobs sehen wir, dass selbst der Feind uns niemals mehr zusetzen kann, als dies den Absichten Gottes entspricht. Damit ergibt sich eine beruhigende Sicht für diese Welt, für die Situation der Gemeinde Jesu und für unser persönliches Leben. Zwar bleiben schwere Lebensführungen und Leid immer noch schmerzhaft, aber wir müssen uns nicht mehr an der Warum-Frage aufreiben und verbittert werden. Alles steht unter Gottes Kontrolle und Er handelt uneingeschränkt von Seinem Thron aus. Sind wir bereit anzuerkennen, dass auch für uns notvolle und schwierige Entwicklungen ein Teil von Gottes Plan sind?

Die sieben Fackeln um den Altar sind die sieben Geister Gottes. Sieben ist die göttliche Vollzahl. In Jesaja 11,2 finden wir das siebenfache Wesen des Heiligen Geistes: «Und auf ihm wird ruhen der Geist des Herrn, der Geist der Weisheit und des Verstandes, der Geist des Rats und der Kraft, der Geist der Erkenntnis und der Furcht des Herrn.»

Die sieben Fackeln um den Thron Gottes zeigen die Vollständigkeit und Vollkommenheit des Heiligen Geistes in Seinem Wirken. Feuer ist in diesem Zusammenhang ein Zeichen der Reinheit und Heiligkeit des Geistes Gottes. Der Geist Gottes handelt immer in Übereinstimmung mit dem Willen Gottes, sowohl in Zeiten der Gnade als auch in der Zeit des Gerichts. Ob es der feststehende Thron ist, ob der, der auf dem Thron sitzt, ob das, was von diesem Thron ausgeht, oder auch das vollkommene Wesen und Wirken des Geistes Gottes, alles steht hoch erhaben und herrlich über den Ereignissen auf dieser Erde, so wie es ein Theologe einmal inmitten der bedrückenden Zeit des Dritten Reiches sagte: «Es wird regiert!»

Eine unvorstellbare Realität

Erst nachdem Johannes Gottes Herrschaft über allem gesehen hat, wendet sich sein Blick der Menschheit zu. Vor dem Thron Gottes sieht er die Vorgänge auf dieser Erde in einem anderen Licht. In Offenbarung 4,6 lesen wir: «Und vor dem Thron war ein gläsernes Meer, gleich Kristall.»

Ist ein Meer dunkel und stürmisch, ist das etwas sehr Beängstigendes. Aus diesem Grund vergleicht die Bibel die Vorgänge in der von Gott gelösten Menschheitsgeschichte auch mit dem aufgewühlten Meer. Das kommt unter anderem in Jesaja 57,20 zum Ausdruck: «Aber die Gottlosen sind wie das aufgewühlte Meer, das nicht ruhig sein kann, dessen Wasser Schlamm und Kot aufwühlen.» Der Prophet Daniel sieht in Kapitel 7 die Weltreiche als beängstigende Raubtiere. Diese Tiere steigen aus dem durch die Winde aufgewühlten Meer (der Völker) hervor (Dan 7,2-3). Gleicherweise steigt auch das furchtbare Tier in Offenbarung 13 – der Antichrist und sein Reich – aus dem Meer auf (Offb 13,1).

Vor Gottes Thron sieht Johannes jedoch ein helles, kristallenes Meer. Im Gegensatz zum stürmischen und aufgewühlten Meer ist dies ein Bild der Ruhe. Das Finstere und Bedrohliche der Weltgeschichte kommt nicht an den Thron Gottes heran. Dort gibt es keine Rätsel und bedrohlichen Kulissen. In der himmlischen Machtzentrale ist schon jetzt alles offenbar und durchsichtig bis in die letzten Hintergründe und Zusammenhänge. Gott kommt zum Ziel! Er wird die Völker richten, bändigen und zur Ruhe bringen.

Das ist zugleich auch ein Trost für die persönliche Lebensführung der Nachfolger Jesu. Vielleicht kommt mancher mit Gottes Wegen nicht klar. Der Herr kann sehr leidvolle Wege führen, und wir wissen nicht, warum. Wie schnell beginnen wir dann an Gottes Liebe und gutem Vaterwillen zu zweifeln. Aber die für uns ungelösten Fragen und rätselhaften Wegführungen sind schon heute vor dem Thron Gottes durchsichtig. Mehr noch, sie sind Teil Seines vollkommenen Plans. Aus dieser Perspektive entfaltet einmal mehr das Wort von Paulus seine Kraft, «dass denen, die Gott lieben, alle Dinge zum Besten dienen» (Röm 8,28). Wenn wir einmal selbst vor Jesus stehen und dieses gläserne Meer sehen, werden wir anbetend staunen, wie vollkommen Seine Wege für uns waren – besonders auch die, die für uns heute noch dunkel und rätselhaft erscheinen.

Um den Thron und inmitten des Thrones sieht Johannes die vier himmlischen Wesen. Diese vier realen Kreaturen können wir uns nicht genau bildlich vorstellen. Die himmlische Welt ist eine für uns heute unfassbare Realität. Viel wichtiger als die genaue bildliche Vorstellung ist die geistliche Wirklichkeit, die mit diesen vier himmlischen Wesen zusammenhängt. Offenbarung 4 bietet diesbezüglich eine gewisse Parallele zur Schau der Herrlichkeit Gottes in Hesekiel 1.

Alle vier Wesen sind ringsherum und inwendig voller Augen. Auch ihre Flügel sind inwendig voller Augen. Damit kommt die Allwissenheit und Allmacht Gottes zum Ausdruck. Gottes Handeln ist vollkommen. Er hat dabei immer alles im Blick, die Vergangenheit, Gegenwart und Zukunft. Es gibt nichts, was sich Seinem Wissen entzieht oder nicht in dieses göttliche Handeln miteinbezogen wird. Das reicht von den grossen, weltumfassenden Ereignissen bis in das persönliche Leben. In Hesekiel 1 kommt diese Wahrheit ebenfalls in den vielen Augen der Thronräder zum Ausdruck (Hes 1,18).

Die jeweils sechs Flügel weisen auf die Heiligkeit und Allmacht Gottes hin. Seine Befehle werden schnell und voller Ehrfurcht in jede Richtung ausgeführt. Als Jesaja die himmlische Herrlichkeit sah, waren vier Flügel der Seraphim für ihre Bedeckung da und zwei zum Fliegen (vgl. Jes 6,2). Es ist auch möglich, dass den himmlischen Wesen zwei Flügel zur Bedeckung dienen und vier für die Himmelsrichtungen stehen. Das wäre wieder ein Ausdruck für Gottes unumschränktes Handeln. Jedes dieser vier Wesen verkörpert etwas von Gottes Wirken. Der Löwe steht für die Stärke und Majestät. Benedikt Peters macht darauf aufmerksam, dass dieser Held unter den Tieren vor nichts zurückweicht (Spr 30,30).[77] Der junge Stier oder das Kalb steht für die Geduld und das stellvertretende Opfer. Damit leuchtet die Rettung von verlorenen Menschen auf. Der Mensch verkör-

---

77 Benedikt Peters, *Geöffnete Siegel*, Christliche Literatur-Verbreitung Bielefeld 2008, S. 63.

pert Einsicht, Dienst und Mitgefühl. Der Adler ist für seinen Scharfblick und sein schnelles Handeln bekannt. Die vier Tiere sehen manche Ausleger auch im Zusammenhang mit der vierfachen Darstellung des Herrn Jesus in den Evangelien.

Tag und Nacht beten diese Wesen mit dem dreifachen «Heilig» den lebendigen Gott an. Alles, was Gott tut, ist vollkommen und rein. Alles, was von Seinem Thron ausgeht, dient zu Seiner Verherrlichung. Davon können wir nichts ausnehmen. Das gilt für Seine Gnade, das Werk Christi und die Rettung verlorener Menschen. Aber auch das Gerichtshandeln verherrlicht Gott. Die folgenden Kapitel lassen denn auch erkennen, dass das göttliche Gerichtshandeln auf Erden im Thronsaal Gottes immer wieder Anbetung auslöst (vgl. Offb 7,10-12; 11,15-19; 15,2-4 usw.).

Schliesslich bekommt Gott in Offenbarung 4,11 die Ehre als Urheber und Erhalter der ganzen Schöpfung. Weil Er Gott ist, ist Er heilig, vollkommen und gut. Ihm gehören der Ruhm, die Macht und die Ehre. Uns Menschen fällt es äusserst schwer, mit Macht richtig umzugehen. Es gibt zahlreiche Beispiele von solchen, die durch die Macht, die sie plötzlich in Händen hielten, korrumpiert und zum Unguten verändert wurden. Von der Machtfülle in der Hand eines einzelnen Menschen ist es oft nur ein sehr kleiner Schritt, um ein Tyrann zu werden. Wir verkraften es schlecht, wenn unser Ruhm zu gross wird. Aber Gott und der Herr Jesus sind würdig, Macht und Ehre zu bekommen.

Ob über Seinem Plan mit dieser Welt, Seinem Handeln mit Israel, der Geschichte Seiner Gemeinde oder Seinen Wegführungen in unserem eigenen Leben – über allem bekommt Er allein am Ende die Ehre. Die vierundzwanzig Ältesten werfen ihre goldenen Kronen oder Siegeskränze vor dem Thron Gottes nieder (Offb 4,10). Im Neuen Testament lesen wir an verschiedenen

Stellen von den verheissenen Siegeskränzen für die Jesusnachfolger (vgl. 1Kor 9,25; 2Tim 4,8; Jak 1,12; 1Petr 5,4 usw.). Christus wird sie den Seinen verleihen, obwohl Er es ist, der alles gewirkt hat. Auch diese Siegeskränze sind ein Lohn der Gnade. Und nun werfen die vierundzwanzig Ältesten diese Kränze oder Kronen wieder nieder. Alles, auch das, was wir einmal durch die Kraft der Gnade Gottes gewirkt haben, verherrlicht am Ende einzig und allein den Herrn.

Am Anfang dieses Kapitels streifte ich das Erlebnis auf der Bergwanderung. An einigen Stellen taten sich schwindelerregende Abgründe auf und die Knie wurden weich. Es ist die grosse Gefahr, dass wir sowohl durch das dunkle Weltgeschehen als auch durch leidvolle persönliche Wegführungen entmutigt werden und zitternd an solchen Abgründen hängen bleiben. Deshalb benötigen wir heute schon die eindrucksvolle «Gipfelaussicht» aus Offenbarung 4: Gottes Thron und Herrschaft, die absolut fest und unerschütterlich über allem stehen, auch über den für uns angstmachenden Abgründen. Das führt uns dazu, dass wir uns vor Gott beugen und Ihn anbeten. Was wird das erst einmal sein, wenn wir tatsächlich vor diesem herrlichen Thron stehen und angesichts Seiner Wirklichkeit nur noch staunen werden, wie und warum Gott alles gemacht und geführt hat.

Wer ist würdig?

«Und ich sah in der Rechten dessen, der auf dem Thron sass, ein Buch, innen und aussen beschrieben, mit sieben Siegeln versiegelt. Und ich sah einen starken Engel, der verkündete mit lauter Stimme: Wer ist würdig, das Buch zu öffnen und seine Siegel zu brechen? Und niemand, weder im Himmel noch auf der Erde noch unter der Erde, vermochte das Buch zu öffnen, noch hineinzublicken. Und ich weinte sehr, weil niemand für würdig befunden wurde, das Buch zu öffnen und zu lesen, noch auch hineinzublicken. Und einer von den Ältesten spricht zu mir: Weine nicht! Siehe, es hat überwunden der Löwe, der aus dem Stamm Juda ist, die Wurzel Davids, um das Buch zu öffnen und seine sieben Siegel zu brechen! Und ich sah, und siehe, in der Mitte des Thrones und der vier lebendigen Wesen und inmitten der Ältesten stand ein Lamm, wie geschlachtet; es hatte sieben Hörner und sieben Augen, welche die sieben Geister Gottes sind, die ausgesandt sind über die ganze Erde. Und es kam und nahm das Buch aus der Rechten dessen, der auf dem Thron sass» (Offb 5,1-7).

Für viele Sportler ist es die höchste Ehre, ihr Heimatland bei den Olympischen Spielen oder einer Weltmeisterschaft zu vertreten. Aber nicht jeder x-beliebige Sportler darf für sein Land antreten. Es geht auch darum, dass das Heimatland «würdig» vertreten wird. So müssen die Sportler in der Regel eine Qualifikation oder eine im Voraus festgelegte Norm erfüllen, die für ihre Teilnahme gefordert ist. Nur wer diese Voraussetzungen erfüllt, kann sein Heimatland auch «würdig» vertreten.

In Offenbarung 5 liegt ebenfalls die Suche nach einer würdigen Person vor. Es geht um etwas unvergleichlich Grösseres als irgendeine sportliche oder andere Qualifikation, wie wir sie kennen. Der Apostel Johannes führt den Blick aus Kapitel 4 fort. Weiter schaut er auf den, der auf dem Thron sitzt. Dieses Mal wird seine Aufmerksamkeit auf die rechte Hand Gottes und die sich darin befindende Buchrolle gelenkt. Diese Buchrolle ist siebenfach versiegelt und innen und aussen beschrieben.

Die versiegelte Buchrolle

Gott der Herr hält die Buchrolle in Seiner rechten Hand. Die rechte Hand ist in der Bibel Ausdruck von Stärke und kraftvollem Handeln einer Person. Die meisten Menschen führen wichtige Handgriffe mit rechts aus. Mit der Rechten werden in der Regel auch das Können und die Kraft deutlich (z. B. Schreiben oder Hammerschwingen). Die rechte Hand Gottes ist Zeichen für Gottes souveränes Eingreifen und Handeln in der Weltgeschichte. Sie ist Ausdruck Seiner Stärke und damit des Sieges.

Die Rechte Gottes erinnert ausserdem an Seine Wunder und Hilfe in der Vergangenheit. Wir finden sie im Zusammenhang mit Gottes machtvoller Errettung der Kinder Israels aus Ägypten. Als das hochüberlegene Heer des Pharao heranstürmte und es für Israel keinerlei menschliche Möglichkeiten zur Errettung gab, griff der Herr mit der Teilung des Roten Meeres und dem anschliessenden Gericht über den Pharao und dessen Heer machtvoll ein. So lesen wir im Lobgesang Moses und

Israels nach dem Durchzug durchs Schilfmeer und der Vernichtung der ägyptischen Armee: «Herr, deine Rechte ist mit Kraft geschmückt; Herr, deine Rechte hat den Feind zerschmettert!» (2Mo 15,6).

Auch die Psalmen erwähnen die Rechte Gottes an verschiedenen Stellen (Ps 18,36; 20,7; 44,4; 118,16 u. a.). Mit der Rechten kommt also die ganze Grösse, Stärke und Gottes souveränes Handeln zum Ausdruck.

Noch etwas sagt uns der Thron Gottes. In der Geschichte gab es grosse Königreiche und Machtimperien. Je grösser ein Reich wurde, umso weiter war der Herrscher von seinen Grenzen entfernt. So dauerte es in früheren Epochen oft einige Zeit, bis ein Herrscher in Kenntnis gesetzt wurde, wenn irgendwo ein Aufstand oder ein Angriff gegen sein Reich durchgeführt wurde. Manchmal kamen solche Informationen zu spät. Bei Gott ist das anders. Er thront und regiert nicht in einer Entfernung, die Ihn in eine gewisse Distanz zu den Vorgängen auf dieser Erde bringen würde. Der lebendige Gott regiert zu jeder Zeit macht- und planvoll! Seine Rechte ist das Zeichen dafür.

In dieser Rechten hält Er eine Buchrolle. Sieben ist die Zahl von Gottes Vollkommenheit. Es sind göttliche Siegel, die diese Rolle unter Verschluss halten. Fritz Grünzweig macht darauf aufmerksam, dass nach römischem Recht ein Testament als «letztwillige Verfügung» mit sieben Siegeln versehen war.[78] In dieser siebenfach versiegelten Rolle sind Gottes unveränderbare Pläne festgehalten, besonders auch für die letzte Wegstrecke der Menschheitsgeschichte vor der Wiederkunft Jesu. Dabei geht es

---

78 Fritz Grünzweig, *Johannes-Offenbarung 1. Teil – Edition C Bibelkommentar*, Band 24, Hänssler Verlag Neuhausen-Stuttgart 1981, S. 153.

um die Ausführung Seiner Königsherrschaft und Gerichte, über allen Wirren und aller Rebellion auf dieser Erde. Es geht um Seinen Sieg und das kommende, sichtbare Reich Gottes. Wir können hier auch von der Ausführung der Heilsgeschichte Gottes sprechen, die ihrem grossen Ziel entgegeneilt.

Ein kleiner Einschub. Es ist eine grosse Gefahr, die Bibel mit verengtem Horizont nach dem Motto zu lesen: «Was bringt mir das, und was habe ich davon?» Bei solcher Einstellung gehen einem viele göttliche Wahrheiten verloren. Selbstverständlich möchte die Bibel in meine persönliche Situation hineinsprechen. Sie möchte mich aber auch weit über den persönlichen Kreis hinausschauen lassen und den Blick für Gottes Herrlichkeit, Grösse und unumschränkte Herrschaft öffnen. Durch diesen Blick können sich Dinge, die uns zuvor so beschäftigt haben, relativieren. Du wirst ins Staunen kommen, wenn du neutestamentliche Briefe mit dem Anliegen liest, mehr von der Berufung, der Herrlichkeit und dem Ziel der Gemeinde Jesu zu erkennen. Du wirst wunderbare Entdeckungen machen, wenn du die Bibel nach Gottes Wegführung mit Israel durchforschst. Der Blick für die Grösse und Herrlichkeit Gottes führt zur Anbetung.

Zurück zur Schriftrolle in der Rechten Gottes. Sie enthält auch die Lösung für alle Rätsel, die uns die Weltgeschichte aufgibt. Das lässt sich ebenfalls auf die Nachfolge anwenden. In Gottes Plan sind sämtliche Fragen und Rätsel Seiner persönlichen Wegführungen gelöst und offenbar. – Auch wenn dies für uns heute noch verborgen ist.

Die Suche nach dem Würdigen

Im Himmel wird eine Person gesucht, die würdig ist, den Plan Gottes aus Seiner rechten Hand zu nehmen und durchzuführen. Wer kann die Weltgeschichte zu Gottes Ziel bringen? Wer ist würdig? Wir können auch sagen: Wer ist es wert, für wen ist es passend oder angemessen, die Buchrolle mit dem Plan Gottes aus der Hand von Gott dem Vater zu nehmen? Der Plan Gottes ist untrennbar mit Seiner Grösse, Ehre, Herrlichkeit und Macht verbunden.

In Offenbarung 4 finden wir die vier himmlischen Wesen und die vierundzwanzig Ältesten vor dem Thron Gottes. In Kapitel 5 werden auch die Engel erwähnt. Die Bibel spricht von Cherubim, Seraphim und Erzengeln. Menschen wurden nach dem Bericht der Bibel von grosser Furcht erfüllt, wenn sie diesen majestätischen Lichtwesen aus der Herrlichkeit Gottes begegneten. Der Erzengel Michael mit seinem Heer kämpft im Himmel mit Satan und seinen Dämonen (Offb 12). Michael siegt und wirft sie auf die Erde. Was für ein mächtiger Engelfürst muss Michael sein!

Trotzdem wird kein Engel, kein himmlisches Wesen, als würdig befunden, dieses Buch aus der Hand Gottes zu nehmen und zu öffnen. Auch keiner der vierundzwanzig Ältesten mit ihren Siegeskränzen ist dazu in der Lage. Das nimmt einem geradezu den Atem.

Als Nächstes wird auf die Erde geschaut. Was gibt es nicht für heroische Gestalten in der Menschheitsgeschichte. Ob grosse Herrscher und machtvolle Eroberer, geniale Erfinder und Forscher oder fantastische Denker und grossartige Philosophen, die mit ihrer spektakulären Denkfähigkeit glänzen. Im Bereich der Politik finden sich auch kluge Köpfe, die durch geniale Verträge und Schachzüge Aussergewöhnliches vollbringen. Ist da nicht wenigstens einer unter den Milliarden Menschen, der würdig ist, die Buchrolle aus der Hand Gottes zu nehmen? Wieder ist die Antwort sehr ernüchternd.

Schliesslich werden die «unter der Erde» erwähnt. Es geht um das Totenreich und den Bereich der Finsternismächte. Die Bibel gibt uns Andeutungen, dass der Satan vor seinem Fall der grösste Engelfürst war (vgl. Jes 14,12-17; Hes 28). Er hatte eine sagenhafte Pracht und Schönheit. Und uns Menschen ist er mit seiner List und Macht total überlegen. Aber auch im Bereich der Finsternismächte und des Totenreichs findet sich niemand, der würdig wäre, das Buch mit den sieben Siegeln zu nehmen.

Überall herrscht Schweigen: im Himmel, auf Erden und unter der Erde. Als Johannes das sieht, beginnt er zu weinen (Offb 5,4). Keiner ist da, der der göttlichen Qualifikationsnorm entspricht. Keiner ist in der Lage, den göttlichen Plan zu übernehmen, ihn zu öffnen und durchzuführen. Das schmerzt den alten Apostel zutiefst. Sein Weinen bringt noch mehr zum Ausdruck.

Denken wir an die heroischen Gestalten aus der Menschheitsgeschichte: Wie tief muss der Schaden durch die Sünde sein, dass niemand auf Erden gefunden wurde, um diese Schriftrolle aus der Hand Gottes zu nehmen. Auch diese Erkenntnis schwingt in den Tränen des Johannes mit. Es geht mit der Schriftrolle um Gottes Willen und Verfügung, Seinen Heilsplan, der die Welt und Menschheit zum Ziel bringt. Das ist in der Offenbarung untrennbar mit den kommenden Gerichten verbunden, an deren Ende aber der helle Tag des sichtbaren Reiches Gottes und der Neuschöpfung steht. Niemand lässt sich finden, der würdig wäre, diesen herrlichen Plan Gottes auszuführen. Auch das kommt in diesem Schmerz zum Ausdruck. In Anbetracht dessen sehen wir die Menschheit und ihren Zustand oft immer noch durch eine rosarot gefärbte Brille. Der Schaden durch die Sünde ist so tief und total, dass niemand würdig ist, den Plan Gottes mit Gericht und Gnade zum Ziel zu führen. In den Tränen des Johannes kommt auch der

Schmerz über das Chaos und damit verbundene Elend in der gottentfremdeten Menschheit zum Ausdruck.

Da bekommt der Apostel einen Hinweis, der sein Weinen in Staunen verwandelt. Einer ist da, der überwunden hat. Man kann auch übersetzen: der gesiegt oder den Sieg behalten hat (Offb 5,5). Es geht dabei um zwei Sachverhalte: Einerseits die Wende der Weltgeschichte, die mit dem Tod, der Auferstehung Jesu und Seiner Rückkehr zum Vater eingeleitet wurde. Er hat den Sieg behalten und vollbracht. Andererseits die Übertragung der Vollmacht des Vaters auf den Sohn. Das sah schon der Prophet Daniel über 500 Jahre vor der Geburt Jesu voraus:

«Ich sah in den Nachtgesichten, und siehe, es kam einer mit den Wolken des Himmels, gleich einem Sohn des Menschen; und er gelangte bis zu dem Hochbetagten und wurde vor ihn gebracht. Und ihm wurde Herrschaft, Ehre und Königtum verliehen, und alle Völker, Stämme und Sprachen dienten ihm; seine Herrschaft ist eine ewige Herrschaft, die nicht vergeht, und sein Königtum wird nie zugrunde gehen» (Dan 7,13-14).

Mit der siebenfach versiegelten Schriftrolle geht es in erster Linie um die Ereignisse, die ab Offenbarung 6 aufgezeichnet sind. Der Zusammenhang mit Daniel 7 macht deutlich, dass die Übertragung der Vollmacht auf Christus den ganzen Heilsratschluss Gottes umfasst. Das lässt zur Ruhe kommen, inmitten der für uns unvorhersehbaren und beängstigenden Entwicklungen in dieser Welt. Zudem dürfen wir als Kinder Gottes wissen, dass Christus, als der Anfänger und Vollender des Glaubens, durch alles hindurch Seinen Plan in unserem eigenen Leben verfolgt.

Der Löwe und das Lamm

Einer der Ältesten weist den Apostel auf den Löwen aus Juda hin, der den Sieg behalten hat und würdig ist, das Buch mit den sieben Siegeln zu öffnen. Im vorigen Kapitel habe ich darauf hingewiesen, dass der Löwe als König der Tiere vor nichts zurückweicht. Der Löwe aus Juda ist ein Ehrentitel für den Messias. Er geht auf den Jakobssegen in 1. Mose 49,9-10 zurück. Darin kommen die Macht und Majestät des Messias zum Ausdruck. Im Gegensatz zu den bestialischen Raubtieren, die menschliche Weltreiche symbolisieren (vgl. Dan 7), sehen wir hier die Stärke und das unaufhaltbare Gericht des Löwen aus Juda.

Bei dem Kommen Jesu in Macht und Herrlichkeit werden alle Widerstände vor Ihm weichen. Der Löwe aus Juda macht deutlich, dass auch nach dem vollbrachten Werk unseres Herrn Seine Geschichte mit Israel weitergeht. In einem Atemzug mit dem Löwen aus Juda wird Christus als die Wurzel Davids bezeichnet. An mehreren Stellen in der alttestamentlichen Prophetie wird der Messias als Nachkomme Davids angekündigt (vgl. 2Sam 7,12; Ps 89,4-5; 132,11-12) und als dessen Spross bezeichnet (Jes 4,2; Jer 23,5; Sach 3,8). Das kann die Frage aufwerfen, wie eine Person gleichzeitig Wurzel und Spross sein kann.

In der Geschichte finden wir Beispiele dafür, wie aus adligen Ahnentafeln und Stammbäumen grosse Herrscher hervorgingen. Diese herausragenden Könige oder Kaiser stammten aus Linien mit klangvollen Namen. Auch in der davidischen Königslinie entdecken wir herausragende Glaubensvorbilder, ob das David selbst, Salomo oder die judäischen Glaubenskönige Josaphat, Hiskia und Josia waren. Nun könnte man schlussfolgern, dass der verheissene Messias auf dieser Reihe seiner Vorfahren aufbaut und sie gar noch krönt. Er ist aber nicht nur der Spross, sondern zugleich die Wurzel der davidischen Linie. Christus ist nicht das «Produkt» der Glaubensvorbilder. Er ist selbst die Ursache und der Grund für den ganzen Segen, der dem Haus Davids verheissen ist.

Die Kapitel 6 bis 19 im Buch der Offenbarung zeigen auch auf, wie der erhöhte Herr durch alle Wirren und Gerichte hindurch mit Israel zum Ziel kommt. Er ist die Ursache und zugleich der verheissene Nachkomme des Thrones Davids. Das lässt sich auf das Leben in der Nachfolge anwenden. Da Er der Anfänger und Vollender des Glaubens ist (Hebr 12,2; vgl. Phil 1,6), lässt der Aufblick auf Ihn jede Entmutigung vergehen. – Wohlgemerkt, die Schwierigkeiten, die uns umgeben, lösen sich nicht auf, aber die Resignation, die uns als Auswirkung von Nöten beschleichen möchte, schwindet.

Zugleich macht diese zweifache Bezeichnung deutlich, dass Er Gott und Mensch ist. Als Gott, der Schöpfer aller Dinge, kam auch die davidische Linie durch Ihn. Und durch Seine Menschwerdung wurde Er selbst zu dem verheissenen Retter und Löwen aus dem Stamm Juda. Er hat den Sieg errungen. Er hat alle Hindernisse aus dem Weg geräumt, die Gottes Plan verhindern wollen. Er hat den Totalschaden der Sünde geheilt.

Johannes hält Ausschau nach dem Löwen. Ein Löwe entfesselt im Kampf seine ganze Kraft. Ich erwähnte das oft bestialische rücksichtslose Wesen von menschlichen Reichen. Ihre brutale Spur lässt sich durch die ganze Geschichte verfolgen. Ob das die grausamen assyrischen Herrscher waren oder Gestalten wie Nero, Napoleon, Mao, Stalin, Hitler und andere. Auf welche Art hat der Löwe aus Juda Seinen Sieg herbeigeführt? Als der Apostel seinen Blick auf den Thron Gottes richtet, sieht er ein Lamm! Der Löwe aus Juda hat den Sieg als das Lamm Gottes vollbracht und behalten. Total anders als das Vorgehen von Herrschern und Diktatoren in der gottfernen Menschheit.

Das Passahlamm gehörte zentral zum Auszug Israels aus Ägypten (2Mo 12). Das Volk Israel wurde in jener Nacht nicht verschont, weil es besser als die Ägypter gewesen wäre. In Hesekiel 20,8 und 23,3 lesen wir, dass die Israeliten schon in Ägypten von Gott abgefallen waren und anderen Göttern dienten. Der Gerichtsengel ging einzig und allein um des Blutes eines stellvertretenden geschlachteten Lammes willen an den Israeliten vorüber.

Am grossen Versöhnungstag wurde zwischen dem lebendigen Gott und Seinem Volk die Versöhnung durch einen Opferbock hergestellt (3Mo 16). Das Blut dieses Tieres musste stellvertretend fliessen, um die Schuld des Volkes zu sühnen. All diese Opfer im Alten Testament waren ein Hinweis auf den menschgewordenen Gottessohn. Der Herr Jesus hat als das wahre Opferlamm mit Seinem unschuldigen Blut für die Sünde gesühnt. Durch Sein Blut beendete Er den Kriegszustand zwischen Gott und Menschen, den wir durch den Sündenfall verursacht hatten. Er entwaffnete am Kreuz die Mächte der Finsternis und besiegte sie (Kol 2,14-15). Jesus triumphierte, indem Er auf Sein Recht und Seinen Anspruch verzichtete. Er liess sich auf die unterste Stufe stellen. Als das Lamm Gottes trug Er das gerechte Gericht Gottes über die Sünde.

Das Kreuz und die Auferstehung Jesu sind der Wendepunkt der Weltgeschichte. «Es ist vollbracht» war der Schrei, der alles veränderte. Damit wurde die Macht der Sünde zerstört. Der Teufel verlor sein Anrecht. Mit der Auferstehung wurde der Sieg triumphal besiegelt. Dem Tod und der Hölle waren die Macht genommen. Damit steht der Sieg des Herrn Jesus ein für alle Mal fest. Der Widersacher Gottes und die Finsternis können daran nichts mehr ändern. Der Sieg am Kreuz hat sie vorgeführt. Satan versucht um jeden Preis, unseren Blick dafür zu verdunkeln. Nicht umsonst nennt ihn die Bibel den Vater der Lüge. Wie oft gelingt ihm das, indem er in unserem Denken Zweifel darüber sät, ob der Sieg Jesu wirklich feststeht. – Gerade dann, wenn es auf für uns notvolle und unverstehbare Wege geht. Diesen Lügen kann ich nur entgegentreten, wenn ich mir die Wahrheit von Gottes Wort über den Sieg Jesu vorhalte.

Das Lamm nimmt als Sieger die Buchrolle mit den sieben Siegeln aus der Hand Gottes, des Vaters, entgegen. Christus ist alle Macht übertragen!

Eine umfassende Reaktion

Als das Lamm die Buchrolle nimmt, fallen die vier himmlischen Wesen und die Ältesten zusammen nieder. Sie beten das Lamm an, das würdig ist, die Buchrolle zu nehmen und die sieben Siegel zu öffnen. Wie ein ins Wasser geworfener Stein zieht die Anbetung weitere Kreise. Die unzählbare Schar der Engel betet das Lamm an. Und schliesslich jedes Geschöpf im Himmel, dem Bereich der Herrlichkeit Gottes, sowie auf Erden und unter der Erde, dem Bereich des Totenreichs und der Finsterniswelt.

Hat dich auch schon die Frage beschäftigt, zu wem du beten sollst? Darf ich nur zu Gott beten, im Namen Jesu, oder kann ich auch direkt zum Herrn Jesus beten? In Offenbarung 4 und 5 werden sowohl der Vater als auch Jesus als das Lamm Gottes angebetet. Die Bibel kennt das Gebet zum Vater im Namen Jesu (Joh 14,13), aber Offenbarung 5 zeigt in überwältigender Weise, wie Jesus als das Lamm Gottes angebetet wird. So dürfen wir auch freimütig zu Ihm beten (vgl. Joh 14,14; 1Kor 1,2). Anstelle theologischer Haarspalterei ist hier das Vertrauen zum Vater im Himmel und dem Herrn Jesus gefragt.

Die Ältesten, die niederfallen, haben Harfen, um das Lamm anzubeten (Offb 5,8). Eine Harfe ist für ihren besonders schönen und weichen Klang bekannt. Neben den Harfen halten die Ältesten goldene Schalen. Es ist ein Statussymbol für Könige und reiche Personen, sich die kostbarsten Speisen auf goldenem oder vergoldetem Geschirr servieren zu lassen. In diesen Schalen vor dem Thron Gottes befinden sich die Gebete der Heiligen. Mit «Heiligen» meint die Bibel nicht angebliche «Glaubenshelden», die weit über dem Fussvolk in der Gemeinde Jesu schweben. Mit diesem falschen, katholischen Verständnis hat die Reformation aufgeräumt. Jeder durch Christus errettete Mensch ist ein Heiliger. Paulus sprach die Jesusnachfolger in den verschiedenen Gemeinden als Heilige an (vgl. Röm 1,7; 12,13; 1Kor 1,2; 6,2 usw.).

Wie oft erscheint einem das eigene Gebet ärmlich. Manchmal weiss man nicht einmal, wie man sich richtig ausdrücken soll. Die Gebete der Kinder Gottes sind vor dem Thron Gottes so wertgeachtet, dass sie in goldenen Schalen dargebracht werden! Die grossen Sprüche und Parolen der Mächtigen dieser Erde finden wir nicht vor dem Thron Gottes. Das einfachste Gebet eines Jesusnachfolgers ist dagegen ein kostbares Räucherwerk für den Herrn. Welche Ermutigung zum Beten, unabhängig davon, ob dies intensiv im stillen Kämmerlein geschieht oder als Stossseufzer, wenn die Alltagsfluten uns zu ertränken drohen.

In Offenbarung 4 wurde deutlich, dass Gott, der Vater, allein würdig ist, Ruhm und Ehre und Macht zu empfangen. Nun singen die Ältesten und himmlischen Wesen ein neues Lied und beten das würdige Lamm über Seinem Erlösungswerk an. Jesus ist würdig, das Buch zu nehmen und zu öffnen, weil Er durch

Sein Blut Menschen aus allen Nationen für Gott erkauft hat. Sein Erlösungswerk hat sie zu Königen und Priestern gemacht, um an der Herrschaft Gottes teilzuhaben. Ab Offenbarung 6 wird aufgeführt, was auf dieser von Gott losgelösten Erde alles passiert: Die Sünde wuchert, die Finsternis tobt und der Antichrist verführt die vereinte Menschheit zum letzten Aufstand gegen Gott. Die Gerichtsphasen Gottes auf dieser Erde sind erschütternd. Tragisch ist, dass die Menschen trotz der massiven Gerichte nicht umkehren. So gehen sie dem ewigen Gericht Gottes entgegen.

Aus der Dunkelheit der Menschheitsgeschichte heraus hat Jesus als das Lamm Gottes Menschen aus allen Sprachen für Gott erkauft. Dieses feste Wissen, Ihm zu gehören, gibt heute schon Kraft, wenn es darum geht, um Jesu willen zu leiden. Und wie werden wir erst einmal über dieses Vorrecht staunen – dann aus himmlischer Perspektive –, wenn die Menschheit durch den angekündigten Zorn Gottes heimgesucht wird und die Erretteten an der himmlischen Herrlichkeit teilhaben.

Die unzählbare Schar der Engel betet ja das Lamm an, würdig zu sein, um Macht und Reichtum und Weisheit und Stärke und Ehre und Ruhm und Lob zu empfangen. Alle Geschöpfe auf und unter der Erde müssen ebenfalls dem Lamm Lob, Ehre und Ruhm bekennen und Seine Macht von Ewigkeit zu Ewigkeit bestätigen. Bedeutet dies, dass alle Menschen am Ende doch noch gerettet werden? Nein, sonst wären die auf und unter der Erde ja auch im Himmel. Alle Knie werden sich einmal vor Christus beugen und Ihm die Ehre geben (Phil 2,10-11). Selbst die Verlorenen müssen einmal anerkennen, dass Er der Herr ist und Ihm Ehre und Macht gebührt. An anderer Stelle erwähnte ich grausame Herrscher in der Menschheitsgeschichte. Wie haben diese Personen gegen Gott und Christus gelästert, wenn man an den Assyrer-König Sanherib, an Nero, Stalin oder Hitler denkt. Auch sie werden einmal zu ihrem eigenen Gericht anerkennen müssen, dass Jesus das würdige Lamm ist. Sogar die Finsternis muss dies tun.

Lob und Dank bezieht sich auf alles, was Gott mir gegeben und Gutes getan hat. Die Anbetung dreht sich dann nur noch um die Grösse und Herrlichkeit des Vaters und des Herrn Jesus. Anbetung ist ein Wegschauen von unserer Selbstzentrierung und ein Anerkennen der Grösse und Herrlichkeit Gottes. Es geht um Seine Grösse und Ehre. Anbetung kann man nicht einfach machen. Anbetung erfordert Stille. Still zu werden, erfordert Zeit, und die nehmen wir uns heute nicht mehr. Das ist der Grund, warum echte Anbetung rückläufig ist. Anbetung ist keine Angelegenheit des Gefühls, auch kein mantraartiges Wiederholen von irgendwelchen Sätzen. Sie wird gespeist aus der Erkenntnis des Vaters und des Sohnes durch das Wort Gottes in der Wirkung des Heiligen Geistes.

Am Anfang des Kapitels erwähnte ich das Beispiel mit der sportlichen Qualifikationsnorm, die einen Athleten «würdig» macht, sein Heimatland zu vertreten. Es gibt nur einen, der die göttliche Qualifikationsnorm erfüllt, um das Buch mit den sieben Siegeln aus der Hand des Vaters zu nehmen und mit starker Hand den Plan Gottes zum Ziel zu führen: Jesus Christus! Er ist auch stark und mächtig genug, Seinen Plan über dem Leben Seiner Kinder auszuführen und damit zu Seinem Ziel zu kommen. Welch ein Vorrecht ist es, Ihn als den persönlichen Herrn und Retter zu kennen. Welche Ermutigung, wenn wir jeden Tag auf Ihn sehen, das Lamm Gottes und den Löwen aus Juda. Er steht über allem und kommt zu Seinem Sieg, auch wenn uns

Satan diesen Blick oft verdunkeln möchte. Wenn wir einmal das Ziel erreicht haben, werden wir Ihn als das würdige Lamm anbeten, das uns errettet, bewahrt und vollendet hat. Wir werden Ihn über Seiner Macht und Herrlichkeit anbeten, mit der Er sowohl den Plan Gottes mit dieser Menschheit als auch unser persönliches Leben zu Seinem Ziel gebracht hat.

Das grösste Ereignis der Weltgeschichte

«Und ich sah den Himmel geöffnet, und siehe, ein weisses Pferd, und der darauf sass, heisst ‹Der Treue und der Wahrhaftige›; und in Gerechtigkeit richtet und kämpft er. Seine Augen aber sind wie eine Feuerflamme, und auf seinem Haupt sind viele Kronen, und er trägt einen Namen geschrieben, den niemand kennt als nur er selbst. Und er ist bekleidet mit einem Gewand, das in Blut getaucht ist, und sein Name heisst: ‹Das Wort Gottes›. Und die Heere im Himmel folgten ihm nach auf weissen Pferden, und sie waren bekleidet mit weisser und reiner Leinwand. Und aus seinem Mund geht ein scharfes Schwert hervor, damit er die Heidenvölker mit ihm schlage, und er wird sie mit eisernem Stab weiden; und er tritt die Weinkelter des Grimmes und des Zornes Gottes, des Allmächtigen. Und er trägt an seinem Gewand und an seiner Hüfte den Namen geschrieben: ‹König der Könige und Herr der Herren›» (Offb 19,11-16).

Für die Gemeinde Jesu wird das grösste Ereignis die Entrückung sein. Auf dieses grosse Ziel, meinen Herrn und Erlöser zu sehen, der mich geliebt hat, der Seine Gemeinde und jedes Einzelne der Seinen vollenden wird, soll unser Leben ausgerichtet sein. Dann werden alle Tränen, alle Kämpfe und alles Versagen Vergangenheit sein, und es bleibt nur noch die wunderbare Zukunft der Gemeinde Jesu, die für immer mit ihrem Herrn und Haupt vereinigt ist. Für die Weltbevölkerung ist das grösste Ereignis in der Zukunft die sichtbare Wiederkunft Jesu. Er wird in einem Moment sichtbar für alle Menschen wiederkommen. Mit diesem weltweiten Ereignis lässt sich kein anderes Geschehen in der Menschheitsgeschichte vergleichen. Es wird ein einzigartiger Triumphzug sein, wie es noch nie zuvor gewesen ist und nie mehr danach sein wird. Die Heere des Himmels und die vollendete Gemeinde werden mit Christus in Seinem Triumphzug kommen. Für den Schöpfer ist es kein Problem, in diesem Augenblick die von Ihm erschaffenen und gesteuerten Naturgesetze ausser Kraft zu setzen. Das grösste Ereignis, auf das diese Erde zugeht, ist nicht die grosse Trübsalszeit, so unvorstellbar und gewaltig auch die damit kommenden Erschütterungen und Katastrophen sein werden. Es ist auch nicht das Auftreten des Antichrist, obwohl dieser alles bis dahin Gekannte an Verführung einerseits und Selbstverherrlichung andererseits in den Schatten stellt. Das grösste Ereignis in der Zukunft ist die sichtbare Wiederkunft Jesu Christi für alle Menschen.

In einem Augenblick wird die ganze Weltgeschichte auf den Kopf gestellt. Der, über den die Menschheit noch kurz zuvor gelästert hat, den sie verhöhnt und verspottet hat, erscheint dann genauso real als der Herr aller Herren wie die Alliierten am Ende des Zweiten Weltkrieges ihren Triumph über das Hitler-Regime besiegelten. – Sind wir uns dieser Realität bewusst?

Der geöffnete Himmel

In Offenbarung 19,11 sieht Johannes, wie der Himmel sich öffnet. Das erinnert an Kapitel 4,1. Dort ist die Rede von einer Tür, die im Himmel, dem Wohnort Gottes, geöffnet ist und durch welche Johannes heraufsteigen soll, um die Realität der souveränen und unangreifbaren Herrschaft Gottes zu sehen. Vor den Augen dieser Welt und Menschheit ist diese Realität heute noch verborgen. Wir können sie nur erkennen und um sie wissen, weil sie Gott in Seinem Wort geoffenbart hat. Mit Offenbarung 19 schliesst sich, bildlich gesprochen, die Klammer, die in Offenbarung 4 begonnen hat. Über allen dazwischenliegenden Ereignissen steht die souveräne Herrschaft des erhöhten Herrn. Aus diesem Grund öffnet sich in Vers 11 der Himmel. Hier erkennen wir einen kleinen, aber feinen Unterschied zu Kapitel 4. Dort wird Johannes eine Tür in den Himmel geöffnet. Nur ihm und den Erretteten ist durch den Geist Gottes dieser Blick in die Realität der göttlichen Herrschaft gegeben. Aber in Offenbarung 19,11 öffnet sich der Himmel für die ganze Erdbevölkerung. Die gesamte Menschheit wird nun von einem Augenblick auf den anderen mit der Realität der göttlichen Herrschaft konfrontiert.

Es gab so viele Lästerer, die in der Menschheitsgeschichte gegen Gott rebellierten, Ihm sogar fluchten. Denken wir nur an den gottlosen Philosophen Friedrich Nietzsche. Es nahm mit ihm ein furchtbares Ende, er starb im Wahnsinn. Aber der Himmel öffnete sich nicht. Abgesehen von seinem persönlichen Ende griff Gott nicht direkt und für alle Menschen sichtbar ein. Dasselbe gilt auch in anderen Fällen, ob das Voltaire war, ob das Gotthasser wie Mao, Stalin, Hitler, Pol Pot oder andere waren. Trotz ihrer Lästerungen und Selbstvergötzung tat sich der Himmel nicht wie in Offenbarung 19 auf. Drei Kapitel zuvor, in Offenbarung 16, lesen wir, dass das antichristliche Weltreich durch die Zornschalen Gottes mehr und mehr erschüttert wird. Doch der Himmel tut sich noch nicht auf. Die Menschen zerbeissen sich vor Schmerz ihre Zunge und lästern weiterhin den Gott des Himmels (Offb 16,10). Damit nicht genug. Einige Verse weiter zeigen uns, wie die Nationen in ihrer Gottlosigkeit durch die satanische Verführung versammelt werden, um gegen den lebendigen Gott Krieg zu führen, um das zu vollenden und endgültig zu besiegeln, was Nietzsche, Hitler, Stalin oder andere wollten. Dazu gehört, dass Israel vernichtet werden muss, dieses Ärgernis für die Völker, das als Augapfel Gottes gilt (Sach 2,12).

Und dann passiert das, was wir uns noch gar nicht vorstellen können. Der Himmel, der Thronsaal Gottes, über den die Menschen bis zuletzt lästerten und der sich in dieser Weise noch nie geöffnet hatte, wird sich öffnen. Ein Aufschrei des Entsetzens wird durch die gesamte Menschheit gehen, wie am Ende von Offenbarung 6. Und es gibt kein Entfliehen mehr, kein Ort, an dem man sich verstecken kann. Christus erscheint als der Herr aller Herren und der König aller Könige.

Die Menschheit wird, gepackt von lähmendem Entsetzen, wehklagen, weil sie in Christus ihren Richter erkennt. Es gibt kein Entrinnen mehr vor dem Lamm, wie es am Ende von Offenbarung 6 steht. In diesem Augenblick ist es zu spät. Es gibt keine Möglichkeit mehr zur Umkehr. Israel wird ebenfalls wehklagen und sich voller Entsetzen an die Brust schlagen. Aber aus einem anderen Grund. Sie erkennen in dem wiederkommenden Herrn ihren Messias, Gott und Retter. Der, den sie verworfen und gekreuzigt haben, kommt nun, um sie auf dem Höhepunkt der Trübsal Jakobs zu erretten, wie in Sacharja 12,10 geschrieben steht: «sie werden auf mich sehen, den sie durchstochen haben, ja, sie werden um ihn klagen, wie man klagt um den eingeborenen [Sohn], und sie werden bitterlich über ihn Leid tragen, wie man bitterlich Leid trägt über den Erstgeborenen.»

Der Himmel wird sich bei diesem Ereignis weltumfassend öffnen, der Menschheit zum Gericht, Israel zur Errettung.

Der Reiter auf dem weissen Pferd

Wir müssen den Reiter auf dem weissen Pferd in Offenbarung 19 von dem anderen Reiter in Offenbarung 6 unterscheiden. Dort geht es um ein Siegelgericht, möglicherweise das Auftreten des Antichrists. Der Reiter in Offenbarung 6 hat einen Bogen, er ist eine vorübergehende siegreiche Macht. Kapitel 19 zeigt als Reiter auf dem weissen Pferd den Herrn aller Herren und König aller Könige: Jesus Christus selbst.

Ein römischer Feldherr oder Kaiser zog damals nach einem vollbrachten Sieg im Triumphzug in Rom ein. Zum Zeichen seines Sieges ritt er auf einem weissen Pferd oder sein Wagen wurde von weissen Pferden gezogen. Die Gemeinden und Johannes litten ja sehr unter dem Christenhasser und beherrschenden Kaiser Domitian. Was für ein Trost war es für sie, dass sie in Offenbarung 19 den wahren Herrn aller Herren und König aller Könige gezeigt bekamen, den wahren Triumphator auf dem weissen Pferd, dem weder Domitian noch am Ende der Antichrist etwas entgegenzusetzen haben. Bei Seinem ersten Kommen zog Jesus nicht auf einem weissen Pferd, sondern auf einer Eselin in Jerusalem ein. Das war ein Zeichen des Friedens und der Niedrigkeit. Er kam nicht, um zu herrschen, sondern um Sein Leben zu einem Lösegeld für viele zu geben. Bei Seiner Wiederkunft kommt Er aber nicht mehr auf einem Esel, sondern sichtbar für alle Menschen auf einem weissen Pferd, als der grosse Sieger und Richter der Menschheit.

Noch etwas ist in diesem Zusammenhang wichtig. Heute hört man, dass man nicht mehr einfach evangelisieren und lehren könne, wie dies früher einmal war, sondern wir sollen als Christen die Gesellschaft transformieren, umgestalten, indem wir uns überall einbringen und die gesellschaftlichen und sozialen Verhältnisse ändern, beispielsweise die Weltarmut beseitigen und für den Erhalt der Schöpfung eintreten. So soll das Reich Gottes auf diese Erde kommen. In Offenbarung 19 lesen wir aber, dass das Gottesreich nicht durch Transformation kommt, nicht, indem es den Christen gelingt, am Ende die ganze Gesellschaft und Weltbevölkerung mit ihren Verhältnissen umzuwandeln. Nein, das Reich Gottes kommt mit einem radikalen Umbruch, mitten in die dunkelste Phase der Weltgeschichte hinein, wenn Christus als der siegreiche Reiter und Richter auf dem weissen Pferd erscheint und Ihm niemand mehr etwas entgegenzusetzen hat. Welche Vorstellung haben wir von Jesus? Ein süsses Kindlein, im Arm seiner Mutter, wie es bei Seinem ersten Kommen war? Als Johannes den erhöhten Herrn in Seiner ganzen Macht und Herrlichkeit sah, sackte er wie ein Toter zu Boden. Christus wird einmal erscheinen als der Herr aller Herren und König aller Könige, vor dem die ganze Menschheit in tiefe Furcht fallen wird.

«... und der darauf sass, heisst ‹Der Treue und der Wahrhaftige›» (Offb 19,11): Er ist der Treue, Er steht absolut zu Seinem Wort, kein Buchstabe wird davon verlorengehen. Er ist der Wahrhaftige. Bei Ihm werden die Dinge ins richtige, göttliche Licht gerückt, da gibt es kein Verschleiern, kein Täuschen mehr. Das gilt nicht nur für jeden Menschen persönlich, sondern auch für die gesamte Weltgeschichte.

«... und in Gerechtigkeit richtet und kämpft er» (V. 11): Sein Gericht ist absolut gerecht, aber in Seiner göttlichen Wucht auch erschütternd. Er kommt, um Seine Feinde zu richten und gegen die rebellierende Menschheit Krieg zu führen. Das Vortragen dieser Tatsachen hat nichts mit Angstmacherei zu tun; so sieht göttliche Realität aus. Was wird dies einmal für die Menschheit für ein Erwachen geben.

«Seine Augen aber sind wie eine Feuerflamme ...» (V. 12): Seine Augen durchdringen alles, nichts und niemand wird verborgen sein, kein Schein, kein äusseres Gehabe wird vor diesen Augen irgendetwas verbergen können.

«... und auf seinem Haupt sind viele Kronen, und er trägt einen Namen geschrieben, den niemand kennt als nur er selbst» (V. 12): Die königlichen Kronen oder Diademe sind wieder ein Zeichen von Seiner Vollmacht und Grösse. Ein römischer Kaiser trug ein Diadem, Jesus trägt viele Diademe. Seine göttliche Macht und Herrlichkeit steht in überhaupt keinem Verhältnis zu irgendeiner anderen Macht. Zugleich trägt Er einen Namen, den niemand kennt ausser Er selbst. Ein Name steht für die Person. Wir können Christus niemals genug kennenlernen. Wir können nur mehr und mehr über Seine Grösse und Herrlichkeit staunen. Das zeigt uns die Offenbarung. Sie will uns dazu bringen, dass wir mit dem Lied von Dora Rappard bekennen: «Jesu, du bist unaussprechlich herrlich deinem Kind».

«Und er ist bekleidet mit einem Gewand, das in Blut getaucht ist ...» (V. 13): Mit Seinem Blut hat Er den Sieg über Sünde, Tod und Teufel errungen. Damit ist Er als der wahre Hohepriester in das himmlische Heiligtum eingegangen. Durch Sein Blut hat Er Menschen für den lebendigen Gott zurückgekauft.

«... und sein Name heisst: ‹Das Wort Gottes›» (V. 13): Christus und das Wort Gottes sind untrennbar miteinander verbunden. Wir können nicht sorgfältig genug mit der Bibel umgehen. Es kann nicht zwischen dem Gehorsam gegenüber dem Wort Gottes und dem Gehorsam gegenüber dem Herrn Jesus getrennt werden. Die Liebe zu Jesus ist immer auch die Liebe zu Seinem Wort. Und die Ehrfurcht vor unserem Herrn steht im Zusammenhang mit der Ehrfurcht vor Seinem Wort.

«Und die Heere im Himmel folgten ihm nach auf weissen Pferden, und sie waren bekleidet mit weisser und reiner Leinwand» (V. 14): Obwohl in Rom Tausende von Legionären und Offizieren für einen Sieg gekämpft hatten, stand am Ende doch allein der Triumphator im Blickfeld. In der Bibel steht es genau umgekehrt: Jesus Christus hat ganz allein den Sieg vollbracht. Unverdient lässt Er uns alle an Seinem Sieg teilhaben. Zum Kriegsheer des Himmels gehören die Legionen von Engeln, aber auch die vollendete Gemeinde wird mit Ihm sichtbar kommen.

«Und aus seinem Mund geht ein scharfes Schwert hervor, damit er die Heidenvölker mit ihm schlage, und er wird sie mit eisernem Stab weiden; und er tritt die Weinkelter des Grimmes und des Zornes Gottes, des Allmächtigen» (V. 15): Das scharfe Schwert ist nach Epheser 6,17 und Hebräer 4,12 das Wort Gottes in seiner ganzen richterlichen und durchdringenden Gewalt. Damit werden die Völker gerichtet. Es ist ein biblischer Grundsatz, dass es nicht durch eine angenehme Transformation, sondern durch Gericht zum Neuen geht. Bevor das messianische Reich mit seinen Auswirkungen beginnen kann, muss zuerst das Gericht über die Nationen ergehen. Dazu tritt Er die Kelter des gerechten Zornes Gottes. Dann wird Christus mit eisernem Zepter regieren. Im messianischen Reich gibt es keine Toleranz mehr gegen das Widergöttliche und Böse. Zugleich ist das eiserne Zepter ein Zeichen Seiner absoluten Souveränität.

Mit dem Reiter auf dem weissen Pferd wird der ganze Triumph und die Grösse und Souveränität Christi deutlich, die bei Seiner Wiederkunft sichtbar für alle Menschen in Erscheinung treten.

Der König der Könige und Herr der Herren

«Und er trägt an seinem Gewand und an seiner Hüfte den Namen geschrieben: ‹König der Könige und Herr der Herren›» (Offb 19,16).

Wir sehen einen der gewaltigsten Titel des Herrn Jesus vor uns. Bei Seinem ersten Kommen hiess es: «Denn ein Kind ist uns geboren, ein Sohn ist uns gegeben …» (Jes 9,5). Das war Sein erstes Kommen in Niedrigkeit. Bei Seiner Wiederkunft erscheint Er als der König aller Könige und Herr aller Herren.

Johannes war damals durch den römischen Kaiser Domitian nach Patmos verbannt und musste scheinbar hilflos mitansehen, wie die Verfolgung einerseits und die Verführung andererseits über die Gemeinden hinwegfegten. Welch ein Trost war es für ihn, als Christus sich als Fürst über die Könige der Erde vorstellte (Kap. 1,5). Doch mit dem Auftreten des Tieres (Kap. 13), das seine Macht durch den Drachen bekam, sah Johannes nochmals eine viel grössere Anballung der Finsternis, als sie bei Domitian war. Offenbarung 16,14: Das Tier versammelt die Könige oder Staatsoberhäupter der ganzen Erde zum Krieg und Aufstand gegen den lebendigen Gott. Wir haben hier eine umfassende Völkerkoalition, wie sie noch nie in der Geschichte da war. Das alles ist direkt verbunden mit der Macht Satans. Da kann einem wirklich angst und bange werden. Das ist aber nur das eine. Je mehr das letzte Buch der Bibel die Macht der Finsternis offenbart, umso grösser leuchtet dahinter der Sieg Jesu auf. So wird Er im Zusammenhang mit dieser letzten, unheimlichen, finsteren Machtanballung nicht nur als Fürst der Könige auf Erden bezeichnet, sondern in Offenbarung 17,14 als der «Herr der Herren und der König der Könige». Bei Seiner Wiederkunft wird das die gegen Ihn rebellierende Menschheit völlig diskussionslos und frei von jeglichen Einwänden mit Entsetzen erkennen müssen.

Dieser Name ist auf Seiner Hüfte geschrieben. Die Hüfte ist für einen Ringer der entscheidende Bereich der Stärke. Deshalb bekam Jakob bei seinem Ringen mit Gott einen Schlag auf die Hüfte (1Mo 32,26). Das gleiche hebräische Wort «jarek» kommt auch in 1. Mose 46,26 vor und bezeichnet dort die Lende, als Bereich des Hervorkommens der Nachkommen.

Auch an einigen anderen Stellen im Alten Testament kann man «tragende Arme» mit «Hüfte» übersetzen (vgl. Jes 60,4; 66,12). Dort sitzt die Kraft. Auch ist um die Hüfte das Schwert gegürtet. Psalm 45,4 erwähnt dies in Zusammenhang mit dem Messias. In diesem Namen auf der Hüfte kommt die alles überwindende Stärke Jesu zum Ausdruck.

Manchmal sehen wir in der Nachfolge nur noch schwarz. Die Nöte und Schwierigkeiten scheinen uns zu erdrücken. Und wir beginnen, daran zu zweifeln, ob unser Herr wirklich noch die Kontrolle hat, ob Er regiert oder ob wir am Ende nur ein Spielball der bedrückenden Umstände und Nöte sind. Es ist die Taktik des Feindes, uns den Blick für die Grösse des Sieges Jesu zu verschleiern. Wenn wir Ihn einmal sehen, werden wir noch ganz anders staunen: über Seine Kraft, über Seine souveräne Herrschaft, über Seine grosse Herrlichkeit, die all unsere Vorstellungen bei Weitem sprengen wird. Und wir werden beschämt sein, wie klein und begrenzt wir so oft von dem «König der Könige und Herr[n] der Herren» gedacht haben.

Offenbarung 17,14 spricht von dem gewaltigen Aufstand gegen den lebendigen Gott. Die Antwort darauf klingt ganz unspektakulär: «... und das Lamm wird sie besiegen». Dann kommt die

Begründung für diesen völlig unangefochtenen Sieg: «... denn es ist der Herr der Herren und der König der Könige».

In Offenbarung 16 und 17 ist die Rede davon, dass der Drache, das Tier und die Könige auf Erden gegen das Lamm Krieg führen wollen. Alle Kräfte werden zusammengezogen. Eine Koalition, gegen die selbst die Landung der Alliierten an der Westküste Frankreichs im Zweiten Weltkrieg das reinste Kinderspiel war. Und dann wird sich der Himmel öffnen und es erscheint der König aller Könige und der Herr der Herren. Die Verhältnisse sind so klar, dass wir in Offenbarung 19 von einem Kampf oder Hin- und Herwogen des Krieges gar nichts mehr lesen. Die Kelter des Zornes Gottes wird getreten, die Nationen werden mit dem Schwert aus dem Mund, dem Wort Gottes, geschlagen, und das Tier wird mit dem falschen Propheten gegriffen und in den Feuersee geworfen.

Offenbarung 12,7 berichtet von einem Kampf im Himmel, bei dem Michael und seine Engel gegen den Drachen und dessen Engel kämpfen, bevor Satan auf diese Erde geworfen wird. Das Erscheinen des Herrn aller Herren und König aller Könige auf dieser Erde ist aber eine völlig einseitige Angelegenheit. Der Gesetzlose, der Antichrist, diese Verkörperung der ganzen Macht der Finsternis, wird mit dem Hauch des wiederkommenden Herrn vernichtet werden (2Thess 2,8). Und in Offenbarung 19,15 und 21 lesen wir, dass die Völker und Könige mit dem Schwert Seines Mundes geschlagen werden. Dann ist es für alle offensichtlich, welche Kraft Gottes Wort hat. Und wir denken oft so klein und ärmlich von Gottes Wort. Wir trauen ihm nicht mehr seine alles verändernde Kraft zu und meinen, noch allerlei andere Zusätze und Erkenntnisse zu benötigen, damit Menschen wirklich errettet und verändert werden.

Diese Verse erinnern geradezu an das Bekenntnis von Martin Luther in seinem Lied *Ein feste Burg ist unser Gott*. Er hatte ja auch gegen die grössten Widerstände zu kämpfen, scheinbar aus einer aussichtslosen Position heraus. Und da dichtet er:

«Und wenn die Welt voll Teufel wär
und wollt uns gar verschlingen,
so fürchten wir uns nicht so sehr,
es soll uns doch gelingen.
Der Fürst dieser Welt,
wie sau'r er sich stellt,
tut er uns doch nicht;
das macht, er ist gericht':
ein Wörtlein kann ihn fällen.»

Nun verstehen wir besser, warum Paulus trotz aller Widerstände, Kämpfe, Ängste und Sorgen, denen er ausgesetzt war, schreibt: «Gott aber sei Dank, der uns allezeit in Christus triumphieren lässt und den Geruch seiner Erkenntnis durch uns an jedem Ort offenbar macht!» (2Kor 2,14). Was für ein Vorrecht. Als Kinder Gottes gehören wir zu den Berufenen, Auserwählten und Treuen, die dem Herrn der Herren und König der Könige folgen (Offb 17,14). Nicht wir haben den Sieg errungen. Nicht wir können den Finsternismächten einfach befehlen und gegen sie gebieten, wie man oft fälschlich meint. Aber unser Herr ist der Herr aller Herren und König aller Könige. Und je grösser die Finsternis um uns herum wird, je schwieriger die Nöte und Bedrängnis, umso mehr werden wir am Ende über Seinen Sieg staunen. Deshalb lasst uns aufhören mit allem Klagen, Jammern und Schwarzsehen.

Was für ein Augenblick wird das einmal sein, wenn der Himmel sich sichtbar für alle Menschen öffnet. Dann wird es keinerlei Diskussionen mehr geben, wenn der Reiter auf dem weissen Pferd erscheint, der Herr aller Herren, der König aller Könige, vor dem jeder Widerstand weichen wird. Und wir werden mit Ihm kommen nicht, weil wir so gut wären und so viel für Ihn getan hätten, sondern weil Er uns für den lebendigen Gott zurückgekauft hat und durch Seine Gnade an Seinem ganzen Sieg teil gibt.

In diesem Zusammenhang denke ich an meine Zeit als «Jungscharler» zurück. Was haben wir damals nach der Bibelarbeit auch für tolle Geländespiele gemacht, Fussball gespielt und vieles andere. Wenn dann am Samstagnachmittag die Jungschar zu Ende war, bildeten wir Jungs mit unseren Leitern einen Kreis. Wir gaben uns die Hände und verabschiedeten uns mit einem Gruss bis zu unserem nächsten Wiedersehen:

«Dass Jesus siegt, bleibt ewig ausgemacht. Sein wird die ganze Welt. Tapfer und Treu!»

Epilog

Es gibt eine nicht unumstrittene Erzählung von Livius über Hannibals Feldzug gegen Rom. Der karthagische Feldherr liess im Winter 216/215 v.Chr. seine Truppen in Capua ihr Winterquartier beziehen. Dort soll es für die Soldaten sehr bequem gewesen sein und es sollen ihnen auch viele Vergnügungen offen gestanden haben. Diesbezüglich sprach man sogar von Zuständen wie in «Sodom und Gomorra». Das bequeme und vergnügungsreiche Winterquartier habe die Soldaten stark verweichlicht. Diese Verweichlichung soll mit ein Grund für das später gescheiterte Unternehmen gegen Rom gewesen sein, obwohl Hannibals Heer zunächst noch Siege errang.

Unabhängig von ihrer geschichtlichen Vertrauenswürdigkeit macht diese Erzählung deutlich, dass bequeme Umstände und ein Leben voller Vergnügungen Spuren hinterlassen. Schon manche Kulturen und Reiche gingen an einem bequemen und auf Vergnügen ausgerichteten Leben zugrunde. Oft verloren sie dadurch die Entschlossenheit, Kampf- und Leidensbereitschaft.

Nach einer langen Zeit der Glaubensfreiheit und des Wohlstands in Westeuropa ist auch unsere Kampf- und Leidensbereitschaft für das Evangelium gesunken. Das Wohlstandsevangelium, das den Glaubenden Gesundheit und Reichtum verspricht, ist nur ein dekadenter und verirrter Extremauswuchs unserer allgemeinen geistlichen Verweichlichung im Westen. Wenn wir auch solche Lehren zu Recht ablehnen, hat unsere eigene geistliche Entschlossenheit und Kampfbereitschaft deutlich nachgelassen. Die Säkularisierung der Gesellschaft und damit verbundene Entkernung der letzten christlichen Werte wird von einem Teil der Gemeinde Jesu nur mit einem Schulterzucken wahrgenommen, so scheint es. Schliesslich geht es uns doch gut und wir haben unsere persönlichen Freiheiten. Um unangenehme Reibereien zu vermeiden, haben sich auch Teile der bibeltreuen Christenheit aus der gesellschaftlichen Verantwortung zurückgezogen. Man meint, es wird doch nicht ganz so schlimm kommen und irgendwie alles so weitergehen wie bisher. Ganz ähnlich dachten auch Teile der bibeltreuen Christen am Vorabend des «Dritten Reiches».

Die Evangeliumsverkündigung und die Rettung verlorener Menschen bleibt immer der erste Auftrag der Gemeinde Jesu, selbst wenn diesbezüglich heute eine verhängnisvolle Akzentverschiebung innerhalb des Evangelikalismus stattfindet. Zugleich haben wir aber immer eine Verantwortung für die Verhältnisse und die Gesellschaft, in der wir leben. Und diese Verantwortung gilt es neu zu erkennen und in dem Wissen wahrzunehmen, dass es, in Anlehnung an Dietrich Bonhoeffer, dabei immer um das Vorletzte geht, im Gegensatz zu dem Letzten, dem kommenden Reich Gottes, das allein unser Herr einmal schaffen wird.

Zweifelsohne haben der Wohlstand und die jahrzehntelange Glaubensfreiheit eine geistliche Lethargie gefördert, die dann auch noch mit einem unbiblischen Fatalismus entschuldigt wird, dass doch alles so kommen muss. Natürlich wird sich Gottes Wort und Plan erfüllen. Niemand kann daran etwas ändern. Aber dies kann niemals gegen unsere Verantwortung in der Gegenwart, die wir wahrzunehmen haben, ausgespielt werden. Niemals können wir Gottes Heilsplan und Handeln als Entschuldigung für unsere Bequemlichkeit und Gleichgültigkeit heranziehen. Jesus gibt uns eine ernste Ermahnung:

«Ihr seid das Salz der Erde; wenn aber das Salz fade geworden ist, womit soll es gesalzen werden? Es taugt zu nichts mehr, als hinausgeworfen und von den Menschen zertreten zu werden» (Mt 5,13).

Es ist das eine, auf die in der Schrift vorausgesagten, letztzeitlichen Entwicklungen hinzuweisen. Es ist aber das andere, wenn wir uns hinterfragen und prüfen, wie wir durch unsere Gleichgültigkeit und fehlende Kampfbereitschaft daran mitschuldig werden. Auch durch die damit verbundene fehlende Leidensbereitschaft – denn ein deutliches Einstehen für die göttliche Wahrheit und die damit verbundenen Grundsätze sind nicht schmerzfrei zu haben. Die Erzählung von Livius über die Verweichlichung von Hannibals Soldaten sollte uns hier eine Mahnung sein. Sicher gibt es Angenehmeres, als unser bequemes «Winterquartier» zu verlassen und uns auf allen Ebenen dem geistlichen Kampf und der damit verbundenen Leidensbereitschaft zu stellen. Die Änderung unseres Lebensstils schaffen wir nicht aus uns selbst heraus. Es wirft uns ganz auf Christus. Nur Er kann uns durch die Kraft Seiner Gnade von der Menschenfurcht befreien und davor bewahren. Zugleich sind wir aber auch aufgefordert, unsere geistliche Verantwortung willentlich wahrzunehmen, so wie es Paulus seinem geistlichen Ziehsohn Timotheus zugerufen hat:

«Kämpfe den guten Kampf des Glaubens; ergreife das ewige Leben, zu dem du berufen worden bist und bekannt hast das gute Bekenntnis vor vielen Zeugen! Ich gebiete dir vor Gott, der allem Leben gibt, und vor Christus Jesus, der vor Pontius Pilatus das gute Bekenntnis bezeugt hat, dass du das Gebot unbefleckt, untadelig bewahrst bis zur Erscheinung unseres Herrn Jesus Christus! Die wird zu seiner Zeit der selige und alleinige Machthaber zeigen, der König der Könige und Herr der Herren, der allein Unsterblichkeit hat und ein unzugängliches Licht bewohnt, den keiner der Menschen gesehen hat, auch nicht sehen kann. Dem sei Ehre und ewige Macht! Amen» (1Tim 6,12-16).

Danksagung

Einen herzlichen Dank an René Malgo, der mit viel «Herzblut» das Buchmanuskript in die richtige Form brachte und «durchforstet» hat. Er gab mir hilfreiche Hinweise. Ein Dank geht auch an meinen Freund Wolfgang Nestvogel, der trotz seiner starken Beanspruchung die Zeit fand, einige Kapitel gegenzulesen und Tipps zu geben. Danke auch an alle Mitarbeiter des Verlages Mitternachtsruf, die in irgendeiner Weise zum Erscheinen des Buches beigetragen haben.

Danken möchte ich auch Werner Stoy, dessen Buch «Mut für morgen – Christen im Westen vor der Verfolgung» 1979 veröffentlicht wurde und mir den Anstoss für dieses Buch gab. Nach meiner Einschätzung fand Stoys Buch leider zu wenig Beachtung innerhalb der evangelikalen Bewegung. Es ist gebraucht erhältlich und ich kann es jedem Leser nur empfehlen, der sich weiter mit der Thematik beschäftigen möchte.

Über allem soll das Motto stehen:

Soli Deo Gloria!

ERWIN LUTZER

Wir werden nicht schweigen

Als Christen für Freiheit und Werte eintreten

Erwin Lutzer bereitet in diesem Buch Christen darauf vor, ihre Überzeugungen gegen eine wachsende Flut von Anfeindungen auszuleben. Es ist frustrierend, das Gefühl zu haben, dass man die biblische Wahrheit nicht durchsetzen kann, ohne verurteilt zu werden, und es macht Angst, Zeuge zu werden, wie Empörung und Opferhaltung Respekt und Vernunft ersetzen. Wie kann man inmitten dieses Konflikts weiterhin öffentlich für Jesus Zeugnis ablegen?

Paperback
320 Seiten
Bestell-Nr. 180206